Gu*de* Charme

DES VILLAGES
DE FRANCE

Nicole & Claude

Mailloux

juin 93

ISBN : 2-7436-0011-X
ISSN : 0991-4781
© 1996, Éditions Payot & Rivages
106, boulevard Saint-Germain - 75006 Paris

Guide *de* Charme

DES VILLAGES DE FRANCE

Guide dirigé par
Nathalie Mouriès

Rivages

La septième édition du GUIDE DE CHARME DES VILLAGES DE FRANCE, entièrement remise à jour, présente une sélection de 329 très beaux villages – dont 13 nouveaux – classés par région. Nous avons choisi ces villages pour leur beauté, leur architecture traditionnelle, leur charme et leur remarquable intégration dans un site naturel préservé.

Chaque village, illustré d'une photo en couleurs, comporte un texte racontant son histoire, décrivant son aspect, et une "fiche pratique" indiquant l'itinéraire d'accès, les hôtels et maisons d'hôtes de charme où séjourner, les restaurants, les musées, les jours de foires et de marchés, les festivités et les lieux intéressants à visiter aux alentours.

"Suivez le guide", délaissez les grands axes encombrés et redécouvrez avec nous le bonheur de parcourir les petites routes de campagne, de visiter cette douce France parsemée de villages, Locronan, Hastingues, Corbara, Roquebrun, Brantes…, qui ont conservé leur clocher, leurs vieilles pierres, leurs ruelles tranquilles, leur charme d'antan et un art de vivre authentique.

REMERCIEMENTS

Nous remercions Jean et Tatiana de Beaumont, Bénédicte Darblay, Anne Deren, les mairies, les syndicats d'initiative et les maisons régionales qui nous ont gentiment aidés ainsi que nos lecteurs pour les nouveaux villages qu'ils nous ont indiqués.

TEXTES

Jean et Tatiana de Beaumont, Paul Dalmas-Alfonsi, Anne Deren, Paul Guichonnet, Catherine Hans, Nathalie Mouriès, Odile de Roquette-Buisson.

PHOTOS

ADED Doubs, M. Arlaud, J.-C. Baille, P. Bar/coll. CDT Vaucluse, J.-J. Béraud, H. Berthoule/ Explorer, M. Blache/Diaf, G. Bouchet, Bousquet/Campagne, Campagne, G. Boutin/Explorer, J.-M. Cagnon, P. Cartier, M. Chambon, H. Champollion/Top, J.-M. Chauvet d'Arcizas, CDT Aisne, CDT Ardèche, CDT Aveyron, CDT Lozère, CRT Limousin, CRT Poitou-Charentes, J. Damase/Explorer, D. Delobel, J.-L. Dosso-Greggia, J.-P. Dubouil, Éditions Cellard, M. Errecalde, Espace Soleil Bleu, J. Fauroux, E. Follet/Agence Béarn, T. Gamaleeff, J.-P. Garcin/Diaf, E. Goffart, D. Goudouneix/Explorer, G. Gsell/Diaf, C. Guillonneau, J.-P. Guyonneau, B. Henry, F. Jalain/Explorer, F. Jourdan/Explorer, A. Kumurdjian/ Explorer, R. Lanaud/Explorer, J.-P. Langeland/Diaf, F. Lechenet/CDT Cher, D. Lerault/Diaf, J.-P. Lescourret/Explorer, P. Lorne/Explorer, Magnoux/CDT Corrèze, M. Mayer, J.-F. Michel, C. Moirenc, Nimetz/Pays Armagnac et Lomagne, N. Niquel, F. Perrodin, J.-M. Peyral, Pratt-Pries/Diaf, D. Repérant/ Explorer, P. Roy/Explorer, C. Sarramon, A. Scheitler, P. Senné, Somelet/Diaf, Studio Violle/Moissac, J.-H. Thibaut/Explorer, G. Tordjeman, M. Traube, Y. Travert/Diaf.

MODE D'EMPLOI DU GUIDE

Nous avons procédé à un classement des villages par région et, à l'intérieur de chaque région, à un classement par département et par ordre alphabétique.

Lorsque nous mentionnons pour les hôtels, "hôtel de charme" et pour les maisons d'hôtes, "maison d'hôtes de charme", ce sont des hôtels et maisons d'hôtes que nous vous recommandons car ils ont été visités et sélectionnés par nos soins et font partie du Guide de charme des Auberges et Hotels en France et du Guide de charme des Maisons d'hotes en France, publiés par les Éditions Rivages.

Nous vous signalons également que les prix donnés pour les hôtels et maisons d'hôtes indiquent le prix minimum d'une chambre pour une personne et le prix maximum d'une chambre pour deux personnes. Ces prix nous ont été communiqués fin 1995 pour l'année 1996 mais les hôteliers et propriétaires de maisons d'hôtes les modifient parfois en cours d'année.

Les restaurants que nous mentionnons proposent en général des menus à prix modérés (100-150 F) exceptés, bien sûr, les restaurants gastronomiques.

Dans cette édition, nous avons indiqué les futurs numéros de téléphone à 10 chiffres qui seront mis en service le 18 octobre 1996. Jusqu'à cette date, ne pas composer les deux premiers chiffres des numéros (mais le 16 à partir de Paris).

Nous avons apporté toute notre attention pour sélectionner nos villages. Malgré tout, il peut arriver que vous constatiez au cours de vos visites des constructions ou des rénovations qui ne respectent pas le site ou l'architecture du village, ayez alors la gentillesse de nous le signaler.

Nous attendons également vos suggestions pour enrichir notre sélection de villages de charme, faites-nous part de vos découvertes en nous écrivant :
Guide de charme des Villages de France
Éditions Rivages
106, boulevard Saint-Germain, 75006 Paris.

S O M M A I R E

A L S A C E - L O R R A I N E

A Q U I T A I N E

A U V E R G N E - L I M O U S I N

BOURGOGNE-FRANCHE-COMTÉ

BRETAGNE - PAYS DE LA LOIRE

CENTRE-VAL-DE-LOIRE-ILE-DE-FRANCE

C O R S E

LANGUEDOC-ROUSSILLON

MIDI-PYRÉNÉES

NORD - PICARDIE

NORMANDIE

POITOU-CHARENTES

PROVENCE-ALPES-CÔTE-D'AZUR

R H Ô N E - A L P E S

De Wissembourg à Saint-Louis, de la crête des Vosges au Rhin, vous découvrirez en Alsace une grande diversité de villages. Si les villages de la plaine, comme Hindisheim ou ceux de l'Outre-Forêt comme Oberseebach, vous rappelleront les représentations traditionnelles "à la Hansi" du village alsacien, vous serez étonnés par de véritables villages de montagne comme Hohrod ou Sewen et surpris des similitudes des bourgs fortifiés du vignoble comme Riquewihr ou Éguisheim avec les petites cités médiévales de Toscane ou d'Ombrie. Chemin faisant à travers la région, vous succomberez au charme des paysages qui font de l'Alsace entière un merveilleux jardin. Imprégnés de cette nature exceptionnelle, les Alsaciens aiment passionnément leur région et sont d'ardents défenseurs de leur environnement. Cela se concrétise dans de nombreuses associations de protection et de défense de la nature et dans des organisations de randonnées comme le Club Vosgien (tél. 03.88.32.57.96).

BŒRSCH
67530 Ottrott (Bas-Rhin)

Entouré de vergers et de vignes, blotti dans un vallon, Bœrsch est un lieu de résidence de plus en plus prisé des Strasbourgeois à la recherche d'un havre de quiétude. Avec ses trois portes qui en verrouillent l'accès et ses puissantes fortifications édifiées en 1340 par l'évêque de Strasbourg Berthold III, Bœrsch figure parmi les plus belles cités encloses du vignoble alsacien. Au centre du bourg, sur la place recouverte de pavés à l'ancienne, l'Hôtel de Ville avec son bel oriel de 1615 et un magnifique puits Renaissance forment un ensemble architectural harmonieux. Non loin du village vers le sud, l'ancienne abbaye bénédictine de Saint-Léonard (XIIᵉ siècle) abrite aujourd'hui les ateliers des célèbres marqueteries Spindler. A proximité de Bœrsch vers le nord, le cimetière israélite de Rosenwiller existait déjà en 1366.

♦ 1553 habitants, 465 m d'altitude ♦ **Accès :** à 4 km N-O d'Obernai par D 332 ♦ **Aux alentours :** la petite ville d'Obernai ; les châteaux d'Ottrott (2,5 km S par D 35) ♦ **Foires, festivités :** Fête des vendanges le 3ᵉ ou 4ᵉ dimanche d'octobre ♦ **Hôtels :** à Ottrott (2,5 km S), Hôtel Beau Site (tél. 03.88.95.80.61) 7 chambres 260-400 F environ, restaurant ; à Obernai, A la Cour d'Alsace (tél. 03.88.95.07.00) 43 chambres 450-800 F environ ♦ **Restaurant :** Le Châtelain (tél. 03.88.95.83.33) ♦ **Mairie - S. I.** (tél. 03.88.95.82.43).

BUSWILLER
67350 Pfaffenhoffen (Bas-Rhin)

Le pays de Hanau évoque certains paysages de la campagne toscane. Blotti dans un vallon, Buswiller est un petit village agricole, dont le nom fut mentionné pour la première fois en 784, dans un document de l'abbaye de Wissembourg. Presque toutes les maisons de la rue principale sont encore des fermes ornées de profondes galeries et de pignon en encorbellement (dues aux charpentiers Schini). Leurs cours sont bien sûr consacrées aux activités agricoles et leurs toits de tuiles vernissées ajoutent au village une touche gaie et colorée. A l'extrémité de la rue, en face du temple, on remarque une ferme avec un grand porche, c'est l'un des plus beaux bâtiments agricoles à pans de bois d'Alsace du Nord. L'église de Buswiller était autrefois fortifiée, elle a gardé ses murs épais percés de meurtrières et des vestiges de l'enceinte qui entourait son cimetière.

◆ 189 habitants, 225 m d'altitude ◆ **Accès :** à 20 km O de Haguenau par D 919, D 419 et D 25 ◆ **Aux alentours :** la petite ville de Bouxwiller (Hôtel de Ville du XVIIe siècle, musée des Arts et Traditions populaires) ◆ **Hôtel :** à Bouxwiller (7 km O), Hôtel Heintz (tél. 03.88.70.72.57) 16 chambres 200-250 F environ ◆ **Mairie** (tél. 03.88.70.71.90).

DAMBACH-LA-VILLE
67650 (Bas-Rhin)

Dambach-la-Ville est située sur la belle route du vin et son vignoble s'étend sur plus de 400 hectares. Le lieu, propriété des seigneurs de Bernstein, apparaît dans les archives dès 1125 sous le nom de Tannenbach (terre plantée de sapins). Au début du XVIᵉ siècle, la cité prit part à la fameuse guerre des Paysans. Aujourd'hui les remparts et leurs trois vieilles portes de chêne enserrent toujours magnifiquement le village. Sur la place du Marché, on peut admirer de remarquables maisons à pans de bois ainsi qu'une belle fontaine surmontée d'un ours sculpté, symbole de la famille Bernstein. L'Hôtel de Ville de Dambach avec sa très haute façade et ses pignons en gradins figure parmi les plus belles constructions de la Renaissance alsacienne. Par la porte haute de la cité ensuite, on arrive à la chapelle Notre-Dame, du XVᵉ siècle, puis à la chapelle Saint-Sébastien, qui possède une tour-clocher romane, des fenêtres et un chevet gothiques et un très bel autel baroque XVIIᵉ, œuvre de Clemens et Philipp Winterhalter.

♦ 1808 habitants, 200 m d'altitude ♦ **Accès :** à 10 km N de Sélestat par N 59 et D 35 ♦ **Aux alentours :** les châteaux de Bernstein (XIIᵉ-XIIIᵉ siècles), de l'Ortenbourg, du Ramstein et du Haut-Kœnigsbourg ♦ **Foires, festivités :** marché le mercredi matin, Nuit du vin début juillet ♦ **Hôtels :** à Itterswiller (5 km S) Hôtel Arnold (tél. 03.88.85.50.58), hôtel de charme, 28 chambres 270-595 F, restaurant ; à Dieffenbach-au-Val (9 km O) La Romance (tél. 03.88.85.67.09), maison d'hôtes de charme, 4 chambres 270-330 F ; Chez Colette (tél. 03.88.57.60.91), maison d'hôtes de charme, 1 studio 260 F et La Maison Fleurie de Doris Engel-Geiger (tél. 03.88.85.60.48), maison d'hôtes de charme, 4 chambres 200-220 F ♦ **Restaurant :** Caveau Narz (tél. 03.88.92.41.11) ♦ **S. I.** (tél. 03.88.92.61.00).

HINDISHEIM
67150 Erstein (Bas–Rhin)

Sur la rive droite de l'Andlau, Hindisheim forme un ensemble préservé d'une rare homogénéité. Les restaurations y sont opérées avec un souci manifeste de respecter les caractéristiques anciennes des demeures. Les rues du bourg, dominées par la haute église Saints-Pierre-et-Paul construite en 1888, se distribuent régulièrement autour d'une très large rue. Ce vieux village, cité pour la première fois au VIIIᵉ siècle, possède de très belles maisons à pans de bois ; vous pourrez admirer, dans la rue du Moulin, la Maison du Charron de 1737. Il faut aussi visiter la jolie chapelle de la Vierge située au milieu du vieux cimetière villageois, qui possède un clocher à colombage et un auvent de 1553. A l'intérieur, très belle statue de Vierge couronnée à l'Enfant.

♦ 1205 habitants, 150 m d'altitude ♦ **Accès :** à 18 km S de Strasbourg par N 83 et D 207 ♦ **Aux alentours :** Obernai (13 km O), Ottrott et le Mont Ste-Odile ♦ **Foire, festivités :** marché le mercredi matin ; Fête des récoltes d'antan le 1ᵉʳ week-end de septembre ♦ **Hôtel :** à Obernai (13 km O) A la Cour d'Alsace (tél. 03.88.95.07.00), hôtel de charme, 43 chambres 450-800 F, restaurant ♦ **Mairie** (tél. 03.88.64.26.22) - **S. I.** du pays d'Erstein (tél. 03.88.98.14.33).

HUNSPACH
67250 Soultz-sous-Forêts (Bas-Rhin)

Au cœur de l'Outre-Forêt, l'ancien village impérial d'Hunspach, devint en 1504 propriété de la famille Deux-Ponts-Palatinat qui le conserva jusqu'à la Révolution. Il fut reconstruit par des colons suisses après sa destruction complète au cours de la guerre de Trente Ans. De nos jours, Hunspach resplendit sous le soleil. Les rues, le long desquelles sont alignées de magnifiques maisons à colombage, convergent vers la place centrale où se trouve la mairie (XVIIIᵉ siècle). Les fenêtres de certaines demeures (les plus anciennes) ont encore des vitres bombées, ce qui est rare et permet de voir de l'intérieur sans être vu. Dans le village, des artisans fabriquent toujours des corbeilles, des tapis de paille et des bonnets d'homme en laine noire et l'on croise parfois de vieilles femmes revêtues de la robe noire traditionnelle, qui montent avec lenteur le chemin menant au temple. L'été, les épis de maïs sèchent sur les façades des fermes et les géraniums fleurissent aux fenêtres colorant gaiement le blanc éclatant des murs. Ce merveilleux petit bourg resté à l'écart des flux touristiques fait partie du circuit des villages pittoresques de l'Alsace du Nord.

♦ 541 habitants, 160 m d'altitude ♦ **Accès :** à 11 km S de Wissembourg par D 263
♦ **Aux alentours :** la pittoresque petite ville de Wissembourg, église du XIIIᵉ siècle et musée Westercamp (archéologie préhistorique et romaine, meubles alsaciens) ♦ **Foires, festivités :** Fête de la forêt en juillet ♦ **Hôtel :** à Betschdorf (16 km S) Chez M. et Mme Krumeich (tél. 03.88.54.40.56), maison d'hôtes de charme, 3 chambres 200-290 F ♦ **Restaurant :** Au Cerf (tél. 03. 88.80.41.59) ♦ **Mairie** (tél. 03.88.80.42.16).

KUTTOLSHEIM
67520 Marlenheim (Bas-Rhin)

L e village se blottit dans le vallon de la Souffel qui entaille le rebord du plateau de l'arrière-Kochersberg. De belles fermes à cour carrée, isolées de la rue par un haut mur, témoignent de la prospérité ancienne de ce "grenier à blé" alsacien. L'agriculture n'occupe plus toutefois qu'une petite partie de la population du village, la plupart des habitants travaillant à Strasbourg, Marlenheim ou Wasselonne. Kuttolsheim a gardé un tracé de rues désordonné que l'on s'amuse à suivre. La rue de la Vallée avec ses belles maisons à colombage conduit à la petite chapelle Sainte-Barbe et, à l'autre extrémité du village se dresse l'église Saint-Jacques-le-Majeur à la belle tour-clocher romane. Par-ci, par-là, l'été, des jardinets fleuris égaient les habitations. Un petit village à la mode d'autrefois.

♦ 490 habitants, 200 m d'altitude ♦ **Accès :** à 20 km O de Strasbourg par D 228
♦ **Hôtels :** à Wangenbourg (5 km S) le Parc Hôtel (tél. 03.88.87.31.72), hôtel de charme, 34 chambres 253-412 F, restaurant ; à Cosswiller (11 km O) Le Tire-Lyre (tél. 03.88.87.22.49), maison d'hôtes de charme, 3 chambres 250-330 F, 1 suite 360 F, 2 nuits minimum en saison ♦ **Mairie** (tél. 03.88.87.51.32).

LORENTZEN
67430 Diemeringen (Bas-Rhin)

Lorentzen est un petit village campagnard qui se niche au cœur des collines verdoyantes de l'Alsace bossue. Ce qui frappe d'emblée, lorsqu'on arrive, c'est la largeur de la rue principale bordée de belles maisons alsaciennes presque toutes accolées par le pignon. Mais la construction la plus originale et la plus intéressante du bourg, c'est l'imposant château édifié par le comte Frédéric II de Saarwerden au XIVe siècle, reconstruit en 1577 puis remanié au XVIIIe siècle. On y accède par une grande allée le long de laquelle sont construits d'un côté une grange à dîme de 1770 et de l'autre, un ancien moulin de 1728 qui a conservé sa roue à aubes. Tout à côté l'église protestante dotée d'une haute tour-chœur trappue.

♦ 300 habitants ♦ **Accès :** à 45 km N-O de Saverne par N 4, N 61 - Sarre-Union et D 8
♦ **Aux alentours :** le parc régional des Vosges du Nord ♦ **Hôtel :** à La Petite-Pierre (18 km S-E), Auberge d'Imsthal (tél. 03.88.01.49.00), hôtel de charme, 23 chambres 280-600 F, restaurant ♦ **Mairie** (tél. 03.88.00.42.92).

MITTELBERGHEIM
67140 Barr (Bas-Rhin)

Mittelbergheim s'étire sur les collines couvertes de vignes du Rippellsholz. Le village, dont le nom est mentionné dès 741, fut successivement la propriété de plusieurs abbayes. De nos jours, le bourg, d'où émergent les clochers effilés des deux églises, a toujours des allures de forteresse. On peut admirer, à l'angle de la rue de la Montagne et de la rue principale, le bel Hôtel de Ville Renaissance et, plus loin, dans la rue de la Montagne, un très beau pressoir en bois du XVIIIe siècle. Certaines maisons (notamment celle du menuisier Bœckel ou celle du vigneron Seltz) ont de belles enseignes en fer ouvragé et des toits en forme de "queue de castor" (Biberschwanz). Il faut aussi visiter la petite église catholique du XIXe siècle et le temple protestant avec sa nef gothique et son clocher-chœur roman. Idéalement situé sur la route des vins d'Alsace, Mittelbergheim fait partie des villages les mieux conservés et les plus jolis d'Alsace.

♦ 631 habitants, 225 m d'altitude ♦ **Accès :** à 14 km S d'Obernai par N 422 et D 253 ♦ **Aux alentours :** Andlau (église abbatiale Sainte-Richarde) ; le château du Haut-Andlau (XIIIe-XVIe siècles), le château de Spesbourg (XIIIe siècle) ♦ **Foires, festivités :** Fête du vin le dernier week-end de juillet, Fête du vin nouveau le 1er et 3e dimanche d'octobre ♦ **Hôtel :** Hôtel Gilg (tél. 03.88.08.91.37), hôtel de charme, 15 chambres 215-400 F, restaurant ♦ **Restaurant :** Am Lindeplatzel (tél. 03.88.08.10.69) ♦ **S. I.** (tél. 03.88.08.92.29).

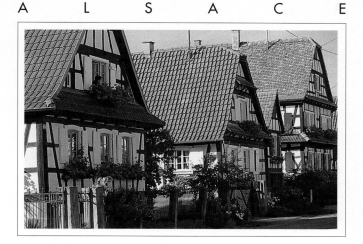

OBERSEEBACH
67160 Wissembourg (Bas-Rhin)

Oberseebach est l'un des villages les plus caractéristiques de l'Alsace du Nord. Implanté au cœur de l'Outre-Forêt sur de très riches terres agricoles, Oberseebach est nommé pour la première fois dans des chartes en 967 ; il sera incorporé au bailliage d'Altenstadt, possession de l'abbaye de Wissembourg. Les guerres, qui secouent le Palatinat au XVe siècle, et la guerre de Trente Ans, deux siècles plus tard, ravagent le village. Heureusement, aujourd'hui, Oberseebach aligne fièrement le long de la rue principale, ses magnifiques maisons blanches à colombage, toutes pimpantes et fleuries. La pente des toits est très accentuée pour permettre l'écoulement de la neige en hiver. Avant de repartir, allez admirer, dans la rue des Forgerons, une très belle maison du XVIIIe siècle admirablement conservée.

♦ 1500 habitants, 160 m d'altitude ♦ **Accès :** à 6 km S-E de Wissembourg par D 263 et D 34 ♦ **Aux alentours :** la pittoresque petite ville de Wissembourg : église du XIIIe siècle, musée Westercamp (archéologie préhistorique et romaine, meubles alsaciens) ; le village de potiers de Betschdorf ♦ **Foires, festivités :** Fête rurale en juillet ♦ **Hôtel :** à Betschdorf (18 km S) Chez M. et Mme Krumeich (tél. 03.88.54.40.56), maison d'hôtes de charme, 3 chambres 200-290 F ♦ **Restaurant :** A l'Ange (tél. 03.88.94.07.70) ♦ **Mairie** (tél. 03.88.94.74.06).

OSTHOFFEN
67990 (Bas-Rhin)

Osthoffen s'est construit sur les rives du Muhlbach, sur la pente d'une colline du Kochersberg. La rue principale traverse le village et croise la rue des Seigneurs avec sa laiterie qui s'anime le soir quand les éleveurs du village viennent y apporter le lait de la journée. Plus loin, une belle ferme restaurée avec goût est ornée d'un très beau balcon couvert qui longe toute la façade ; elle dresse son pignon au-dessus de la rue. On découvre ensuite la haute église Saint-Jacques-le-Majeur, construite au XIXe siècle en style néo-classique. Protégé par la pénombre de grands arbres centenaires, dans le creux d'un vallon, Osthoffen cache un château du XVIIe siècle. Il eut de multiples propriétaires, et en 1817 il fut racheté par le général-baron de Grouvel dont la descendante vit encore dans la vieille demeure.

♦ 573 habitants, 200 m d'altitude ♦ **Accès :** à 11,5 km O de Strasbourg par D 45 et D 118 ♦ **Aux alentours :** à Molsheim (8 km S par D 45 et D 30) : musée municipal (archéologie, histoire locale, folklore) et musée de la Fondation Bugatti (voitures anciennes) ♦ **Foires, festivités :** à Molsheim, Foire aux vins le 1er mai ♦ **Hôtel :** à Strasbourg (11,5 km O) Hôtel du Dragon (tél. 03.88.35.79.80), hôtel de charme, 32 chambres 435-610 F ♦ **Mairie** (tél. 03.88.96.00.90).

SCHERWILLER
67750 (Bas-Rhin)

Situé sur le piémont des Vosges, Scherwiller se signale au loin par le château d'Ortenbourg, château fort médiéval complété en contrebas par le château du Ramstein (1292). Ces lieux témoignent de l'histoire agitée du village qui fut entièrement brûlé lors de la défaite des paysans d'Alsace face au duc Antoine de Lorraine, le 20 mai 1525. Le village n'aurait pas le même attrait sans les eaux vives de l'Aubach qui le traverse et qui lui donne beaucoup de charme. Le long de la rue de la Mairie et de la rue des Chevaliers, certaines maisons ne sont accessibles que par de petits ponts qui enjambent la rivière. Au centre du village veille le "Corps de Garde", magnifique demeure classée du XVIIe siècle, à colombage et oriel décoré, à cinq pans ; en face, d'autres belles maisons du XVIIIe siècle avec des murs blanchis et des colombages, des fleurs, de vieilles enseignes et des lucarnes anciennes. Les nombreuses enseignes de viticulteurs rappellent que Scherwiller est l'un des hauts lieux de la production du délicieux riesling, dont vous pourrez peut-être acheter quelques bouteilles avant de reprendre la route.

♦ 2290 habitants, 186 m d'altitude ♦ **Accès :** à 4 km N-O de Sélestat par N 59 et D 35 ♦ **Aux alentours :** Sélestat ; les châteaux de Ramstein, du Bernstein et de l'Ortenbourg (2 km E par D 35 et GR 5) ♦ **Foires, festivités :** "Art, Artisanat et Riesling" le samedi et le dimanche suivant le 15 août ♦ **Hôtel :** à Dieffenbach-au-Val (12 km N-O), La Romance (tél. 03.88.85.67.09), maison d'hôtes de charme, 4 chambres 270-330 F ; Chez Colette (tél. 03.88.57.60.91), maison d'hôtes de charme, 1 studio 260 F ; La Maison Fleurie de Doris Engel-Geiger (tél. 03.88.85.60.48), maison d'hôtes de charme, 3 chambres 200-220 F ♦ **Restaurant :** A la Couronne (tél. 03.88.92.06.24) ♦ **Mairie** (tél. 03.88.92.23.23) - **S. I.** (en saison tél. 03.88.92.25.62).

WALDERSBACH
67130 Schirmeck (Bas-Rhin)

Petit village de montagne, Waldersbach ne compte guère plus d'une quarantaine de maisons. Cette ancienne seigneurie des Rathsamhausen fut vendue au comte palatin de Veldenz qui y introduisit la Réforme en 1589. Le village présente des maisons massives, avec des murs blancs et de larges toits de tuiles. Il est dominé par sa petite église au clocher de bois. Il faut visiter l'ancien presbytère, aujourd'hui transformé en musée consacré au pasteur Jean-Frédéric Oberlin qui s'était installé au XVIIIᵉ siècle à Waldersbach, alors l'une des contrées les plus déshéritées d'Alsace. Durant les cinquante-neuf ans qu'il passa dans sa paroisse, il transforma la vie de la petite commune. Après une promenade tranquille dans Waldersbach, on peut monter vers Bellefosse d'où l'on atteint les ruines du château de la Roche (XIIᵉ siècle). La région produit un miel savoureux et des fromages à pâte molle.

♦ 124 habitants, 520 m d'altitude ♦ **Accès :** à 35 km N-O de Sélestat par D 424, N 420 et D 57 ♦ **A voir :** le musée Oberlin (objets, témoignages de l'activité du pasteur) ♦ **Aux alentours :** les ruines romaines du Donon, les mines de Grandfontaine, le camp du Struthof à Natzwiller ♦ **Hôtel :** à Les Quelles (4 km N), Hôtel Neuhauser (tél. 03.88.97.06.81), hôtel de charme, 14 chambres 270-310 F, restaurant ♦ **Mairie** (tél. 03.88.97.31.80) - **S. I.** (tél. 03.88.97.00.02).

WESTHOFFEN
67310 Wasselonne (Bas-Rhin)

Westhoffen s'étage sur les pentes du Seelenberg (ce qui veut dire la colline aux âmes). Ce gros village fait encore une large place à l'agriculture : les vignes occupent les pentes ensoleillées des coteaux et plus de cinq mille cerisiers produisent les fameuses cerises noires qui ont fait la renommée de Westhoffen. A l'intérieur des murs d'enceinte, les façades des maisons, comme la disposition des rues, soulignent l'ancienneté de ce village fortifié que les Armagnacs dévastèrent en 1444 et qui passa à la Réforme en 1545. Au détour d'une petite ruelle une tour émerge des toits, c'est le "Städtel-glöckelturm", un vestige de l'ancienne église Saint-Erhard. En contre-bas de la mairie, une belle synagogue de grès rose est le lieu-symbole de l'ancienne communauté juive du village. Dans la rue Birris, on remarque la petite église catholique Saint-Martin, et, en face, une ferme décorée d'un bel oriel sculpté. Tout au bout de la rue, on peut admirer aussi l'église protestante Saint-Martin, un bel édifice gothique des XIIIe-XIVe siècles, décoré de vitraux du XIVe siècle.

♦ 1400 habitants ♦ **Accès** : à 23 km O de Strasbourg par N 4 - Marlenheim et D 142 ♦ **Aux alentours :** les châteaux et les églises romanes de la Mossig ♦ **Foires, festivités :** Fête de la cerise en juin ; à Marlenheim (3 km N), Fête de l'ami Fritz le 15 août ♦ **Hôtels :** à Wangenbourg (16 km E) le Parc Hôtel (tél. 03.88.87.31.72) hôtel de charme, 34 chambres 253-412 F, restaurant ; à Cosswiller (8 km E) Le Tire-Lyre (tél. 03.88.87.22.49), maison d'hôtes de charme, 3 chambres 250-330 F, 1 suite 360 F ♦ **Mairie** (tél. 03.88.50.38.21).

WEYERSHEIM
67720 (Bas-Rhin)

Situé au pied des premières collines de Brumath, Weyersheim est constitué de larges rues, le long desquelles s'alignent les pignons de magnifiques maisons traditionnelles, blanches ou roses à pans de bois, avec des volets rouges ou vert pâle. L'une d'entre elles fut bâtie en 1621, ce qui en fait l'une des plus anciennes maisons d'Alsace. Dans la rue du Petit-Village, on peut voir également deux étonnantes maisons au crépi bleu qui rappellent l'ancienne coutume des villages catholiques de mettre leurs maisons sous la protection de la Vierge Marie (le bleu était la couleur de la Vierge). A ne pas manquer, la visite de l'église du village, construite à la fin du XVIIIe siècle par l'architecte Salins de Montfort ; elle renferme un magnifique maître-autel baroque à baldaquin du milieu du XVIIIe siècle, deux autels latéraux de Valentin Boudhors et de superbes tableaux anciens. Traversé par une jolie rivière, la Zorn, le village a gardé un charme bucolique. Il faut aller aussi jusqu'à Bruchstuehe, où s'étend sur plus de quatre hectares un véritable conservatoire naturel qui abrite d'innombrables espèces d'oiseaux.

♦ 2816 habitants, 139 m d'altitude ♦ **Accès :** à 18 km N de Strasbourg par A 4, D 300 et D 37 ♦ **Aux alentours :** à Brumath (7,5 km O par D 47), musée Archéologique dans le château des Hanau-Lichtenberg ♦ **Foires, festivités :** Messti (foire commerciale) les 2e dimanche et lundi d'octobre ♦ **Hôtel :** à La Wantzenau (9,5 km S), Le Moulin de la Wantzenau (tél. 03.88.96.27.83), hôtel de charme, 20 chambres 310-510 F ♦ Restaurant : Auberge du Pont de la Zorn (tél. 03.88.51.36.87) ♦ **Mairie** (tél. 03.88.51.30.12).

ZUTZENDORF
67330 Bouxwiller (Bas-Rhin)

Ce village du nord de l'Alsace a le charme discret de l'Unterland. L'histoire de Zutzendorf remonte à 778 ; à cette époque, l'abbaye de Wissembourg possédait des biens à Villa Zuzanheim. Par la suite, le village appartint aux seigneurs de Wasigenstein puis à ceux de Fleckenstein avant de passer au XVIIIe siècle aux nobles Gayling von Altheim puis Johann von Mundolsheim. Sur les pentes de la rue d'Obermodern ou de la rue de Pfaffenhoffen, le vieux village étage des fermes avec de larges cours autour desquelles sont ordonnés les bâtiments d'habitation, les dépendances, la grange et l'étable. Sur la place, la petite église protestante date de 1739. Son clocher-chœur voûté, construit partiellement en pierre de taille, remonte probablement au XIIIe siècle. Une très belle maison à pans de bois, transformée en gîte rural, accueille simplement les voyageurs, comme autrefois.

♦ 506 habitants, 200 m d'altitude ♦ **Accès :** à 16 km O de Haguenau par D 919 et D 326
♦ **Mairie** (tél. 03.88.90.81.62).

BERGHEIM
68750 (Haut-Rhin)

Entourée de vignobles, la petite cité de Bergheim délimite avec netteté son territoire par un dispositif d'enceintes renforcées à intervalles réguliers de bastions et de tours. Ce sont les Habsbourg qui édifièrent les fortifications du village lorsqu'ils l'érigèrent en ville en 1312. De la Porte Haute on peut traverser le village jusqu'à l'église Notre-Dame qui fut construite au XIVe siècle et largement remaniée au XVIIIe. Le long de la Grand-Rue s'échelonnent de belles maisons vigneronnes à cour pavée et cave profonde, dans lesquelles les viticulteurs font vieillir les vins qui ont fait la renommée du village, le fameux gewurztraminer. Sur la place du Marché, on peut admirer l'Hôtel de Ville de 1762 qui comporte un magnifique portail à clocheton, la fontaine fleurie et des demeures à l'architecture traditionnelle, murs avec colombages ou teintés de couleurs vives et gaies, bleu, vert ou ocre. A travers le dédale des petites rues on atteint les remparts dont les anciens fossés intérieurs sont envahis de jardinets charmants. La promenade est champêtre et agréable, Bergheim a gardé une vie paisible et un aspect bien authentique.

♦ 1806 habitants, 220 m d'altitude ♦ **Accès :** à 9 km S de Sélestat par N 83 et D 42 ♦ **Aux alentours :** Ribeauvillé (3,5 km S-O) ; le château du Haut-Kœnigsbourg ; l'église fortifiée de Hunawihr ♦ **Foires, festivités :** marché le lundi matin ; Fête du Gewurztraminer le 1er week-end d'août ♦ **Hôtels :** Le Clos Saint-Vincent (tél. 03.89.73.67.65), hôtel de charme, 12 chambres 650-935 F, restaurant ; à Ribeauvillé (3 km S) Hostellerie des Seigneurs de Ribeaupierre (tél. 03.89.73.70.31), hôtel de charme, 6 chambres 470-540 F, 4 suites 560-730 F ; à Thannenkirch (6 km N-O), Auberge La Meunière (tél. 03.89.73.10.47), hôtel de charme, 15 chambres 270-350 F, restaurant ♦ **Restaurant :** Winstub du Sommelier (tél. 03.89.73.69.99) ♦ **Mairie** (tél. 03.89.73.63.01).

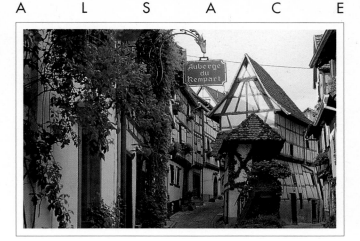

ÉGUISHEIM
68420 Herrlisheim (Haut-Rhin)

Implanté au cœur du vignoble, Éguisheim a été édifié autour de l'ancienne forteresse des seigneurs d'Éguisheim construite au VIIIe siècle par Eberhard, duc d'Alsace et père de sainte Odile, patronne emblématique de l'Alsace. Les trois tours du village dominent de loin le paysage. Le bourg dessine un cercle presque parfait avec, derrière les remparts, une triple rangée de maisons et, au centre, le château. Le long des ruelles médiévales pavées, on trouve des fontaines et des maisons du XVIe et du XVIIe siècle merveilleusement entretenues, aux façades toutes fleuries. Dans l'enceinte du château les maisons ont été restaurées ainsi que la chapelle néo-romane édifiée en 1886. A proximité, l'hôtel d'Eschau de 1581, l'hôtel de Marbach de 1590 et l'auberge du Cheval Blanc de 1613. C'est le tourisme qui fait vivre essentiellement le village, mais ce sont les célèbres vins, riesling, sylvaner, gewurztraminer, muscat, pinot et tokay, qui font la grande réputation d'Éguisheim.

♦ 1544 habitants, 210 m d'altitude ♦ **Accès :** à 7 km S-O de Colmar par N 83 et D 14 ♦ **Aux alentours :** la route forestière des cinq châteaux (les Trois Tours d'Éguisheim, le château de Hohlandsbourg et le donjon de Pflixbourg) ♦ **Foires, festivités :** Nuit des grands crus le 21 juillet, Fête des cigognes le 6 août, "Éguisheim et son histoire" le 11 août, dégustation de vin le 18 août, Fête des vignerons les 26-27 août ♦ **Hôtels :** à Colmar, Hostellerie Le Maréchal (tél. 03.89.41.60.32), hôtel de charme, 28 chambres 550-1200 F ; à Sainte-Croix-en-Plaine (11 km E), Hôtel Au Moulin (tél. 03.89.49.31.20), hôtel de charme, 16 chambres 230-400 F ♦ **Restaurant :** Le Caveau d'Éguisheim (tél. 03.89.41.08.89) ♦ **Mairie** (tél. 03.89.41.21.78) - **S. I.** (tél. 03.89.23.40.33).

FERRETTE
68480 (Haut–Rhin)

Ferrette étage ses maisons sur le pittoresque site pentu de la Cluse qui franchit le Rossberg. La cité a toujours exercé des fonctions urbaines, ainsi qu'en témoigne le très bel Hôtel de Ville Renaissance qui porte les armoiries des puissants comtes de Ferrette. Frédéric de Ferrette fit construire au XIe siècle le château, une église, un prieuré, et dota le bourg d'un statut municipal. Le pays souffrit des innombrables guerres aux XIVe et XVe siècles ; l'empereur Maximilien décida donc de renforcer les défenses de la ville en faisant construire, sur le premier éperon rocheux de la colline, un nouveau château à quatre tours rondes. Le parcours à travers le village est très plaisant. Il faut s'attarder sur la place Mazarin autour de laquelle sont groupés les commerces et les restaurants, aller voir dans la rue du Château la résidence du dernier bailli et la Maison de la Dîme. A ce niveau, la rue est plus étroite car, jusqu'en 1828, la ville était fermée par une porte. Plus haut, on admire l'Hôtel de Ville, du XVIe siècle avec des fenêtres et un petit clocher de style Renaissance allemand. Dans la rue de Lucelle les maisons sont accrochées au flanc de la colline et quelques-unes conservent de très beaux jardins suspendus. Du haut du château, le panorama est splendide, le regard embrasse toute la vallée du Rhin.

♦ 783 habitants, 550 m d'altitude ♦ **Accès :** à 39 km S de Mulhouse par D 432 ♦ **Aux alentours :** le château du Landskron (14 km E par D 231 et D 9bis) ♦ **Hôtel :** vers Oltingue (6 km E), Le Moulin de Huttingue (tél. 03.89.40.72.91), maison d'hôtes de charme, 4 chambres 250-350 F, restaurant ♦ **Mairie** (tél. 03.89.40.40.01).

GRENTZINGEN
68960 (Haut-Rhin)

Grentzingen s'étire le long de la route d'Altkirch à Linsdorf. Le rideau de maisons longe le versant relativement raide de la rive droite de la vallée de l'Ill. On est ici au cœur du Sundgau, pays des "Trois Frontières", entre la France, l'Allemagne et la Suisse, véritable trait d'union entre le monde alpin et le monde rhénan. Au cours des siècles passés, l'évêché de Bâle, qui avait des droits à Grentzingen, avait accordé des fiefs à diverses familles, et le couvent suisse de l'Olsberg y possédait de nombreuses terres et des biens. Les vieilles demeures villageoises à pans de bois, admirablement restaurées, séparées les unes des autres par un petit jardin, sont alignées perpendiculairement à la rue. En face de l'église, dans la rue Principale, on découvre de très belles maisons sundgoviennes et juste derrière on peut admirer une maison ocre ornée de belles poutres d'angle sculptées de marguerites et de grappes de raisins.

♦ 562 habitants, 339 m d'altitude ♦ **Accès :** à 30 km S de Mulhouse par D 432 - Hirsingue et D 9bis ♦ **Aux alentours :** la petite ville ancienne d'Altkirch, le musée Sundgovien (histoire et archéologie régionales) ♦ **Hôtel :** vers Oltingue (12 km S-E), Le Moulin de Huttingue (tél. 03.89.40.72.91), maison d'hôtes de charme, 4 chambres 250-350 F, restaurant ♦ **Mairie** (tél. 03.89.25.80.07).

HIRTZBACH
68118 (Haut-Rhin)

Situé dans la vallée de l'Ill, Hirtzbach occupe un site qui fut habité dès l'époque préhistorique. On retrouve le nom du village mentionné dans des documents datant de 1274. Hirtzbach aujourd'hui est constitué de deux anciens villages : Hirtzbach-le-Haut, appelé aussi la Montagne, et Hirtzbach-le-Bas dominé par le clocher de l'église Saint-Maurice et le majestueux château blanc (XVIIIᵉ siècle) des barons de Reinach (propriété privée) entouré de son parc. La rivière Hirtzbach, ou "ruisseau des cerfs", traverse le village bas avant de se jeter dans l'Ill. Bordée de tilleuls centenaires, traversée de ponts et longée de maisons à colombage colorées et toutes fleuries, elle confère un air de petite Hollande au bourg et lui donne tout son charme. Sur "l'Oberdorf" (la Montagne) est édifiée l'église Sainte-Afre, l'une des plus anciennes du Sundgau. Un village tranquille et très fleuri au cœur d'une magnifique région préservée.

♦ 1150 habitants, 320 m d'altitude ♦ **Accès :** à 4 km S d'Altkirch par D 432 et D 17 ♦ **A voir :** le superbe jardin anglais ♦ **Aux alentours :** Altkirch (voir le musée Sundgovien consacré à l'histoire et à l'archéologie régionales) ; l'église romane de Feldbach (8 km S) ♦ **Foires, festivités :** Fête "Le bois, la pierre et le fer" le week-end avant le 15 août : exposition artisanale et florale dans le parc du château ♦ **Hôtels :** à Carspach (2,5 km N), Auberge Sundgovienne (tél. 03.89.40.97.18) chambres 160-280 F environ ♦ **Mairie** (tél. 03.89.40.99.21).

HOHROD
68140 Munster (Haut-Rhin)

Hohrod est l'un des neuf villages de la vallée de Munster qui, jusqu'en 1847, ne formèrent qu'une seule commune régie par des règles et une administration propres. La vallée de Munster fut progressivement colonisée par des moines bénédictins à partir de l'an 600. C'est l'un des paysages les plus impressionnants d'Alsace. Hohrod est un petit village de montagne traditionnel qui abrite ses grosses maisons sous de grands toits pentus ; le site est splendide et la nature intacte. En sortant du village, si l'on poursuit la route, on atteint le hameau de Hohrodberg perché à 800 mètres d'altitude. De ce promontoire, la vue sur la vallée est époustouflante. C'est une station estivale et hivernale appréciée des amoureux des grands espaces. C'est aussi le royaume des chaumes, ces hauts pâturages recouverts de neige en hiver qui deviennent, l'été, le domaine des troupeaux de vaches. Leur lait sert à la préparation du célèbre fromage de Munster.

♦ 300 habitants, 500 m d'altitude ♦ **Accès :** à 4 km O de Munster par D 5B ♦ **Aux alentours :** au Collet du Linge (4 km N par D 5B), musée mémorial de la Guerre de 14-18 ♦ **Hôtels :** à Lapoutroie (28 km N par une petite route en lacets) Auberge Les Alisiers (tél. 03.89.47.52.82), hôtel de charme, 10 chambres 190-350 F, restaurant ; à La Rochette (32 km également par une petite route en lacets) Hôtel de La Rochette (tél. 03.89.49.80.40), hôtel de charme, 7 chambres 250 F, 1 suite 400 F ♦ **Mairie** (tél. 03.89.77.36.52).

KAYSERSBERG
68240 (Haut-Rhin)

Situé au centre du vignoble alsacien, Kaysersberg est un village exceptionnel, dominé par les ruines de son imposant château impérial. La création du bourg remonte au XIIe siècle avec l'implantation d'un couvent de Bénédictins. Conquise par Rodolphe de Habsbourg en 1261, la cité devint ville impériale en 1293 et connut une réelle prospérité économique jusqu'à la guerre de Trente Ans. Elle devint française en 1648. De son riche passé, Kaysersberg a conservé des édifices d'un grand intérêt : l'Hôtel de Ville de 1521 orné d'un bel oriel de façade, l'église Sainte-Croix qui possède un magnifique portail roman représentant le Couronnement de la Vierge et un clocher recouvert de tuiles vernissées de couleurs vives. Les rues sont bordées de maisons typiquement alsaciennes, à colombage, fenêtres fleuries, balcons de bois et toits pointus. Parfois, des arcades de pierre ou des portes voûtées ornent les façades. Le pont fortifié construit par Jacques Wirt en 1511 est un chef-d'œuvre de l'architecture Renaissance allemande. Il forme avec les maisons qui l'entourent un ensemble d'une grande qualité. N'oublions pas que Kaysersberg produit aussi de grands crus tels que le geisbourg ou le schlossberg.

♦ 2712 habitants, 240 m d'altitude ♦ **Accès :** à 11 km N-O de Colmar par N 415 ♦ **A voir :** le musée d'Histoire (statues des XIIIe-XVIIIe siècles, outils gallo-romains, folklore) ; le Centre culturel Albert Schweitzer ♦ **Foires, festivités :** marché le lundi ; Fête du vin en septembre ; "Noël à Kaysersberg" : concerts, exposition de crèches et marché de Noël en décembre ♦ **Hôtel :** Hôtel Chambard (tél. 03.89.47.10.17) 20 chambres 500-750 F, très bon restaurant ♦ **Restaurants :** Au Lion d'Or (tél. 03.89.47.11.16) ; La Vieille Forge (tél. 03.89.47.17.51) ♦ **S. I.** (tél. 03.89.47.10.16/ 03.89.78.22.78).

NIEDERMORSCHWIHR
68230 Turckheim (Haut-Rhin)

Ramassé sur lui-même comme pour faire le plus de place possible à la vigne qui l'enserre dans un creux de la petite vallée du Weidbach, Niedermorschwihr figure parmi les villages les mieux préservés du vignoble haut-rhinois. De la mer de vignes émerge le petit clocher "vrillé" de l'église (unique en Alsace) qui contient un remarquable orgue Silbermann classé. Les demeures vigneronnes ont conservé des proportions harmonieuses et leurs pans de bois ; récemment rénovées, elles offrent au regard la gaieté de leurs murs aux couleurs vives, ocre, bleu, rouge, et de leurs fenêtres débordantes de géraniums en été ; certaines sont ornées d'oriels gothiques ou Renaissance finement sculptés qui témoignent de la richesse acquise dans le passé par quelques familles, dans la fabrication et le commerce des vins. La vigne constitue encore aujourd'hui l'activité essentielle du village qui compte plus d'une trentaine d'exploitations agricoles produisant les grands crus sommerberg.

♦ 609 habitants, 230 m d'altitude ♦ **Accès :** à 5,5 km O de Colmar par D 11[11] ♦ **Aux alentours :** la vieille ville de Colmar, le musée d'Unterlinden (peintures de l'école du Rhin, sculptures, art moderne et art contemporain), le musée Bartholdi (maison natale du sculpteur) ; la station des Trois-Épis ♦ **Foires, festivités :** Fête de la Saint-Wendelin le 1er dimanche de juillet ; marché aux puces le 15 août ♦ **Hôtel :** à La Rochette (9,5 km O), Hôtel de la Rochette (tél. 03.89.49.80.40), hôtel de charme, 7 chambres 250 F, 1 suite 400 F, restaurant ♦ **Restaurant :** Caveau Morakopf (tél. 03.89.27.05.10) ♦ **Mairie** (tél. 03.89.27.05.16).

RIESPACH
68640 Waldighoffen (Haut-Rhin)

Au cœur du Sundgau, Riespach paraît se confondre avec la nature qui l'entoure. C'est au XIIIe siècle, sous l'impulsion d'une cour Colongère ou "Dinghof" (groupement de paysans passant un contrat de protection avec son seigneur) que le village a connu un grand essor. Le presbytère et l'église datent de cette époque. Un grand nombre de maisons de Riespach remontent au XVIIIe siècle et elles ont conservé tous les traits originaux des maisons sundgoviennes à pans de bois. La couleur des murs (vert, ocre, rouge) y est traditionnellement plus vive que dans le reste de l'Alsace. Un cœur, surmonté d'une croix à la manière vendéenne, est peint sur le crépi de certaines maisons, il sert d'emblème au village et rappelle la ferveur catholique traditionnelle de cette région d'Alsace.

◆ 600 habitants ◆ **Accès :** à 38 km S de Mulhouse par D 432 - Feldbach et D 463
◆ **Aux alentours :** nombreuses promenades pédestres dans le Jura alsacien ◆ **Hôtel :** vers Oltingue (15 km S-E), Le Moulin de Huttingue (tél. 03.89.40.72.91), maison d'hôtes de charme, 4 chambres 250-350 F, restaurant ◆ **Mairie** (tél. 03.89.25.80.23).

RIQUEWIHR
68340 (Haut-Rhin)

Situé sur la route du vin, Riquewihr est une cité fortifiée d'une beauté exceptionnelle, l'une des mieux préservées d'Alsace. Elle présente un ensemble unique et harmonieux de maisons du XVe au XVIIIe siècle. La ville appartint d'abord aux comtes d'Éguisheim avant de passer aux comtes de Horbourg qui bâtirent les fortifications en 1291. La ville fut annexée par Louis XIV en 1680 et officiellement rattachée à la France par le traité de Paris en 1801. Toujours enserrée dans ses fortifications, la cité s'organise autour de la rue du Général-de-Gaulle qui la traverse de part en part. La visite se fait à pied, ce qui laisse le temps d'admirer toutes les beautés qui se succèdent : magnifiques demeures du XVIe siècle avec oriels, portails à écusson, encadrements de fenêtres sculptés, balcons fleuris, fontaines, vieilles cours pavées et près de la mairie, l'ancien château des princes de Wurtemberg-Montbéliard (1539). Il faut aller voir la Maison Liebrich(la cour des Cigognes) bâtie en 1535, la maison Hansi, le Dolder et la place des Trois Églises, dont l'une est transformée en habitation. Une visite à ne pas manquer.

♦ 1075 habitants, 300 m d'altitude ♦ **Accès :** à 12 km N-O de Colmar par N 83, D 4 et D 3 ♦ **A voir :** le musée de la Diligence ; le musée d'Histoire des Postes d'Alsace ♦ **Aux alentours :** le village de Hunawihr (5km) ♦ **Foires, festivités :** marché le vendredi matin ; Fête du vin tous les week-ends de septembre ; "Noël à Riquewihr" les deux premiers week-ends de décembre ♦ **Hôtels :** La Maison Bleue (tél. 03.89.27.53.59), maison d'hôtes de charme, 4 studios 250 F ; à Ribeauvillé (3 km) Hostellerie des Seigneurs de Ribeaupierre (tél. 03.89.73.70.31), hôtel de charme, 6 chambres 470-540 F, 4 suites 560-730 F ♦ **Restaurants :** Le Sarment d'Or (tél. 03.89.47.92.85) ; Auberge du Schœnenbourg (tél. 03.89.47.92.28) ♦ **S. I.** (tél. 03.89.47.80.80).

SEWEN
68290 Masevaux (Haut-Rhin)

À l'extrémité de la vallée de Masevaux, signalé par la pointe effilée de son clocher du XIIIe siècle, Sewen étire ses maisons entre les eaux de la Doller et celles du Seebach, au pied du Ballon d'Alsace. On peut suivre, en franchissant le petit pont sur la Doller, la rue du Gaessel puis redescendre sur l'autre rive par la rue de l'Elbach, traverser la place de l'Église et s'asseoir sur les bords de la vieille fontaine surmontée d'une cigogne. L'église, avec son beau retable doré dédié à la Vierge consolatrice des Affligés est, depuis le XVe siècle, le centre religieux de la vallée et le lieu d'un pèlerinage très ancien. Ce bref parcours permet de goûter au charme des maisons vosgiennes séparées seulement les unes des autres par de merveilleux jardins. Certaines de ces maisons remontent au XVIIIe siècle et rappellent l'ancienneté de ce village dont le nom est cité dans des documents du XIVe siècle. Ravagé par la peste en 1636, il fut repeuplé ensuite par des immigrés badois et suisses.

♦ 516 habitants ♦ **Accès :** à 8,5 km N-O de Masevaux par D 466 ♦ **Aux alentours :** le lac de Sewen, la vallée de la Doller et ses lacs ♦ **Foires, festivités :** grand marché à l'Ascension ; Festival d'orgue et de musique sacrée en juillet et août ; marché aux puces à Lauw en juillet et à Bourbach en septembre ♦ **Hôtel :** Au Thillot (25 km N-O), Chalet des Ayes (tél. 03.29.25.00.09) hôtel de charme, chambres 320-420 F ♦ **Mairie** (tél. 03.89.82.00.46).

TURCKHEIM
68230 (Haut-Rhin)

Sur la rive gauche de la Fecht, la petite cité fortifiée de Turckheim gardait autrefois l'entrée de la vallée de Munster. Entre la porte de France, la porte de Munster et la porte du Brand, la ville dessine un vaste triangle bordé de remparts. Turckheim fit partie de la Décapole, devint ville impériale en 1312 et fut fortifiée par Woelflin en 1315. Sous ses murs d'enceinte fut livrée, en 1675, la célèbre bataille qui permit à Turenne de donner l'Alsace à la France. De cette prestigieuse période, Turckheim a gardé de nombreux témoignages architecturaux. Colombages, encorbellements, poutres sculptées, vieilles enseignes de vignerons ornent les façades des maisons joyeusement fleuries. La cité est parfaitement restaurée, les rues ont conservé leurs vieux pavés, leurs fontaines et leurs puits anciens. Sur la place Turenne s'élève une jolie maison à pans de bois, ornée d'un oriel de 1567, plus loin, l'Hôtel des Deux Clefs (1583), l'Hôtel de Ville à pignon Renaissance et l'ancienne mairie à baies tripartites. Turckheim, qui vit essentiellement du tourisme, produit aussi un délicieux vin blanc, le brand. Une visite exceptionnelle.

♦ 3583 habitants, 235 m d'altitude ♦ **Accès :** à 7 km O de Colmar par D 10 ♦ **A voir :** le musée du Souvenir de la Bataille de la poche de Colmar ♦ **Aux alentours :** Colmar, (musée Unterlinden et musée Bartholdi) ; le parc naturel de Schoppenwihr ♦ **Foires, festivités :** marché le vendredi matin ; Fête du vin au pays du brand le 1er week-end d'août ♦ **Hôtel :** sur la route d'Orbey, Hôtel de la Rochette (tél. 03.89.49.80.40), hôtel de charme, 7 chambres 250 F 1 suite 400 F, restaurant ♦ **Restaurant :** A l'Homme Sauvage (tél. 03.89.27.32.11) ♦ **Mairie** (tél. 03.89.27.18.08) - **S. I.** (tél. 03.89.27.38.44).

RODEMACK
57570 (Moselle)

Situé à 5 kilomètres de la frontière luxembourgeoise, le village médiéval de Rodemack fut autrefois le domaine de l'abbaye de Fulda (IXe siècle) puis domaine seigneurial au XIIe siècle. De ce glorieux passé, il reste une forteresse du XIVe siècle et des murs d'enceinte de 860 mètres de long. On peut pénétrer dans le village par la porte de Sierck (XIIIe siècle), passer entre les deux tours rondes pour découvrir les ruelles pittoresques qui ont conservé en partie leur cachet ancien. On ira ensuite visiter l'église Saint-Nicolas, édifice néo-baroque, construite au XVIIIe siècle à l'emplacement d'une église romane. Place des Baillis on peut admirer le "Petit Château" (XVIe siècle remanié), autrefois résidence des margraves de Bade. En flânant le long des rues, on découvrira l'ancien lavoir puis la forteresse, imposante avec ses tours, sa barbacane. Il faut voir la petite chapelle datant du XVIIe siècle et profiter du calme du jardin médiéval (nombreux "bild stochs" - calvaires).

♦ 830 habitants, 200 m d'altitude ♦ **Accès :** à 19 km N de Thionville par N 53 et D 57 ♦ **Aux alentours :** Sierck-les-Bains (15 km E) ; le château de Mensberg (22 km E) ; la ligne Maginot à Hettange-Grande et à Veckring ♦ **Foires, festivités :** marché le mardi matin ; marché aux fleurs en mai ; Fête médiévale en juin ; concerts classiques en octobre ; marché de Noël en décembre ♦ **Hôtel :** à Rugy (18 km S de Thionville), La Bergerie (tél. 03.87.77.82.27), hôtel de charme, 42 chambres 300-380 F, restaurant ♦ **Restaurants :** La Petite Carcassonne (tél. 03.82.51.26.22) ; salon de thé : La Maison des Baillis (tél. 03.82.51.24.25) ♦ **Mairie** (tél. 03.82.51.24.25) - **S.I.** (tél. 03.82.51.25.50).

CHÂTILLON-SUR-SAÔNE
88410 (Vosges)

Petit village médiéval discret, Châtillon-sur-Saône est bâti sur un promontoire rocheux qui domine la Saône et l'Apance à leur confluent. La cité, ancienne ville forte et siège d'une prévoté du XIVᵉ au XVIᵉ siècle, a gardé de nombreux témoignages de son passé. Les ruelles piétonnes sont bordées de belles maisons typiques de la Lorraine avec leur grande porte de grange voûtée en berceau, mais aussi d'hôtels Renaissance ornés de tourelles, blasons, fenêtres à meneaux. Actuellement, des opérations de rénovation sont en cours pour redonner tout leur éclat à de nombreux bâtiments. Des plaques fixées aux murs des maisons racontent leur histoire. Ne manquez pas de voir le Grenier à sel (XVᵉ siècle), les maisons du Berger et du Cordonnier (XVIᵉ siècle), la Grosse Tour moyenâgeuse et l'hôtel de Sandrecourt qui abrite la Maison de pays. Châtillon-sur-Saône est un village d'une grande homogénéité architecturale au cœur d'une belle région.

♦ 177 habitants, 250 m d'altitude ♦ **Accès :** 12 km E de Bourbonne-les-Bains par D 417 ♦ **A voir :** le musée de la Vie rurale ♦ **Hôtel :** pas d'hôtel dans le village ; un gîte rural, Au Gîte des Archers ♦ **Restaurant :** Rôtisserie des comtes de Bar (tél. 03.29.07.91.17) ♦ **Mairie** (tél. 03.29.07.97.21).

Ce que désormais les Français nomment Aquitaine fut pendant plus de deux siècles la Guyenne, possession anglaise. Géographiquement, elle ne représente plus, en gros, que le bassin de la Garonne, alors qu'avec sa dot, la reine Aliénor d'Aquitaine avait fait un somptueux cadeau à son époux, Henri Plantagenêt. Imaginez : le Poitou, le Limousin, la Marche, l'Auvergne, la Saintonge...

Notre actuelle Aquitaine est une douce région de plateaux et de collines. Son ciel lumineux est parfois chargé des bourrasques de l'Océan proche. Les villages, constitués au Moyen Âge en places de défense, furent bâtis de matériaux locaux : pierre noble, dont les couleurs varient du doré périgourdin au blanc quercynois, crépi entre les colombages quand les murs sont faits de matières plus humbles, torchis ou terre, parfois blanchi à la chaux, comme en Pays basque. Le bois entre pour une très large part dans la construction, et l'on reste souvent ébahi devant l'audace des charpentes des halles couvertes et des voûtes d'églises.

Ces villages furent parfois évêchés, places fortes, capitales de région. Grâce à quoi l'on trouve une très grande richesse architecturale dans ces lieux sinon oubliés, du moins somnolents et nostalgiques de leur passé historique.

BELVÈS
24170 (Dordogne)

On peut découvrir Belvès dans son ensemble, "vu du ciel", car un aérodrome a été fait sur son plateau. L'approche par avion permet d'embrasser le massif de la Bessède. On survole les méandres de la Nauze qui navigue vers la Dordogne. Puis, on voit le bourg, perché sur son éperon : Belvès, le bien-nommé, son nom occitan se traduit par "belle vue". C'est vrai qu'il est beau, dans le dessin de ses remparts aujourd'hui disparus, avec ses maisons à tourelles, ses clochers, ses terrasses aux jardins suspendus. Du "castrum" (IXe siècle) restent essentiellement deux places autour desquelles s'ordonne la vie de la cité. La place de la Croix-des-Frères, son couvent des Dominicains avec un clocher à huit pans (maintenant la mairie), et la place d'Armes, son beffroi, sa halle en bois. La restauration a été entreprise et menée avec succès : l'ancienne maison des Consuls et son beffroi, les tours de l'Hôpital et de l'Auditoire, l'Hôtel Bontemps de la Renaissance peuvent maintenant être admirés dans toute leur beauté. Belvès reste une place très chrétienne ; on se rend encore fidèlement en pèlerinage à Notre-Dame du Capélou, tout proche.

♦ 1652 habitants, 240 m d'altitude ♦ **Accès :** à 45 km E de Bergerac par D 660, D 29 et D 710 ♦ **A voir :** le musée municipal, le musée du Castrum, le musée des Vielles, le trésor de l'église paroissiale ♦ **Aux alentours :** le château de Berbiguières, le village d'Urval ♦ **Foires, festivités :** marché le samedi et le mercredi matin en juillet et août ; nombreux concerts et expositions en été ♦ **Hôtels :** à Marnac (10 km N), La Grande Marque (tél. 05.53.31.61.63), hôtel de charme, 12 chambres 286-426 F, restaurant ; à Paleyrac (9 km N-O) Domaine des Farguettes (tél. 05.53.23.48.23), maison d'hôtes de charme, 1 chambre 350 F, 2 suites 530 F, table d'hôtes ♦ **Mairie** (tél.05.53.29.01.40) - **S. I.** (tél. 05.53.29.10.20).

BEYNAC-ET-CAZENAC
24220 Saint-Cyprien (Dordogne)

Ces deux noms sont associés pour la fin des temps... comme témoins de la lutte sans merci que se livrèrent leurs seigneurs : Beynac, dont l'austère château veille sur les maisonnettes blotties sous lui, et Cazenac, l'orgueilleux maître de Castelnaud, formidable château dont les ruines défient toujours Beynac ! En 1639, le seigneur de Beynac est français ; Cazenac, lui, reste fidèle à l'Anglais. Rivaux implacables, ils s'affronteront en d'incessants combats tout au long du Moyen Âge. Le village était autrefois sur un à-pic, comblé depuis, mais il donne encore l'impression de percher sur un nid d'aigle, en surplomb de la Dordogne, dont il fut un port. Son sévère donjon date du XIIIe siècle, les corps de bâtiments des XIIIe et XIVe siècles sont prolongés par un manoir qui a conservé une échauguette du XIVe, mais qui fut vraisemblablement construit au XVe siècle. A l'intérieur, de belles salles, dont la "salle des États". La belle chapelle seigneuriale avec son toit de lauzes est devenue paroisse. Du chemin de ronde, on a le souffle coupé par la grandeur du panorama. Et les ruines du château de Castelnaud défient toujours Beynac.

♦ 501 habitants, 130 m d'altitude ♦ **Accès :** à 11 km S-O de Sarlat par D 57 ♦ **A voir :** le musée de la Protohistoire, le parc archéologique ♦ **Aux alentours :** les grottes de Lascaux ; le village de Castelnaud et son château ♦ **Hôtels :** à Saint-Cyprien (10 km), Hôtel L'Abbaye (tél. 05.53.29.20.48), hôtel de charme, 24 chambres 340- 680 F, restaurant ; à Meyrals (15 km) Le Prieuré (tél. 05.53.28.56.60), maison d'hôtes de charme, 1 chambre 260 F, 1 studio 350 F (2 nuits minimum), table d'hôtes ♦ **Restaurant :** Taverne des Remparts (tél. 05.53.29.57.76) ♦ **Mairie** (tél. 05.53.29.50.75) - **S. I.** (tél. 05.53.29.43.08 en saison).

BOURDEILLES
24310 Brantôme (Dordogne)

C'est ici que Pierre de Bourdeilles, seigneur de Brantôme et fameux chroniqueur, est né en 1540. Géraud de Maumont, épaulé par le roi Philippe le Bel, fera du château ancestral une véritable forteresse. Le château médiéval est appelé "château neuf", puisque bâti par Géraud de Maumont sur les fondations du vieux château. Il est austère comme les constructions de son siècle (XIIIᵉ siècle), un donjon octogonal à mâchicoulis le surmonte. Le château Renaissance est dû, lui, à la volonté d'une femme, Jacquette de Montbron, épouse d'André de Bourdeilles et belle-sœur de Brantôme. En son état actuel, il est sobre, élégant ; il abrite un remarquable mobilier. Quant au village, ses maisons se blottissent au pied des rochers que domine le château. Le site est révélé dans toute sa beauté depuis le chemin de ronde. A l'extrémité du promontoire qui domine la Dronne, on voit un pont gothique à avant-becs, un vieux moulin coiffé de tuiles rondes qui s'avance comme un bateau vers la rivière aux eaux vertes qui lèchent paresseusement les rochers. Mais nous devons signaler la construction récente d'un complexe sportif et d'un camping qui gâchent la perspective du château. Rien, hélas, n'a été fait pour les dissimuler à la vue (plantation d'arbres, verdure).

♦ 813 habitants, 91 m d'altitude ♦ **Accès :** à 68 km S-E d'Angoulême par D 939 et D 7 ♦ **Aux alentours :** le village de Lusignac (25 km E) ; le circuit des églises romanes ; le château de Puyguilhem ♦ **Foires, festivités :** exposition-vente de variétés cultivées anciennes en mai, Fête patronale le 1ᵉʳ dimanche d'août ♦ **Hôtel :** Chez M. et Mme Trickett (tél. 05.53.03.78.90), maison d'hôtes de charme, 4 chambres 160-240 F, 1 suite 420 F ♦ **S. I.** (tél. 05.53.03.42.96).

BRANTÔME
24310 (Dordogne)

Au cœur du Périgord vert, tapie dans la très riante vallée de la Dronne, vit Brantôme, l'une des petites villes les plus charmantes de la région. Il faut commencer par voir l'abbaye. Son existence remonte à 769, sous Charlemagne, et sous la règle de saint Benoît. Saccagée par les Normands, l'abbaye est reconstruite au XIe siècle puis profondément modifiée au XIVe et au XVIIIe siècle. Isolé de l'église conventuelle, se dresse "le plus vieux clocher de France". Derrière l'abbaye, dans les grottes autrefois utilisées comme magasins par les moines, se trouvent des sculptures du XVIe siècle. Tout à côté jaillit la "fontaine de Saint-Sicaire". Que toutes ces belles choses ne nous fassent pas oublier la flânerie sur les bords de la Dronne. Là, dans les eaux de la rivière, se reflète le doux paysage de Brantôme : le pont coudé aux arches inégales, les anciennes maisons aux jardins fleuris, un pavillon Renaissance ouvert de fenêtres à meneaux... Un seul regret, les voitures envahissantes gâchent la promenade dans la petite cité.

♦ 2101 habitants, 103 m d'altitude ♦ **Accès :** à 58 km S-E d'Angoulême par D 939
♦ **A voir :** le musée (dans l'abbaye) : art préhistorique, œuvre gravée de F. Desmoulin
♦ **Aux alentours :** les châteaux de Puyguilhem, Richemont, Mareuil, l'abbaye de Chancelade ♦ **Foires, festivités :** marché le vendredi matin ; nombreux concerts, Festival de danse et expositions en été ♦ **Hôtels :** Domaine de la Roseraie (tél. 05.53.05.84.74), hôtel de charme 7 chambres 680 F ; à 3 km, Château de La Borie (tél. 05.53.54.22.99), maison d'hôtes de charme, 5 chambres 250-450 F, table d'hôtes ; à Vieux-Mareuil (16 km N-O), Château de Vieux-Mareuil (tél. 05.53.60.77.15), hôtel de charme, 14 chambres 500-1000 F, restaurant ♦ **Restaurants :** La Jurande (tél. 05.53.05.78.22) ; L'Auberge du Soir (tél. 05.53.05.82.93) ; salon de thé : Au Fil de l'Eau (tél. 05.53.05.73.65) ♦ **S. I.** (tél. 05.53.05.80.52).

DOMME
24250 (Dordogne)

Domme est une bastide construite sur une falaise abrupte qui domine la vallée de la Dordogne. Curieusement, alors qu'on l'imaginait imprenable, elle aura à souffrir de nombreux épisodes sanglants. Un des plus farouches huguenots, le capitaine de Vivans, détruira Domme en 1592, juste avant que la victoire revienne aux catholiques. Aujourd'hui, la bastide, entourée de remparts dans sa partie sud, est prête à la visite : les rues sont tirées au cordeau, bordées de maisons jaunes noyées de fleurs. Les toits ici, sont de tuiles, et non de lauzes, comme à Sarlat. La "maison communale" est devenue l'Hôtel de Ville ; c'était le lieu de justice du sénéchal, qui siégeait dans la grande salle du premier étage. Sur la place de la Rode se campe une très belle demeure périgourdine, ainsi que la maison du batteur de monnaie, à ouvertures gothiques dans la pierre dorée. La halle est du XVIᵉ siècle. Une rangée de solides colonnes de pierres soutient un étage bordé d'un balcon à balustrade de bois. Des grottes prennent leur départ sous la halle : on peut les visiter, elles sont très jolies.

♦ 910 habitants, 250 m d'altitude ♦ **Accès :** à 12 km S de Sarlat par D 46 ♦ **A voir :** le musée municipal ♦ **Aux alentours :** les nombreux châteaux le long de la Dordogne, le château de Castelnaud ♦ **Foires, festivités :** marché fermier le jeudi ♦ **Hôtel :** La Daille (tél. 05.53.28.40.71), maison d'hôtes de charme, 4 chambres 455 F par personne en demi-pension (3 jours minimum), salon de thé et restaurant le soir ♦ **S. I.** (tél. 05.53.28.37.09).

LIMEUIL
24510 Sainte-Alvère (Dordogne)

Implantée sur une butte au confluent de la Vézère et de la Dordogne, Limeuil occupait jadis un site stratégique aux frontières de la Guyenne (possession anglaise) et du royaume de France. Le village s'étend des rives sablonneuses de la rivière jusqu'aux vestiges du château et des remparts, dont il ne reste que trois portes fortifiées. Les petites rues étroites présentent de belles maisons en pierre jaune doré, coiffées de magnifiques toits de tuiles brunes typiques du Périgord noir. Il faut aussi aller voir la petite église romane au milieu de son touchant cimetière. Limeuil est restée comme autrefois et mérite que l'on s'y attarde, subjugué par la douceur de vivre qui imprègne tout le paysage.

♦ 362 habitants, 52 m d'altitude ♦ **Accès :** à 37 km S de Périgueux par D 710, Le Bugue et D 31 ♦ **A voir :** le jardin-musée (de la préhistoire à nos jours) ♦ **Aux alentours :** les ravissants villages de Paunat (église romane) et de Trémolat ; la route du cingle de Trémolat jusqu'au belvédère de Rocamadou (superbe panorama) ; Les Eyzies ♦ **Hôtels :** Au Bon Accueil (tél. 05.53.22.03.19), hôtel de charme, 10 chambres 175-205 F, restaurant ; à Paunat (5 km) Le Moulin Neuf (tél. 05.53.63.30.18), maison d'hôtes de charme, 6 chambres 250 F ; à Trémolat (7 km O), Le Vieux Logis (tél. 05.53.22.80.06), hôtel de charme, 19 chambres 740-1290 F, très bon restaurant ♦ **Mairie** (tél. 05.53.63.30.89) - **S. I.** (tél. 05.53.63.38.90).

MONPAZIER
24540 (Dordogne)

Fondée au XIIIe siècle, fort pillée, tant par les Français que par les Anglais au cours de la guerre de Cent Ans, la bastide de Monpazier porte les cicatrices de ces luttes. Ainsi, son mur d'enceinte a presque complètement disparu, mais il reste une tour avec à sa base l'orifice d'une canonnière, et trois portes, sur les six d'origine, débouchent sur les rues principales. Durant les guerres de Religion, Monpazier sera mi-huguenote (Jeanne d'Albret y séjourna), mi-catholique (le futur Henri III la suivra de peu). En 1594, elle est le théâtre d'une révolte paysanne dont le nom est resté célèbre, la révolte "des croquants". Aujourd'hui la Grand-Place somnole ; ses maisons ventrues semblent vouloir réchauffer leurs pierres dorées au capricieux soleil de Guyenne. Parfait quadrilatère, elle est cernée par ses cornières et fermée par de belles demeures médiévales. Le clocher trapu de l'église se détache à l'arrière. Bordant la place sur un côté, une halle à charpente compliquée abrite encore les vieilles mesures à grain. Bastide entre les bastides, parfaite de proportions et en état de conservation étonnant, si l'on ne devait voir qu'une bastide, c'est bien celle-ci qu'il faut choisir.

♦ 500 habitants, 200 m d'altitude ♦ **Accès :** à 45 km E de Bergerac par D 660 - Lalinde et D 660 ♦ **A voir :** l'Atelier des Bastides ♦ **Aux alentours :** le château de Biron ; les ravissants villages de Montferrand, Saint-Avit, Molières, Beaumont ♦ Foires, festivités : marché le jeudi matin ♦ **Hôtel :** à Montferrand-du-Périgord (8 km) Château de Regagnac (tél. 05.53.63.27.02), maison d'hôtes de charme, 5 chambres 600 F ♦ **Restaurant :** La Bastide (tél. 05.53.22.60.59) ♦ **Mairie** (tél. 05.53.22.60.38) - **S. I.** (tél. 05.53.22.68.59/ 05.53.22.60.63).

LA ROQUE-GAGEAC
24250 Domme (Dordogne)

"Si on me presse de dire pourquoi je l'aimais, je sens que cela ne peut s'exprimer qu'en répondant : parce que c'était lui..." (Montaigne). Pourquoi parler de La Roque-Gageac ? Ce village adorable n'a pas d'histoire ! Parce que c'était lui, tout simplement. La Roque-Gageac possède un château massif, une forêt touffue de chênes verts qui joue avec les méandres de la Dordogne, la belle rivière sertie de tant de merveilles du passé. Il a enfin les maisons de son village : ocrées, dorées, aux toits de lauzes. Ce petit joyau du Moyen Âge est resté intact, épargné par le temps : l'Histoire ne nous conte ni prises, ni sièges, ni démantèlement ! Les façades font une rue pressée devant la rivière, et, comme aucun pont ne saute sur l'autre rive, les maisons grimpent sur la hauteur, s'adossent à la solide falaise qui peut passer pour un château, tant sa masse est structurée ; la nature parfois est fantaisiste. Comme sa voisine Domme, La Roque-Gageac a été classée parmi les plus beaux villages de France.

♦ 448 habitants, 80 m d'altitude ♦ **Accès :** à 13 km S de Sarlat par D 46 et D 703 ♦ **A voir :** le jardin exotique dans les rues du village ♦ **Aux alentours :** promenade en bateau sur la rivière ; la vallée de la Dordogne et ses châteaux ; Sarlat ♦ **Foires, festivités :** Fête locale le 2e dimanche d'août (feu d'artifice et illumination de la falaise) ♦ **Hôtels :** La Plume d'Oie (tél. 05.53 29 57 05), hôtel de charme, 4 chambres 350-380 F, restaurant ; à Domme (4 km) La Daille (tél. 05.53.28.40.71), maison d'hôtes de charme, 4 chambres 455 F par personne en demi-pension (3 jours minimum) ♦ **Mairie** (tél. 05.53.29.51.52) - **S. I.** (tél. 05.53.29.17.01).

SAINT-AMAND-DE-COLY
24290 (Dordogne)

Une pittoresque petite route conduit jusqu'aux abords d'un vallon où l'on découvre la plus belle église fortifiée du Périgord. Blotti à ses pieds, le charmant village de Saint-Amand-de-Coly offre le spectacle de vieilles maisons en pierre blonde aux toits de lauzes, d'un puits et d'un vieux presbytère qui abrite des expositions en été. Mais revenons vers l'église abbatiale, magnifique construction de pierre jaune-ocre du XIIᵉ siècle, aux toitures de lauzes. On y accède par une porte fortifiée percée dans les remparts et l'on est impressionné par la force et la beauté de l'imposante tour (21 mètres de haut), des hauts murs et du portail à triple voussure. L'intérieur est d'une émouvante simplicité : haute nef, transept surmonté d'une coupole, chœur voûté d'ogives. Des détails originaux complètent la construction : escaliers dérobés cachés dans les piliers, meurtrières dans la coupole, passage secret contournant le chœur, cela permettait la défense de l'église en cas d'attaque ennemie. Aujourd'hui, des artisans se sont installés dans le village qui garde une vie tranquille, bien à l'abri des flots de touristes. A 3 kilomètres, on peut rejoindre le petit village de Coly, assoupi au bord d'une rivière, qui se regroupe autour de son église (XIIᵉ siècle) à clocher-mur restauré au XVIᵉ siècle, et des ruines du château des anciens abbés de Saint-Amand.

♦ 312 habitants, 300 m d'altitude ♦ **Accès :** à 6 km E de Montignac par D 704 ; à 26 km N de Sarlat par D 704 ♦ **Aux alentours :** le château de la Filolie (privé), les hameaux d'Asplat et Lasserre, les grottes de Lascaux, Sarlat ♦ **Foires, festivités :** Festival de musique en Périgord du 18 au 31 juillet ; Concert de trompes le 14 août ; Fête du village et Messe de Saint-Hubert le 15 août ♦ **Hôtels :** à Coly (3 km), Manoir d'Hautegente (tél. 05.53.51.68.03), hôtel de charme, 10 chambres 500 F, restaurant ♦ **Restaurant :** La Métairie ♦ **Mairie** (tél. 05.53.51.67.50).

SAINT-GENIÈS
24590 (Dordogne)

Juste un peu à l'écart de la route qui va de Montignac à Sarlat, le petit village de Saint-Geniès se révèle magiquement en contrebas du chemin, bien abrité sous ses toits de lauzes, les reflets gris-beige des toitures se mariant admirablement avec les tonalités de la campagne environnante. Les maisons périgourdines du bourg remontent aux XIIe et XIVe siècles et sont faites de belle pierre blonde. Elles encadrent un vieux donjon, vestige de l'ancien château des seigneurs de Gontaut. Mais le joyau du village c'est l'église romane, coiffée de lauzes, agrémentée d'un clocher-porche fortifié du XVIe siècle. A l'intérieur, de délicates colonnettes à chapiteau sculpté soutiennent les arcs de l'abside. Il reste ensuite à voir le château des XVe et XVIIe siècles, tout contre l'église, la chapelle gothique du Cheylard qui contient d'admirables fresques et les bories, des cabanes de pierres sèches, disséminés dans la campagne environnante.

♦ 735 habitants ♦ **Accès :** à 13 km N de Sarlat ♦ **Aux alentours :** Saint-Crépin, Salignac et son château, Sarlat-la-Canéda ♦ **Foires, festivités :** marché le dimanche matin ; foire le lundi de Pâques ; Repas champêtre et bal le 14 juillet ; Fête du village avec feu d'artifice le 15 août ♦ **Hôtels :** à Sarlat (15 km S), Château de Puymartin (tél. 05.53.59.29.97), maison d'hôtes de charme, 2 chambres 750 F ; à Coly (16 km N), Manoir d'Hautegente (tél. 05.53.51.68.03), hôtel de charme, 10 chambres 500 F, restaurant ♦ **Restaurant :** La Métairie ♦ **Mairie** (tél. 05.53.28.98.70).

SAINT-JEAN-DE-CÔLE
24800 (Dordogne)

Le bourg est traversé par la Côle, charmante et capricieuse rivière qui, de là, ira grossir la Dronne. Une délicieuse vieille rue bordée de maisons à colombage amène le visiteur à la place, dominée par le ou plutôt les châteaux de la Marthonie. L'ensemble est constitué d'une demeure féodale à tours crénelées, soudée à un pavillon, plus bas, datant du XVIIIe siècle. Plus loin, une vieille halle rustique s'appuie au chevet de l'église, très belle œuvre romano–byzantine, à la forme de trèfle inhabituelle. Son portail ouvre sur le cloître Renaissance ajouté aux bâtiments de l'ancien prieuré (XIe siècle), en partie détruit. La Côle est enjambée par un pont en dos d'âne à avant-becs. A ses côtés se dresse la "Maison à colonnes", ancien logis du meunier. Dans la rue Fond-du-Bourg, une demeure restaurée abritait autrefois un musée de Traditions et Arts locaux. Saint-Jean-de-Côle est une exquise découverte, comme on en fait tant en Périgord. Les ocres des pierres, le brun des petites tuiles des toitures, les jeux de soleil dans les eaux de la rivière font que le village mérite une mention spéciale : visite à ne pas manquer.

♦ 339 habitants, 149 m d'altitude ♦ **Accès :** à 76 km S-E d'Angoulême par D 939 - Brantôme et D 78 ♦ **Aux alentours :** le château de Puyguilhem ; les grottes de Villars ; Thiviers pour ses marchés (foie gras, truffes) ♦ **Foires, festivités :** Floralies en mai ; concerts de musique de chambre en août ♦ **Hôtel :** à Saint-Pierre-de-Côle (6,5 km S-O), Doumarias (tél. 05.53.62.34.37), maison d'hôtes de charme, 6 chambres 280 F, table d'hôtes ♦ **Restaurants :** Restaurant des Templiers (tél.05. 53.62.31.75) ; Auberge du Coq Rouge (tél. 05.53.62.32.71) ♦ **Mairie** (tél. 05.53.62.30.21) - **S. I.** (tél. 05.53.62.14.15).

SAINT-LÉON-SUR-VÉZÈRE
24290 Montignac (Dordogne)

Depuis la nuit des temps, bien avant d'avoir pour patron saint Léonce, l'un des premiers évêques de Périgueux, le lieu fut habité : grottes et cavernes dans la vallée formaient de parfaits abris naturels pour nos ancêtres. Ici règne un charme particulier, dû à la fois aux couleurs ocre des maisons mêlées aux verts de la vallée, aux tons changeants de la Vézère et à la présence d'un passé qui évoque la préhistoire et les temps chrétiens célébrés par l'église à coupole du XIIe siècle, merveilleusement restaurée, et par la chapelle expiatoire du XVIe siècle, située dans le cimetière. Au centre du village, le château de Lassalle n'a gardé que son donjon flanqué d'une tour et son chemin de ronde à mâchicoulis au toit de lauzes. A deux kilomètres en aval, il faut aller voir le château de Chabans, manoir des XVIe et XVIIe siècles, actuellement habité par une communauté bouddhiste. Saint-Léon est une merveille hélas menacée ; certaines toitures sont bien malades, des ronces apparaissent dans les cours des maisons. Il faudrait consacrer beaucoup d'amour à réveiller ce village, "que l'on quitte sur la pointe des pieds, un peu triste, de peur qu'il ne s'effondre de trop de bruit..." (Bertrand Renard).

♦ 391 habitants ♦ **Accès :** à 51 km S-E de Périgueux par N 89, D 67, et D 706 ♦ **Aux alentours :** les grottes de Lascaux, la vallée de la Vézère, le château de Losse (XVIe siècle), Fanlac (8 km N), Les Eyzies-de-Tayac ♦ **Foires, festivités :** Festival musical du Périgord Noir du 15 juillet à fin août ♦ **Hôtels :** aux Eyzies-de-Tayac (15 km S-O), Hôtel Cro-Magnon (tél. 05.53.06.97.06), hôtel de charme, 18 chambres 350-550 F, restaurant ; Les Glycines (tél. 05.53.06.97.07), hôtel de charme, 25 chambres 315-410 F, restaurant ; Moulin de la Beune (tél. 05.53.06.94.33), hôtel de charme, 20 chambres 260-300 F, restaurant ♦ **Mairie** (tél. 05.53.50.73.16).

SAINT-ÉMILION
33330 (Gironde)

Saint-Émilion doit ses lettres de noblesse à ses vins de renommée
mondiale ; en 27 avant notre ère, la vigne était déjà cultivée par
nos ancêtres. Son nom, il le doit au moine Emilianus qui, au VIIIe
siècle, fonda un monastère dans les grottes naturelles proches de la
cité et édifia la première église. Au XIIe siècle, la bourgade établie
autour du monastère s'agrandit : c'est "Sant Melyon" en langue
d'oc ; close de murs sur deux kilomètres, la défense est percée de
six portes, flanquées de tours et précédées de barbacanes. De l'enceinte
fortifiée, il reste la tour du Roi et la tour du Guetteur. Il reste aussi
deux ensembles monastiques considérables, l'église monolithe unique
en Europe dans la ville basse, et la collégiale (XIIe–XVIe siècles) et
son cloître dans la ville haute. A voir aussi les ruines romantiques
du couvent des Jacobins et ses grandes murailles, et celui des Cordeliers
(XVIe siècle). Exceptionnelle unité dans la beauté, cet harmonieux
ensemble architectural est précieusement conservé par des connaisseurs,
avec pour écrin le vignoble verdoyant.

♦ 3040 habitants, 76 m d'altitude ♦ **Accès :** à 39 km E de Bordeaux par N 89 et D 243
♦ **A voir :** le musée d'Histoire ; le Logis de Malet ♦ **Aux alentours :** le circuit des
Combes dans le vignoble, visite des chais et des châteaux ♦ **Foires, festivités :**
marché le dimanche matin ; "Jurade" fête de la fleur en juin, Ban des vendanges en
septembre, Nuit du patrimoine en septembre ♦ **Hôtel :** à Lugon (16 km N-O), Hostellerie
du Vieux Raquine (tél. 05.57.84.42.77), hôtel de charme, 10 chambres 450-600 F
♦ **Restaurants :** Francis Goullée (tél. 05.57.24.70.49) ; Logis de la Cadène (tél.
05.57.24.71.40) ; Le Tertre (tél. 05.57.74.46.33) ♦ **S. I.** (tél. 05.57.24.72.03).

LA BASTIDE D'ARMAGNAC
40240 (Landes)

Cette ancienne bastide fut fondée en 1291 par le comte d'Armagnac Bernard IV. Autour de la belle place Royale (dont Henri IV s'est inspiré pour créer la place des Vosges à Paris), les pittoresques maisons anciennes en pierre ou à colombage se répartissent harmonieusement, bien appuyées sur leurs arcades. Au printemps, c'est magnifique ! Les maisons sont fleuries et les habitants sortent tables et chaises pour profiter de l'ombre des couverts. L'église de La Bastide, un peu massive, est du XVᵉ siècle. Il faut se promener dans les ruelles pour admirer la Maison capitulaire (la plus ancienne du village), un lavoir (XIVᵉ siècle), ou une jolie fontaine. Aujourd'hui, les anciens fossés qui ceinturaient le village sont occupés par des jardins. Le village est resté authentique et bien vivant.

♦ 730 habitants, 95 m d'altitude ♦ **Accès :** à 29 km N-E de Mont-de-Marsan par D 932 et D 933 ♦ **A voir :** le musée du Vigneron, le musée des Arts et Traditions populaires (tél. 05.58.44.84.35) ; l'exposition sur les bastides dans l'ancien temple ♦ **Aux alentours :** à 2 km route de Cazaubonla, la chapelle (XIᵉ s.) du quartier de Géou et son petit musée cycliste ♦ **Foires, festivités :** Fête de la Saint-Jean (courses landaises, feux) ; marché médiéval sur la place Royale le 14 juillet ; "Peintres dans la rue" et "Jazz à la Bastide" en août ♦ **Hôtel :** à Saint-Justin (4 km O), Betjean (tél. 05.58.44.88.42), maison d'hôtes de charme, 4 chambres 220-240 F ♦ **Mairie** (tél. 05.58.44.81.06) - **S. I.** (tél. 05.58.44.67.56 / 05.58.44.81.24).

HASTINGUES
40300 (Landes)

Cette petite bastide, fièrement campée sur une butte, fut créée au XIIIᵉ siècle par le sénéchal de Gascogne John Hastings sur décision d'Edouard Iᵉʳ, duc d'Aquitaine et roi d'Angleterre. Elle domine la belle et florissante vallée des Gaves Réunis. Côté rivière, on ne voit pas grand-chose, juste quelques demeures surmontées du château construit au XVIIᵉ siècle mais largement remanié ensuite. Il faut prendre la peine de contourner la colline pour découvrir la beauté et le charme préservé du village. De ses anciennes fortifications, il n'a conservé qu'une porte au sud-ouest, mais on peut toujours admirer ses ravissantes maisons des XVᵉ et XVIᵉ siècles au bord de ruelles pavées, la large rue centrale aux demeures bien ordonnancées et la jolie place de l'église, toute mignonne et tranquille. La mairie quant à elle est installée dans la Maison Borda bâtie aux XVᵉ-XVIᵉ siècles et très restaurée. La végétation pousse librement dans le village et des poules y picorent encore paisiblement. Une bastide de charme, un petit bijou resté authentique et méconnu.

472 habitants, 53 m d'altitude ◆ **Accès :** à 4 km S de Peyrehorade par D 23 et D 48 ◆ **A voir :** l'abbaye d'Arthous (XIIᵉ s.) et son musée archéologique ◆ **Aux alentours :** le village et l'abbaye de Sorde-L'Abbaye ; les églises de Port-de-Lanne et de Cagnotte ; Peyrehorade, son château et les gaves réunis, le village de Bidache et son château ◆ **Foires, festivités :** concerts à l'abbaye d'Arthous dans le cadre du Festival des Abbayes fin juin-début juillet, Festival du Pays d'Orthe en août avec concert de jazz sur la place du village (dernière semaine d'août) ◆ **Hôtels :** à Port-de-Lanne (8 km) La Vieille Auberge (tél. 05.58.89.16.29) hôtel de charme, 10 chambres 230-600 F, restaurant ◆ **Mairie** (tél. 05.58.73.68.66).

MONFLANQUIN
47150 (Lot-et-Garonne)

"Flanquée" sur sa montagne, cette bastide fondée au XIIIᵉ siècle par Alphonse de Poitiers, frère de Saint Louis, dut faire face aux nombreuses attaques entre les rois de France et d'Angleterre. La population était nombreuse, l'artisanat prospérait : tanneries, moulins à papier, tissages. Les guerres de Religion éprouveront de nouveau Monflanquin. Alors que Blaise de Monluc s'y trouve, le couvent des Augustins et l'église sont attaqués et brûlés. Plus tard, avec le XVIIIᵉ siècle la cité vivra une ère de prospérité ; mais l'après-Révolution amènera un exode rural inexorable. Aujourd'hui, ceux qui "restent" sont à plus forte raison attachés à leur village qu'ils veulent réveiller. Plus d'un vous proposera de monter au "cap del pech", d'où l'on domine la vallée de la Lède, de passer par l'église dont la façade est hélas remaniée, et de pénétrer dans la bastide ordonnancée autour de la belle place des Arcades, dont la halle fut démolie en 1830. Reste une belle maison à colombage, et, déployées en parallèles, comme dans toute bastide, les "carrérots" pittoresques.

♦ 2460 habitants, 80 m d'altitude ♦ **Accès :** à 46 km N d'Agen par N 21 - Villeneuve-sur-Lot et D 676 ♦ **A voir :** la Maison de la Vie rurale ♦ **Aux alentours :** le village de Gavaudun ; l'église romane de Saint-Sardos-de-Laurenque ; le château de Biron ♦ **Foires, festivités :** marché le jeudi matin, en été les mardi et samedi matin également ; Foire à la brocante les 13 et 14 juillet ; "Musique en Guyenne" en juillet ♦ **Hôtels :** à Paulhiac (4 km N) L'Ormeraie (tél. 05.53.36.45.96), maison d'hôtes de charme, 4 chambres 400-495 F, 1 suite 725 F ; au Laussou (7 km N-E), Manoir de Barrayre (tél. 05.53.36.46.66), maison d'hôtes de charme, 2 chambres 350- 405 F, 1 suite 610 F ; à Gavaudun (9 km N-E) Moulin de Majoulassis (tél. 05.53.36.41.82), maison d'hôtes de charme, 2 chambres 250-320F (2 nuits minimum), table d'hôtes ♦ **S. I.** (tél. 05.53.36.40.19).

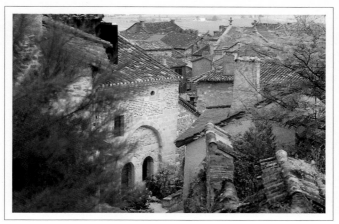

PENNE D'AGENAIS
47140 (Lot-et-Garonne)

Perchée sur un coteau dominant le Lot, la petite cité médiévale a subi au cours des siècles de nombreuses invasions (Vandales, Goths, Normands) et fut ravagée lors des guerres de Religion au XVIIᵉ siècle. Du château fort bâti sur le rocher par Richard Cœur de Lion, il ne reste que des ruines, mais, de sa splendeur passée, Penne a conservé de belles maisons récemment restaurées, aux murs de pierre claire ou de briquetage rose. Des jardinets, des bacs remplis de fleurs agrémentent la promenade le long des ruelles escarpées parfois entrecoupées d'escaliers. Tout en haut, la basilique moderne de Notre-Dame de Peyragude veille sur la cité. Le village est très vivant, de nombreux artisans y ont élu domicile et la municipalité organise des festivités durant l'été.

♦ 2420 habitants, 217 m d'altitude ♦ **Accès :** à 10 km O de Villeneuve-sur-Lot par D 661 ♦ **Aux alentours :** le circuit des bastides, les grottes et le zoo préhistorique de Fontirou, le château de Bonaguil, le ravissant village de Pujols (3 km S de Villeneuve-sur-Lot) ♦ **Foires, festivités :** marché à Saint-Sylvestre le samedi matin et à Port-de-Penne le dimanche matin ; Soirées musicales et théâtrales en saison ; Foire à la tourtière le 2ᵉ dimanche de juillet ; Couronnement des rosières le 15 août ♦ **Hôtel :** L'Air du Temps (tél. 05.53.41.41.34), maison d'hôtes de charme, 3 chambres 220-240 F, table d'hôtes ♦ **Restaurants :** à Pujols, Auberge Lou Calel (tél 05.53.70.46.14), La Toque Blanche (tél. 05.53.49.00.30) restaurant gastronomique ♦ **Mairie** (tél. 05.53.41.20.08) - **S. I.** (tél. 05.53.41.37.80).

POUDENAS
47170 (Lot-et-Garonne)

Poudenas est un ravissant village ancien qui se trouve à l'orée de la forêt landaise, au cœur de l'Armagnac, dans un bel environnement verdoyant. C'est du pont roman qui enjambe la Gélise que l'on a le plus joli point de vue sur le village et ses maisons de pierre aux belles tonalités ocrées. On voit, tout en haut, le château, puis les toits de tuiles rondes des maisons qui descendent doucement la pente jusqu'à la rivière. Là, un vieux moulin du XIVe siècle, bercé par les clapotis d'une cascade, abrite une charmante auberge, rendez-vous des gourmets de toute la région. La forteresse d'origine, bâtie au XIIIe siècle, a été remaniée aux XVIe et XVIIe siècles pour présenter aujourd'hui l'aspect séduisant d'une villa italienne entourée d'un splendide parc planté d'essences rares. Le château (privé) peut se visiter. Vous serez vraiment séduit par ce petit village médiéval plein de charme.

♦ 309 habitants, 66 m d'altitude ♦ **Accès :** à 47 km S-O d'Agen par D 656 direction Nérac ♦ **Aux alentours :** le circuit des arbres et des chapelles de Mézinais-en-Albret ; tournée des bastides, des villages fortifiés et des églises romanes ♦ **Hôtel :** A la Belle Gasconne (tél. 05.53.65.71.58), hôtel de charme, 6 chambres 380-670 F, très bon restaurant ♦ **Mairie** (tél. 05.53.65.71.59).

PUYMIROL
47270 (Lot-et-Garonne)

Bastide fondée en 1246 par Raimond VII, comte de Toulouse, Puymirol est bâti tout en longueur sur un plateau dominant la vallée de la Séoune. La cité était autrefois un important centre de négoce avec foires et marchés. Aujourd'hui, Puymirol a perdu ses remparts (rasés sur ordre de Louis XIII) mais a conservé de nombreuses traces de son passé. Dans la rue Royale, on peut admirer de superbes maisons, notamment la demeure des comtes de Toulouse bâtie au XIIIe siècle qui abrite un restaurant gastronomique "L'Aubergade", et des hôtels particuliers des XVIIe et XVIIIe siècles. Sur la place à arcades, à l'angle, on découvre l'église et son porche du XIIIe siècle. L'ensemble du village a beaucoup de charme, même si parfois les restaurations sont un peu trop "léchées". Vous pourrez aussi admirer le beau panorama sur les collines environnantes depuis l'esplanade du Champ-de-Mars !

♦ 800 habitants, 153 m d'altitude ♦ **Accès :** à 17 km E d'Agen par N 113 et D 16 ♦ **Aux alentours :** les villages de Saint-Maurin (10 km N-E), de Castelsagrat (14 km E), de Beauville (16 km N-E) et de Frespech (19 km N) ♦ **Foires, festivités :** Festival de l'enfance en juillet. ♦ **Hôtel :** Les Loges de l'Aubergade (tél. 05.53.95.31.46), hôtel de charme, 10 chambres 750-1400 F, restaurant gastronomique ♦ **Mairie** (tél. 05.53.95.32.10).

VILLERÉAL
47210 (Lot-et-Garonne)

Implantée sur une colline non loin d'une rivière le Dropt, Villeréal (Ville Royale) fut fondée en 1269 par Alphonse de Poitiers, frère de Saint Louis, pour protéger la population des bandes armées et des Anglais qui progressaient dans la région. La bastide déploie ses rues autour d'une solide halle (XIVe–XVe siècles), construite sur piliers de bois et surmontée d'un étage à pans de bois que l'on peut rejoindre par un vieil escalier. Au détour des rues, on découvre les maisons typiques des bastides avec un rez-de-chaussée en pierre et un étage de torchis à colombage et à encorbellement. L'imposante église (XIIIe siècle) présente de massifs contreforts et deux tours coiffées de toits pointus raccordées par une galerie à balcon de bois. Cela rappelle le rôle défensif qu'elle a joué dans le passé. Autour de la place, de nombreux commerces d'artisanat se sont installés. Vous pourrez goûter les délicieux produits régionaux, prunes, melons, caprins (fromages de chèvre) ou faire des randonnées dans la superbe vallée du Dropt.

♦ 1250 habitants, 70 m d'altitude ♦ **Accès :** à 30 km N de Villeneuve-sur-Lot par D 676 ♦ **Aux alentours :** les maisons à empilage (XIe-XIIIe s.), le château de Bonaguil, le bourg médiéval d'Issigeac ♦ **Foires, festivités :** marché le samedi matin, le mercredi matin (en été) ; marché fermier le vendredi ; brocante le 1er mai ; nombreuses foires et courses de chevaux en été ♦ **Hôtel :** Moulin de Labique (tél. 05.53.01.63.90), maison d'hôtes de charme, 4 chambres 270-420 F, 1 suite 540 F, table d'hôtes ♦ **Mairie** (tél. 05.53.36.00.37) - **S. I.** (tél. 05.53.36.09.65).

AÏNHOA
64250 Cambo-les-Bains (Pyrénées-Atlantiques)

Une rue bordée de maisons blanchies à la chaux, couvertes de tuiles romanes, court vers Dancharia et son poste frontière. Vers l'Espagne, disons-nous, vers la sœur navarraise du Labourd français, disent les Basques. C'est au IXᵉ siècle que se créa la démocratie basque, fondée sur l'entente des sept provinces de même langue, sans souci de frontières présentes ou futures. C'est dans le détail que les maisons se distinguent : la couleur des colombages et des ouvertures, les inscriptions et les armes gravées sur les linteaux de pierre disent à travers les temps l'ancienneté d'une famille, ou l'aventure au-delà des mers de l'un de ses membres, appelé par eux "l'Américain". Il en est de plus belles, avec des balcons de fer forgé datant du XVIIIᵉ siècle, époque florissante du Pays Basque. Il en est de plus modestes ; elles sont fraternellement alignées, ou groupées autour de la mairie où flotte l'"ikurina", le drapeau rouge et vert, barré de la croix de Saint-André. Devant l'église, au fronton, résonne le claquement sec de la pelote basque. Comme si c'était le cœur d'Aïnhoa que l'on entendrait battre, au rythme de la devise "Zazpiak Bat", "Sept font Un".

♦ 544 habitants, 120 m d'altitude ♦ **Accès :** à 26 km S de Bayonne par D 932, D 918 et D 20 ♦ **Aux alentours :** les jolis villages d'Arcangues, Espelette et Itxassou ; Cambo-les-Bains (musée Edmond-Rostand) ♦ **Hôtel :** sur la route d'Espelette, Ferme de Pinodiéta (tél. 05.59.93.87.31), maison d'hôtes de charme, 5 chambres 190-210 F, restaurant ♦ **Restaurant :** Ithurria (tél. 05.59.29.92.11) ♦ **Mairie** (tél. 05.59.29.92.60).

LA BASTIDE-CLAIRENCE
64240 (Pyrénées-Atlantiques)

Installée dans la vallée de la Joyeuse (quel joli nom !), La Bastide-Clairence mi-basque, mi-gasconne, est l'un des plus beaux villages de la région. Sa longue rue principale, pentue, entrecoupée de ruelles, est bordée de maisons blanchies à la chaux et agrémentées de colombages verts ou rouges ; elle conduit à la place des Arceaux dont les couverts abritaient autrefois des marchés animés. Aujourd'hui, un pittoresque petit café à la mode d'autrefois permet de passer un moment délicieux. L'église, typiquement basque, a été remaniée au XVIIIe siècle mais elle a gardé un porche roman et un étonnant cloître-préau dallé de pierres tombales. Derrière un muret, le petit cimetière juif nous rappelle que, pendant l'Inquisition, de nombreux juifs chassés d'Espagne trouvèrent refuge dans le village. Coquette et pimpante, La Bastide-Clairence est animée de nombreux ateliers d'artisans de grande qualité. Un village plein de charme.

♦ 759 habitants, 60 m d'altitude ♦ **Accès :** à 25 km S-E de Bayonne par D 312 et D 123 ♦ **Foires, festivités :** Foire à la brocante fin mai et fin juin ; Fête de l'Encierro (taureaux, vachettes, groupes folkloriques) et Fête d'Esperantza (danses folkloriques) à Pâques et fin juillet ♦ **Hôtel :** Maison Marchand (tél. 05.59.29.18.27), maison d'hôtes de charme, 5 chambres 250-350 F, table d'hôtes ♦ **Mairie** (tél. 05.59.29.65.47) - **S. I.** (tél. 05.59.29.65.05).

CIBOURE
64500 (Pyrénées-Atlantiques)

En basque, Ciboure signifie "tête de pont". Ce pont la sépare tout juste de Saint-Jean-de-Luz. Mais Ciboure tient à ne pas être prise pour un faubourg de sa proche voisine, avec laquelle elle a été en rivalité sanglante autrefois. Il y a beaucoup de belles maisons à voir, dont la maison natale de Maurice Ravel de style flamand. Colombages et encorbellements pour d'autres, égrenées au long d'une rue, ou pressées autour du beau clocher octogonal à toits superposés de la superbe église, belle autant à l'intérieur qu'au-dehors : une nef unique, lambrissée ; trois étages de ces galeries de bois classiques du Labourd. Au couvent des Récollets, devenu la douane, il faut voir le cloître et un puits couvert. La colline verte, émaillée du blanc de chaux des maisons, domine Socoas et son fort construit par Vauban. Accroché aux flancs de cette colline, un cimetière marin où Pierre Benoit désira être inhumé. Ciboure reste un village autonome, éveillé et actif.

♦ 5880 habitants ♦ **Accès :** à 16 km S-O de Biarritz par N 10 ♦ **Aux alentours :** les villages d'Ascain, d'Urrugne et d'Arcangues (au N) ; le château Abbadia à Hendaye ♦ **Foires, festivités :** marché à la brocante en juillet et août ; Salon des antiquaires en mai ♦ **Hôtels :** Lehen Tokia (tél. 05.59.47.18.16), hôtel de charme, 5 chambres 500-800 F, 1 suite 1200 F ; à Saint-Jean-de-Luz, La Devinière (tél. 05.59.26.05.51), hôtel de charme, 8 chambres 500-650 F ♦ **Restaurants :** Arrantzaleak (tél. 05.59.47.10.75) ; Chez Mattin (tél. 05.59.47.19.52) ; Chez Dominique (tél. 05.59.47.29.16) ; à Urrugne (3 km) Chez Maïté (tél. 05.59.54.30.27) ♦ **Mairie** (tél. 05.59.47.26.06).

NAVARRENX
64190 (Pyrénées-Atlantiques)

Au cœur du vieux Béarn, au bord du gave d'Oloron, Navarrenx se présente comme une petite cité paisible et accueillante, enserrée de remparts. Le village existait dès le XIe siècle, mais la bastide fut créée en 1316 et entourée de fortifications en 1540 sur ordre d'Henri II, roi de Navarre. Celui-ci fit appel à un architecte italien Fabrici Siciliano de Vérone qui éleva des murailles bastionnées, les premières de cette sorte bâties en France. La petite ville eut à subir deux assauts importants lors des guerres de Religion lorsqu'elle servait de refuge aux calvinistes béarnais. Aujourd'hui, tout est tranquille ; on peut se promener le long des remparts, de la porte Saint-Antoine jusqu'aux bastions ; c'est très joli, il y a de beaux arbres et des pelouses bien entretenues. A l'intérieur du village, sur la place, l'église (du XVIe siècle avec un rajout du XIXe) fait face à la mairie et, tout à côté, le fronton de pelote. Le long des rues à angle droit sont éparpillées de belles maisons un peu massives, blanches avec des toits rouges dont certaines remontent aux XVIe-XVIIe siècles. Vous pourrez aussi effectuer de plaisantes randonnées à pied ou sur de petits chevaux basques, les pottocks.

♦ 1036 habitants, 125 m d'altitude ♦ **Accès :** à 41 km O de Pau par N 134 - Oloron-Ste-Marie et D 936 ♦ **Aux alentours :** le château d'Audaux (5km), le château de Laàs (8km), l'église romane de L'Hôpital-Saint-Blaise ♦ **Foires, festivités :** marché le mercredi ; Championnat du monde de pêche au saumon de mars à juillet ; courses hippiques en août ♦ **Hôtel :** sur la route d'Arette après Oloron-Sainte-Marie (20 km), Château de Boues (tél. 05.59.39.95.49) maison d'hôtes de charme, 4 chambres 270-320 F ♦ **Mairie** (tél. 05.59.66.10.22) - **S. I.** (tél. 05.59.66.14.93).

SAINT-ÉTIENNE-DE-BAÏGORRI
64430 (Pyrénées-Atlantiques)

Pour arriver à Saint-Étienne-de-Baïgorri vous traverserez un paisible paysage de collines verdoyantes parsemées de grosses fermes basques bien entretenues et de moutons (sauf en été). C'est la douce vallée de la "Nive des Aldudes" qui prend ici le nom de vallée de Baïgorri, cernée au loin par les Pyrénées. L'architecture de Saint-Étienne est typique de la Basse-Navarre : grosses maisons blanches du XVIIe et du XVIIIe siècle, parfois ornées de balcons, avec des ouvertures aux encadrements de pierre. A quelques exceptions près, les pans de bois des façades sont rouge sang, le rouge que l'on retrouve dans tout le Pays Basque. L'église a été rebâtie au XVIIIe siècle sur des fondations romanes. A l'intérieur elle présente de belles galeries de bois et un retable baroque. Le vieux pont Romain, qui relie les deux rives, est charmant avec son pavage ancien tout de guingois. Les environs de Saint-Étienne-de-Baïgorri sont aussi très jolis : de nombreux hameaux pittoresques comme Esnazu, des vestiges mégalithiques, les anciennes mines de cuivre, les bergeries de montagne et le chemin de Saint-Jacques, tout cela vous fera aimer cette région.

♦ 1565 habitants, 155 m d'altitude ♦ **Accès :** à 11 km N-O de Saint-Jean-Pied-de-Port par D 15 ♦ **Aux alentours :** la vallée de la Nive des Aldudes et ses jolis villages : Banca, Aldudes, Urepel (au sud sur la D 948) ♦ **Foires, festivités :** en juillet et août, Festival de force basque, parties de pelote, "Noce basque 1900" (le dimanche après le 14 juillet et le 15 août), foire gastronomique et artisanale ♦ **Hôtel :** Hôtel Arcé (tél. 05.59.37.40.14), hôtel de charme, 16 chambres 420-680 F, 6 suites 1030 F, très bon restaurant ♦ **Mairie** (tél. 05.59.37.40.80) - **S. I.** (tél. 05.59.37.47.28).

SAINT-JEAN-PIED-DE-PORT
64220 (Pyrénées-Atlantiques)

Superbe forteresse de frontière, Saint-Jean-Pied-de-Port est l'un des sites les plus magnifiques du Pays Basque. Dès 1191, au château de Mendiguren, régnaient les seigneurs qui représentaient le pouvoir du roi de Navarre. Puis, au XIIIᵉ siècle, la "ville neuve" fut fondée au pied de la colline. En 1530, l'Espagne restitue la Navarre à la France. Saint-Jean-Pied-de-Port partagera avec Saint-Palais l'honneur d'être la capitale de la Basse-Navarre, et les seigneurs d'Albret s'y installeront. Au XVIIᵉ siècle, Deville, puis Vauban construisent la citadelle : la redoute de Gatzelumendi et les remparts avec les portes de France, de Navarre, d'Espagne, de Saint-Jacques. La place du Marché, la maison de Mansart, devenue l'Hôtel de Ville, la maison des États de Navarre (1610) et beaucoup de très belles maisons navarraises, datant du XVIᵉ au XVIIIᵉ siècle sont à voir. Après avoir passé le pont Romain en dos d'âne d'Eyherraberri, on trouve l'église "Notre-Dame-du-Bout-du-Pont" en grès rouge, à clocher-donjon. Il y a aussi l'église Sainte-Eulalie, au splendide portail roman. La vue du vieux pont est superbe. La couleur rosée des constructions en grès illumine Saint-Jean-Pied-de-Port et adoucit ce qu'il y aurait de rudesse à cet ensemble fait pour la défense et la guerre.

♦ 1800 habitants, 146 m d'altitude ♦ **Accès :** à 46 km S-E de Bayonne par D 932 et D 918 ♦ **Foires, festivités :** marché le lundi avec partie de pelote basque l'après-midi ♦ **Hôtels :** à Estérençuby (8 km S), Artzaïn Etchea (tél. 05.59.37.11.55), hôtel de charme, 22 chambres 180-220 F, restaurant ; à Saint-Étienne-de-Baïgorri (11 km O), Hôtel Arcé (tél. 05.59.37.40.14), hôtel de charme, 16 chambres 420-680 F, restaurant ♦ **Restaurants :** Les Pyrénées (tél. 05.59.37.01.01); Arbillaga (tél. 05.59.37.06.44) ; Etche-Ona (tél. 05.59.37.01.14) ; Chalet Pedro (tél. 05.59.37.02.52) sur la route d'Iraty ♦ **S. I.** (tél. 05.59.37.03.57).

SALIES-DE-BÉARN
64270 (Pyrénées-Atlantiques)

Salies-de-Béarn est une plaisante petite cité qui reflètent ses jolies maisons à pans de bois dans les eaux vertes du Saleys. Elle doit sa richesse et son nom au sel, exploité dès l'époque néolithique ; ses eaux sodiques en ont fait une cité thermale dès le Moyen Âge. Le vieux Salies a gardé tout son charme. De chaque côté du pont de la Lune, au bord de la rivière, les maisons de pierre dorée, à galeries fleuries et toits pointus de tuiles brunes datent des XVIIe et XVIIIe siècles. Il faut visiter l'église Saint-Vincent (XIVe siècle), bien rénovée, la belle maison de Jeanne d'Albret et, sur l'autre rive, on peut flâner sur la place du Bayaa (l'endroit où l'on exploitait le sel autrefois) entourée de commerces, et voir la fontaine du Sanglier, l'Hôtel de Ville, les halles de bois et les ruelles typiques. Plus haut, l'église Saint-Martin est également du XIVe siècle. Ne pas oublier le vieux château de Saint-Pé (XVe-XVIe siècles) et le château des Talleyrand-Périgord (XVIIe siècle). La végétation partout présente, saules pleureurs, lierres, géraniums et chèvrefeuilles, enserre la cité dans un écrin de verdure et donne beaucoup de charme à la promenade le long des berges. Et puis il y a la ville neuve, avec ses thermes mauresques, son casino et ses hôtels XIXe... un autre charme !

♦ 5000 habitants, 56 m d'altitude ♦ **Accès :** à 52 km E de Bayonne par N 117 Peyrehorade et D 17 ♦ **A voir :** le musée du Sel ♦ **Aux alentours :** le village de Bellocq et son très beau château (7,5 km N) ; le joli village de Sauveterre-de-Béarn (10 km S) ♦ **Foires, festivités :** marché le dimanche matin ; Festival des Abbayes en été ; Foire des antiquaires en août ; Fête du sel le 2e dimanche de septembre ♦ **Hôtels :** Hôtel du Golf (tél. 05.59.65.02.10), chambres 350 F environ ; à Castagnède (7 km S-O) La Belle Auberge (tél. 05.59.38.15.28), chambres 200 F environ, restaurant ♦ **S.I.** (tél. 05.59.38.00.33).

SARE
64310 (Pyrénées-Atlantiques)

Pierre Loti a décrit ce village, qu'il appela Etchejar, dans "Ramunt-cho". Entouré de champs parfois encore délimités par des murets de pierres dressées, bordé au loin par les contreforts de la Rhune, Sare offre le spectacle ravissant de ses maisons anciennes des XVIIe et XVIIIe siècles, de sa place à fronton pour les parties de pelote, et de son église, dont le mur-pignon forme clocher. Celle-ci comporte, à l'intérieur, trois étages de galeries de bois et de riches retables à colonnettes en bois doré. Le village est merveilleusement préservé, ses habitants, comme tous ceux de cette région du Labourd, ont su rester fidèles à leurs traditions et protéger leur architecture et leur environnement. Sare est gai avec ses maisons blanches - on les passe à la chaux tous les ans pour la Saint-Jean - aux colombages rouges ou verts. Sur la jolie place, on peut regarder les parties de pelote, prendre un verre au café de la Mairie ou prolonger la halte au délicieux Hôtel Arraya. Les vallons alentours sont splendides, on peut y voir des troupeaux de brebis, de vaches et quelquefois, on aperçoit des pottocks, ces poneys sauvages du Pays Basque.

♦ 1900 habitants, 75 m d'altitude ♦ **Accès :** à 13 km S-E de Saint-Jean-de-Luz par D 918 et D 4 ♦ **Aux alentours :** les très belles maisons du quartier d'Istilharte (2 km) ; le col de la Rhune que l'on atteint par un funiculaire ; le village d'Ascain ♦ **Foires, festivités :** Fête du village (du 2e dimanche de septembre au mercredi) avec messe basque, partie de pelote, concours de fandango, Force basque, chants basques et concours agricole ♦ **Hôtels :** Hôtel Arraya (tél. 05.59.54.20.46), hôtel de charme, 20 chambres 395-540 F, restaurant ; Larochoincoborda (tél. 05.59.54.22.32), maison d'hôtes de charme, 2 chambres 250-300 F ; Maison Dominxenea (tél. 05.59.54.20.46), maison d'hôtes de charme, 3 chambres 350 F ; Olhabidea (tél.05.59.54.21.85), maison d'hôtes de charme, 3 chambres 250-350 F ♦ **Mairie** (tél. 05.59.54.20.28) - **S. I.** (tél. 05.59.54.20.14).

Des âpres plateaux granitiques du Forez couverts de forêts et de pâturages aux plaines fertiles de limagne, des massifs volcaniques parsemés de lacs à la douce campagne du Bourbonnais, l'Auvergne est parsemée d'églises romanes, d'abbayes, de châteaux et de villages aux murs de lave noire ou grise, aux toits de lauzes, restés merveilleusement intacts. Au cœur d'une nature grandiose, ces villages attachants vous feront aimer cette région empreinte d'histoire et de beauté.

Puis, plus à l'ouest, le Limousin nous offre déjà un petit air d'Aquitaine. L'habitat gagne en séduction, les maisons se coiffent de tuiles rondes, s'habillent de grès rose ou de fin calcaire blanc ; le paysage, parsemé de lacs et de rivières, devient plus verdoyant et vallonné. Les monts de Blond (qui marquent la séparation entre la langue d'oc et la langue d'oïl), les monts d'Ambazac, le plateau de Millevaches (on dit qu'il possède mille sources) sont parcourus par de magnifiques sentiers de randonnée. Du Moyen Âge, le Limousin a gardé de superbes richesses : abbayes de Bénévent, de Solignac, collégiales de Saint-Junien, de Saint-Léonard, mais aussi de très jolies petites églises au cœur de villages authentiques que nous vous invitons à découvrir.

CHARROUX
03140 (Allier)

Situé sur une colline, Charroux fut autrefois au carrefour de plusieurs voies romaines importantes. Bastion du Bourbonnais, la cité était protégée par un double rempart. La muraille extérieure a disparu et il ne reste de la muraille intérieure, que la porte de l'Horloge, la porte d'Orient, les deux tours et soixante mètres de mur. Malgré la restauration de nombreux bâtiments, il règne dans le village une atmosphère d'abandon qui n'est pas sans charme. Visitez l'église du XIIe siècle qui a un curieux clocher tronqué ; le beffroi se trouve juste à côté, ainsi qu'une belle maison avec son étage en surplomb. Vous pouvez aussi vous promener rue de l'Horloge, puis tourner dans la rue de la Poulaillerie, très pittoresque, avec son vieux pavage et son caniveau central. Vous y trouverez l'ancien rendez-vous de chasse du prince de Condé. Au hasard de la visite, vous découvrirez aussi un vieux puits, de belles demeures médiévales, et partout, vous bénéficierez d'une vue superbe sur le Massif central et les différentes vallées. Mais depuis le belvédère c'est encore mieux...

♦ 324 habitants, 410 m d'altitude ♦ **Accès :** à 38 km N-O de Vichy par N 209, D 37 et D 35 ♦ **A voir :** le musée de Charroux et de son canton (histoire locale) ♦ **Aux alentours :** l'abbaye de Chantelle, le château de Veauce, les gorges de la Sioule, le musée de la Vielle à Jenzat ♦ **Foires, festivités :** marché le vendredi matin ; foire à la brocante le dernier dimanche d'avril ; Journée des artisans le 1er dimanche d'août ♦ **Hôtel :** Près de Chantelle (6 km N), Château de Boussac (tél. 04.70.40.63.20), maison d'hôtes de charme, 4 chambres 600-800 F, 2 suites 950-1100 F, table d'hôtes ♦ **Mairie** (tél. 04.70.56.81.65).

HÉRISSON
03190 (Allier)

Hérisson se trouve entouré par un très beau paysage de bocages et de forêts traversé par les gorges de l'Aumance. Les maisons sont groupées autour des ruines du château érigé par les sires de Bourbon dès le Xᵉ siècle, puis renforcé au XIVᵉ siècle par le "bon duc Louis II". Depuis cette époque et jusqu'au XVIIᵉ siècle, le bourg connut autant de fastes que de troubles (occupation anglaise, attaques protestantes, occupation par les troupes frondeuses de Condé, démantèlement de la forteresse sur ordre de Mazarin...). De nombreux édifices, militaires ou religieux, et de très belles maisons en perpétuent le souvenir. Pour les découvrir, il vous suffira de suivre le fléchage qui part de la Perception. Les amateurs de panoramas se rendront au pied d'une tour située au sud du château, la vue y surplombe les toits pentus des maisons d'où émergent, çà et là, quelques tourelles d'escaliers. Ils pourront aussi rejoindre la chapelle du Calvaire qui domine le village, depuis une colline située sur la rive gauche de l'Aumance.

♦ 808 habitants, 190 m d'altitude ♦ **Accès :** à 23 km N de Montluçon par N 144 - Estivareilles et D 3 ♦ **A voir :** le musée du Terroir hérissonnais (archéologie gallo-romaine, vie rurale du début du siècle, ouvert pendant les vacances seulement) ♦ **Aux alentours :** de nombreux sentiers pédestres parcourent les gorges de l'Aumance, le site du Saut-du-Loup, le val d'Aumance, les forêts du Tronçais et de Soulongis ♦ **Foires, festivités :** marché le vendredi matin ; Festival de musique classique et sacrée en août ; Festival de théâtre début juillet ; Foire à la brocante le 3ᵉ dimanche d'août ♦ **Hôtel :** à Verneix (12 km S), Château de Fragne (tél. 04.70.07.80.87), maison d'hôtes de charme, 4 chambres 420-600 F, 1 suite 600 F, table d'hôtes ♦ **Mairie** (tél. 04.70.06.80.45).

SALERS
15410 (Cantal)

Situé aux portes des volcans d'Auvergne sur un plateau abrupt, Salers offre la vision magnifique de ses remparts, de ses austères maisons aux toits de lauzes, de ses hôtels particuliers à tourelles et de son église. C'est autour du château des barons de Salers que se développa autrefois la cité, et c'est au XVe siècle qu'elle édifia ses remparts pour se protéger des Anglais et des "routiers". Au XVIe siècle, elle devint siège du bailliage des Hautes Montagnes d'Auvergne, et ses bourgeois construisirent alors les beaux hôtels particuliers que nous pouvons admirer aujourd'hui. Tout autour de la Grand-Place, les maisons de lave s'ornent de tourelles, de toits en poivrière, de fenêtres à meneaux, de portes cloutées et sculptées. L'ancien bailliage, d'époque Renaissance, présente des tourelles d'angle et une massive tour octogonale. Un peu plus loin, la maison de Bargues comporte un joli balcon sculpté et des arcades. Par la rue du Beffroi, on ira jusqu'à l'église. Terminée au XVIe siècle, elle conserve un très beau porche d'époque romane. Sa nef renferme une mise au tombeau et des tapisseries d'Aubusson. Vous garderez longtemps le souvenir émerveillé de cette belle cité.

♦ 450 habitants, 950 m d'altitude ♦ **Accès :** à 49 km N d'Aurillac par D 922 et D 680 ♦ **A voir :** la Maison des Templiers (folklore, histoire de Salers) ; la Maison de Bargues (mobilier XVIIe siècle) ♦ **Foires, festivités :** marché le mercredi matin ; Grande Pastourelle le 2e week-end de juin ; Fête de la Renaissance le 3e week-end de juillet ; Gala folklorique le 15 août ♦ **Hôtels :** Chez M. et Mme Prudent (tél. 04.71.40.75.36), maison d'hôtes de charme, 6 chambres 201-222 F ; à Saint-Martin-Valmeroux (6 km S-O), Hostellerie de la Maronne (tél. 04.71.69.20.33), hôtel de charme, 21 chambres 350-600 F, restaurant ♦ **Mairie** (tél. 04.71.40.72.33) - **S. I.** (tél. 04.71.40.70.68).

TOURNEMIRE
15310 (Cantal)

A proximité des monts du Cantal, Tournemire est campé à plus de 800 mètres d'altitude sur un plateau. On y accède par une petite route longeant la verdoyante vallée de la Doire. Le village existait déjà lorsque Louis II d'Anjony, compagnon d'armes de Jeanne d'Arc, fit construire le château en 1439. Il est bâti bien à l'écart, dominant le village de ses quatre tours ; admirablement conservé, c'est l'un des plus beaux châteaux d'Auvergne. Il mérite d'être visité pour ses superbes fresques du XVIe siècle, ses beaux meubles, ses tapisseries, ses plafonds à caissons et pour la belle vue que l'on a depuis le chemin de ronde, tout en haut. Le village, lui, groupe ses maisons aux toits de lauzes ou d'ardoises derrière son église de style roman, qui est construite en tuf volcanique polychrome. Tournemire a une allure un peu sévère mais, perdu au milieu de la nature qui est magnifique, il vous donnera l'impression que le temps s'est arrêté aux portes des volcans d'Auvergne.

♦ 163 habitants, 870 m d'altitude ♦ **Accès :** à 25 km N d'Aurillac par D 922 et D 160
♦ **A voir :** le château d'Anjony (visite de Pâques à la Toussaint), l'exposition d'automates
♦ **Aux alentours :** Saint-Cernin (7 km O) et sa belle église des XIIe -XVe siècles ; les gorges de la Maronne et le village de Saint-Chamant ♦ **Hôtels :** à Saint-Martin-Valmeroux (Le Theil, 11 km N), Hostellerie de la Maronne (tél. 04.71.69.20.33), hôtel de charme, 21 chambres 350-600 F, restaurant ; à Salers (22 km N), Chez M. et Mme Prudent (tél. 04.71.40.75.36), maison d'hôtes de charme, 6 chambres 201-222 F ♦ **Mairie** (tél. 04.71.47.61.34).

BLESLE
43450 (Haute-Loire)

L'existence et le développement du village dépendirent jusqu'à la Révolution d'une abbaye de Bénédictines, créée vers le milieu du IXᵉ siècle. Au XIᵉ siècle, les barons de Mercœur construisirent une forteresse dont il ne reste aujourd'hui que le donjon, et c'est au XIIᵉ siècle que Blesle fut agrandie et entourée de remparts. La promenade le long des rues permet d'admirer des maisons anciennes à pans de bois, aux très belles portes sculptées. Il faut voir le clocher de Saint-Martin (XIVᵉ siècle), qui constitue le seul vestige d'une église détruite en 1793, et visiter l'église Saint-Pierre : c'était l'abbaye des moniales, un édifice de haute époque romane dont l'intérieur a été remanié. A découvrir en particulier, dans le chœur, les petits chapiteaux avec des feuilles d'acanthe et des personnages à cheval, et, dans l'abside, des lions affrontés, de saintes femmes au Tombeau et des sirènes à deux queues. Dans le Trésor, on admirera le très beau bois polychrome d'une Vierge en Majesté du XIIᵉ siècle. Aux proches alentours de Blesle, les amoureux de la nature trouveront de nombreuses promenades pédestres et des rivières à truites.

♦ 735 habitants, 520 m d'altitude ♦ **Accès :** à 71 km S de Clermont-Ferrand par A 75 et N 9 ♦ **A voir :** le musée de la Coiffe dans le vieil hôpital (ouvert en été seulement) ; le Trésor de l'église Saint-Pierre (ornements sacerdotaux XVIIᵉ-XVIIIᵉ s., sculptures XVIIᵉ s.) ♦ **Aux alentours :** les églises romanes de Leyvaux (8 km O) et de Bousselargues (5 km N) ; le site protohistorique de Chadecol ; les ruines du château de Leotoing ♦ **Foires, festivités :** Fête du village le dimanche après le 15 août ; Foire de la Saint-Martin en novembre ♦ **Hôtel :** à Collanges (20 km N) Château de Collanges (tél. 04.73.96.47.30), maison d'hôtes de charme, 6 chambres 370-450 F, table d'hôtes ♦ **Mairie** (tél. 04.71.76.26.90).

MOUDEYRES
43150 Laussonne (Haute-Loire)

Sur les hauteurs du massif de Mézenc, dans une belle nature préservée, Moudeyres apparaît comme une vision du passé. Implanté à 1200 mètres d'altitude, le petit village montre ses charmantes chaumières aux murs de basalte, aux toits de chaume de seigle et des maisons aux murs rustiques et aux beaux toits de lauzes. On peut visiter la ferme des Frères Perrel (XVIIIe siècle) transformée en petit musée d'Art et Traditions populaires. Vous admirerez ses massives charpentes, ses salles rustiques et sa cour pavée. Moudeyres vivait autrefois de la culture du seigle. Aujourd'hui, le village s'ouvre un peu au tourisme (de rares constructions récentes dénaturent légèrement le site), mais il a gardé toute sa personnalité et sa tranquillité. Une auberge de charme, au toit de chaume, vous permettra d'y faire une halte agréable, de profiter de l'air pur et de la magnifique campagne environnante.

♦ 111 habitants, 1177 m d'altitude ♦ **Accès :** à 25 km S-E du Puy par D 15 et D 36
♦ **A voir :** le musée des Frères-Perrel (arts et traditions populaires) ♦ **Aux alentours :** le village de Bigosse, l'abbatiale et le château du Monastier ; la source de la Loire
♦ **Foires, festivités :** Fête du village le 2e dimanche de septembre ♦ **Hôtel :** Le Pré Bossu (tél. 04.71.05.10.70), hôtel de charme, 10 chambres 430-590 F par personne en demi-pension, restaurant.

BESSE-EN-CHANDESSE
63610 (Puy-de-Dôme)

A la limite du Mont-Dore et du Cézalier, dans le magnifique Parc naturel régional des volcans, Besse présente un ensemble harmonieux de maisons médiévales aux toits d'ardoises ou de lauzes. Ses fortifications datent du XVe siècle. On peut encore admirer l'ancienne porte de Ville et la tour de la Prison. Sur la place centrale, l'église Saint-André fut bâtie à l'époque romane mais a subi plusieurs remaniements. Sa nef est très simple, elle comporte des chapiteaux décorés de motifs végétaux ou historiques. Sous les sellettes des stalles, on apercevra des "miséricordes", ces petits appuis qui accordaient du repos aux moines et aux chanoines pendant les offices. On peut aller voir le château du Bailli, autrefois point fort de la défense de la cité, se promener sur la place et dans les rues pour admirer les maisons avec leurs fenêtres à meneaux, leurs belles portes. Un peu plus loin, rue de la Boucherie sont alignées d'anciennes échoppes du XVe siècle et la magnifique maison de la reine Margot. Besse fut également à l'origine de l'implantation du ski en Auvergne : la station de Super-Besse offre aux sportifs ses nombreuses pistes de ski.

♦ 1871 habitants, 1050 m d'altitude ♦ **Accès :** à 55 km S-O de Clermont-Ferrand par A 75, sortie 6 et D 978 ♦ **A voir :** le musée du Ski dans la maison de la reine Margot ; la Maison de la pêche et de l'eau ♦ **Aux alentours :** le lac Pavin ; la forteresse féodale de Murol et le lac Chambon ; l'église romane de Saint-Nectaire ♦ **Foires, festivités :** marché le lundi ; Salon des fromages d'Auvergne et du vin en juillet ♦ **Hôtels :** à Perrier (25 km E) Chez M. Gebrillat (tél. 04.73.55.08.85), maison d'hôtes de charme, 3 chambres 250-290 F, table d'hôtes sur demande ♦ **Mairie** (tél. 04.73.79.50.12) - **S. I.** (tél. 04.73.79.52.84).

MONTPEYROUX
63114 Coudes (Puy-de-Dôme)

Montpeyroux est un petit village fortifié, bâti sur une butte au bord de l'Allier. Il faisait partie, jadis, du comté d'Auvergne. Du château fort, édifié au sommet de la colline au XIIIᵉ siècle, il ne reste que la porte principale avec ses meurtrières, et la tour-donjon, haute de plus de trente mètres. Les maisons, alignées le long des rues étroites et pavées, ont été construites avec les belles pierres dorées du pays et elles ont gardé tout le charme du passé. Le Val d'Allier était autrefois un riche pays de vergers et de vignes et l'on trouve à Montpeyroux des demeures vigneronnes typiques avec leur escalier extérieur et leur rez-de-chaussée voûté où s'effectuait le cuvage. Au XIXᵉ siècle, la vie devint difficile et le village fut peu à peu déserté et pillé. Aujourd'hui, grâce à des initiatives privées et publiques, il revit : le site est classé, les maisons ont été restaurées, des artisans se sont installés. Il est dommage que quelques bâtiments modernes aient été construits en contrebas du village ; cela gâche la jolie vue d'ensemble.

♦ 303 habitants, 483 m d'altitude ♦ **Accès :** à 21 km S de Clermont-Ferrand par N 9 ♦ **Aux alentours :** les villages de La Sauvetat (4 km N-O) et de Sauvagnat (6 km S), les châteaux de Busséol et de Montmorin ♦ **Foires, festivités :** "Les Fleurs-folies" en mai ou juin ♦ **Hôtel :** à Perrier (16 km S) Chez M. Gebrillat (tél. 04.73.89.15.02), maison d'hôtes de charme, 3 chambres 250-290 F, table d'hôtes sur demande ♦ **Restaurants :** Auberge de Tralume (tél. 04.73.96.60.09), restaurant gastronomique ; crêperie Le Donjon ♦ **Mairie** (tél. 04.73.96.62.68) - **S. I.** (tél. 04.73.96.68.80).

SAINT-SATURNIN
63450 (Puy-de-Dôme)

Situé dans un site magnifique, Saint-Saturnin est un village très ancien de la vallée de la Monne. C'est au XIIIᵉ siècle que la famille de La Tour d'Auvergne construisit le château, remanié ensuite aux XVᵉ et XVIᵉ siècles. Catherine de Médicis (descendante de cette famille) y séjourna en 1566. Mais l'intérêt majeur du village c'est l'église, toute simple, qui comporte un magnifique chevet et une riche décoration intérieure. C'est l'une des plus belles églises romanes d'Auvergne. Sur la place, une fontaine Renaissance et, juste derrière, vous verrez la petite église Sainte-Madeleine et la rue des Nobles avec ses belles maisons. En contrebas, le long de la rue de la Boucherie, on peut admirer une demeure décorée d'armoiries et la Maison du tourisme, installée dans une échoppe ancienne très bien restaurée. Vous pourrez terminer la visite par la place du Marché bordée de pittoresques maisons vigneronnes. Ce petit village paisible et harmonieux a attiré de nombreux artistes.

♦ 886 habitants, 550 m d'altitude ♦ **Accès :** à 15 km S de Clermont-Ferrand par A 75, sortie 5 et D 213 ♦ **Aux alentours :** de nombreux sentiers de randonnée dans les gorges de la Monne et autour du lac d'Aydat ; les villages d'Olloix et de Chadrat ; l'abbaye de Notre-Dame-de-Randol. ♦ **Foires, festivités :** Foires le 1ᵉʳ mai et le 1ᵉʳ dimanche d'août ; Foire de la Saint-Géraud le 2ᵉ dimanche d'octobre ♦ **Hôtel :** à Perrier (32 km S) Chez M. Gebrillat (tél. 04.73.89.15.02), maison d'hôtes de charme, 3 chambres 250-290 F, table d'hôtes sur demande ♦ **Restaurants :** La Reine Margot ; La Toison d'Or ♦ **Mairie** (tél. 04.73.39.30.77).

USSON
63490 (Puy-de-Dôme)

Dans ce village, dont les origines remonteraient au temps des Celtes, fut érigée par la suite une forteresse qui devint l'une des plus importantes de Basse-Auvergne. Louis XI en fit une prison, y ajoutant trois murailles et, sur l'une des cinq portes, vous pourrez lire : "Garde le traître et la dent." (C'est-à-dire seules trahisons et famines sont à redouter.) Il est vrai qu'Usson jouit d'une situation idéale. Construit sur une butte volcanique, il domine la plaine de Varennes. Partant de sa base, vous remonterez le long des étroites ruelles bordées de maisons en pierre noire, puis vous atteindrez une petite église romane avant de découvrir les ruines du château, détruit par Richelieu en 1633. La reine Margot y fut enfermée pendant dix-neuf ans ; accordez-lui quelques pensées mais sans trop de pitié, car sa détention fut vite égayée de fêtes galantes... Profitez aussi de la vue sur l'extraordinaire paysage alentour. En redescendant, visitez le quartier des vignerons. Ses maisons cachent de profondes caves voûtées car, avant de céder la place à l'élevage et à des cultures variées, la vigne fut longtemps l'activité principale du village.

♦ 180 habitants, 250 m d'altitude ♦ **Accès :** à 51 km S-E de Clermont-Ferrand par A 75, D 996 et D 709 ♦ **Aux alentours :** les vestiges du prieuré de Sauxillanges (XIVe et XVe siècles) ♦ **Hôtel :** à Collanges (22 km S-O) Château de Collanges (tél. 04.73.96.47.30), maison d'hôtes de charme, 6 chambres 370-450 F, table d'hôtes ♦ **Mairie** (tél. 04.73.71.05.90).

BEAULIEU-SUR-DORDOGNE
19120 (Corrèze)

Au bord de la Dordogne, entre Quercy et Périgord, Beaulieu est un petit bourg fier de son église, magnifique construction romane qui faisait jadis partie d'un monastère bénédictin fondé par l'archevêque de Bourges au IXᵉ siècle. Le portail sud, délicatement sculpté contraste avec l'admirable simplicité de l'intérieur. Mais que cette belle église ne vous fasse pas oublier le village avec ses ruelles étroites et pavées bordées de superbes maisons anciennes, ses placettes, ses passages voûtés et ses petits lavoirs pittoresques ; flânez rue Sainte-Catherine où se trouvent des antiquaires et admirez notamment la maison joliment dénommée "maison d'Adam et Eve" qui date de la Renaissance. Une agréable balade vous mènera jusqu'aux berges de la Dordogne, large et belle à cet endroit, où la petite chapelle des Pénitents, d'époque romane, dresse hardiment son clocher à arcades.

1347 habitants, 140 m d'altitude ♦ **Accès :** à 40 km N-E de Tulle par D 940 ♦ **A voir :** le trésor (Vierge en bois recouvert d'argent et reliquaire) de l'église ♦ **Aux alentours :** Queyssac (5 km O) ; le gouffre de Padirac ; Rocamadour ; le château de Castelneau ♦ **Foires, festivités :** marché le mercredi et samedi matin ; foires les 1ᵉʳ et 3ᵉ vendredi de chaque mois ; fête des "Corps Saints" le 1ᵉʳ dimanche de septembre ; fête du 15 août quartier de la Chapelle ♦ **Hôtels :** Le Turenne (tél. 05.55.91.10.16) hôtel de charme, 15 chambres 260-280 F, restaurant ; La Maison (tél. 05.55.91.24.97), maison d'hôtes de charme, 5 chambres 200-320 F, 1 suite 450 F, table d'hôtes ; à Nonards (6 km N), Château d'Arnac (tél. 05.55.91.54.13) maison d'hôtes de charme, 4 chambres 300-400 F, table d'hôtes ♦ **Restaurant :** Central Hôtel Fournié (tél. 05.55.91.01.34) ♦ **Mairie** (tél. 05.55.91.11.31) - **S.I.** (tél. 05.55.91.09.94).

COLLONGES-LA-ROUGE
19500 Meyssac (Corrèze)

Quelle extraordinaire vision médiévale ! Toute rouge et rose, Collonges fut d'abord un "bourg muré". Ses constructeurs surent exploiter le trésor de grès rouge du massif de l'Habitarelle qui la surplombe. Castels, tours, échauguettes foisonnent. La cité a été essentiellement aristocratique, les blasons en témoignent. La construction de l'église remonte loin dans le passé : une charte atteste de sa donation à l'abbaye de Charroux à la fin du VIIIe siècle. En 1557, Henri de La Tour d'Auvergne passe à la Réforme. L'église est alors séparée en deux nefs symboliques. En 1923, on dégage le tympan admirablement conservé du Christ en Majesté. Châteaux, hôtels, maisons nobles proclament l'apogée de Collonges aux XVe et XVIe siècles : Vassinhac, (château Faige) maison de Friac, château de Maussac, château de Benge. Les portes sont arquées, hospitalières, portant l'écu du maître. Les tours sont charmantes avec leurs coiffes en poivrière et leurs escaliers de grès en spirale. Bien qu'elle ne soit pas réellement sur le chemin de Compostelle, elle est mentionnée sur l'itinéraire de Bruges (XVe siècle). Ceci explique la vicairie de Saint-Jacques, sise tout contre l'église. Les toits sont de lauzes, d'ardoises, ou de tuiles sarrasines, accentuant le trait d'union entre le Nord et le Midi. Cette cité dont il semble que le sang bat "à fleur de pierre" est à visiter absolument.

♦ 379 habitants, 230 m d'altitude ♦ **Accès :** à 21 km S-E de Brive-la-Gaillarde par D 38 ♦ **A voir :** le musée de la Sirène (arts et traditions populaires) ♦ **Aux alentours :** la vallée de la Dordogne ♦ **Foires, festivités :** Fête votive le 3e dimanche de mai ; Marché d'antan le 1er dimanche d'août ♦ **Hôtel :** Relais de Saint-Jacques-de-Compostelle (tél. 05.55.25.41.02), hôtel de charme, 24 chambres 170-300 F, restaurant ♦ **Mairie** (tél. 05.55.25.41.09) - **S. I.** (tél. 05.55.25.47.57).

CUREMONTE
19500 (Corrèze)

Nous sommes en Corrèze, à l'extrémité sud du Limousin. Les carrières de grès ont fourni à cette région un matériau magnifique par ses qualités de solidité et surtout par sa belle coloration rose foncé : l'habitat y a gagné une séduction particulière. Curemonte veille encore sur les deux vallées qu'il surplombe, celle de la Sourdoise et celle du Maumont, comme en l'an 860, où, pour la première fois, l'Histoire le mentionne. Le village s'étire en long sur une ligne de crête et, de loin, impose la silhouette de ses remparts. Au XIIe siècle, il prend son essor, sous la domination des comtes de Turenne. Sa prospérité atteindra son apogée à la Renaissance, ce qui nous vaut le bonheur de la vue de maisons nobles, aux toits de tuiles plates, à tourelles, vrais petits castels de grès rose, plus délicieux les uns que les autres. Curemonte a eu à se défendre, comme en témoigne l'enceinte flanquée de bastions à poivrières qui protège les châteaux du Plas et de Saint-Hilaire, des XVe et XVIe siècles. Leur donjon carré à mâchicoulis et meurtrières, et leurs énormes tours rondes dominent les remparts et leurs tours de garde. Au centre, près de la halle (XVIe siècle) se trouve le joli petit château de la Johanie, datant de la même époque. L'église a gardé son clocher en auvent, mais a subi maints remaniements. La destination guerrière de Curemonte est bien gommée par la douceur de toutes ces beautés.

♦ 203 habitants, 180 m d'altitude ♦ **Accès :** à 35 km S-E de Brive-la-Gaillarde par D 38, D 10 et D 106 ♦ **Aux alentours :** l'église romane de Saint-Hilaire-la-Combe ; l'église de Saint-Genest ; Rocamadour ♦ **Hôtels :** à Beaulieu-sur-Dordogne La Maison (tél. 05.55.91.24.97), maison d'hôtes de charme, 5 chambres 200-320 F, 1 suite 450 F, table d'hôtes ; à Nonards (7 km N-E) Château d'Arnac (tél. 05.55.91.54.13), maison d'hôtes de charme, 4 chambres 300-400 F, table d'hôtes ♦ **Mairie** (tél. 05.55.25.34.76).

SAINT-ROBERT
19310 Ayen (Corrèze)

« Il est là-haut, accroché sur son plateau, le dos à la Dordogne et les yeux vers la Corrèze, décoiffé par les vents, presque caché dans le ciel... » (C. Michelet). Le saint patron de cette jolie bourgade est sans doute ce Robert de Turlande qui fit ériger par ses disciples bénédictins l'église dont nous ne pouvons plus admirer que le transept, le clocher octogonal et le chœur. Nous ne connaissons de Robert que la date de sa mort, 1067 ; rien de sa vie. A son image est le village : lourd d'un passé inconnu, posé dans un paysage typique de la Dordogne, sur une colline parmi d'autres collines, au milieu de bosquets de noyers et d'alignements de peupliers, dans la claire lumière d'Aquitaine... Pendant les guerres de Religion, nous dit-on, eurent lieu de sanglants combats qui se terminèrent par une défaite. On parle une autre fois de Saint-Robert en 1747, parce qu'un sénéchal est venu y vivre. Enfin, lors de la Révolution, il fut un temps débaptisé par les patriotes, et se nomma Mont-Bel-Air. Depuis la terrasse de la mairie, on a une belle vue sur le chevet de l'église. Une tourelle et une tour le flanquent, témoins d'un système de défense ajouté au XVIᵉ siècle. Alentour dorment de très belles demeures seigneuriales, dévalent d'étroites ruelles, veillent encore les portes des anciennes fortifications.

♦ 336 habitants, 350 m d'altitude ♦ **Accès :** à 26 km N-O de Brive-la-Gaillarde par D 901 et D 5 - Ayen ♦ **Aux alentours :** Pompadour, le château de Hautefort, la vallée de la Dordogne ♦ **Foires, festivités :** marché le premier mercredi de chaque mois ; Été Musical (concerts et expositions en été) ; Fête votive le 15 août ♦ **Hôtel :** La Maison Anglaise (tél. 05.55.25.19.58), hôtel de charme, 6 chambres 220-350 F, restaurant ♦ **Mairie** (tél. 05.55.25.11.12) - **S. I.** (tél. 05.55.25.21.01, en saison).

SÉGUR-LE-CHÂTEAU
19230 (Corrèze)

Une presqu'île formée par les caprices d'une boucle de l'Auvézère a été choisie par les comtes de Limoges pour y dresser un château fort. Ségur, étymologiquement "lieu sûr", existait déjà à l'époque gallo-romaine ; au IXe siècle, il devient donc une place forte. Le donjon carré, épaulé de contreforts, domine le village, dont on peut admirer le dégradé de toits de tuiles brunes depuis le chemin de ronde. En bas, dans les ruelles, dites ici "charrièrous", des maisonnettes construites de schiste s'appuient les unes aux autres. Au XVe siècle, ayant été élu comme siège de la cour des Appeaux, juridiction qui s'étendra sur les 361 justices seigneuriales du Limousin et du Périgord, Ségur-le-Château connaît un renouveau extraordinaire. Les nobles font construire des hôtels particuliers aux façades décorées de granit sculpté, fenêtres à meneaux, tourelles, toits en poivrière, élégants épis de faîtage. Nombreux sont les détails d'architecture témoins de cette époque fastueuse ! Parmi les vicomtes de Ségur, deux sont passés à la postérité : Jean de L'Aigle, qui battit l'Anglais à la bataille de Castillon et mit fin à la guerre de Cent Ans et à l'occupation ; et Henri IV, roi de Navarre, qui fut le dernier vicomte de Ségur. Dans le village d'ailleurs, on vous fera admirer sa maison.

♦ 304 habitants, 280 m d'altitude ♦ **Accès :** à 55 km S de Limoges par D 704 - Saint-Yrieux et D 18 ♦ **Aux alentours :** Pompadour (10 km S-E), le château, le haras national et l'église romane d'Arnac ; Lubersac (10 km E), l'église romane, le château du Verdier ♦ **Hôtel :** à Coussac-Bonneval (15 km N) Moulin de Marsaguet (tél. 05.55.75.28.29), maison d'hôtes de charme, 3 chambres 220-240 F, table d'hôtes ♦ **Restaurant :** Auberge Henri IV (tél. 05.55.98.72.67) ♦ **Mairie** (tél. 05.55.73.53.21) - **S. I.** (tél. 05.55.73.63.07 / 05.55.73.54.14).

TREIGNAC-SUR-VÉZÈRE
19260 (Corrèze)

Treignac est devenue un lieu de vacances tout à fait riant et fréquenté. Que vous y passiez, ou que vous y séjourniez, n'omettez pas d'explorer sa vieille ville, elle est pleine de merveilles. On descend par une rue à forte pente jusqu'au vieux pont gothique qui saute par-dessus une Vézère dont le cours est ici fort fougueux. Les murs en terrasses du vieux château ruiné dominent la rivière, les vieilles demeures coiffées d'ardoises, et l'église. Celle-ci date du XIIᵉ siècle ; elle est carrée, flanquée d'un clocher hexagonal couvert d'ardoises. Il est voûté d'ogives et repose sur de gros piliers. Restaurée dans les années 1960, elle a un autel de granit en forme de dolmen, et des vitraux modernes faits par un artiste du pays, Camille Fleury. Les rues de l'ancienne ville murée, dont on retrouve une porte, conservent des maisons des XVIᵉ, XVIIᵉ et XVIIIᵉ siècles, en granit. La halle aussi est en granit. Il subsiste un ensemble de demeures à tourelles et portails sculptés, décorés de nombreux motifs de coquilles Saint-Jacques, qui attestent que Treignac fut une étape sur la route de Compostelle. Proche, l'excursion au "rocher des Folles", à faire à pied, où l'on verra un chaos de blocs granitiques. La vue y est remarquable sur les gorges et les collines boisées qui encadrent la Vézère.

♦ 1800 habitants, 500 m d'altitude ♦ **Accès :** à 76 km S-E de Limoges par D 979 - Eymoutiers et D 940 ♦ **A voir :** le musée des Arts et Traditions populaires de la Haute et Moyenne-Vézère (ouvert en été) ♦ **Aux alentours :** le lac de Vassivière ; le village de Magnat-l'Étrange ♦ **Foires, festivités :** Fête du village en juin ; Foire à la brocante en août ♦ **Hôtel :** à Eymoutiers (30 km N) Fougeolles (tél. 05.55.69.11.44/05.55.69.18.50), maison d'hôtes de charme, 3 chambres 250-300 F ♦ **Mairie** (tél. 05.55.98.00.49).

TURENNE
19500 Meyssac (Corrèze)

C'est la famille de La Tour d'Auvergne qui rendit célèbre la maison de Turenne. Le grand Henri de Turenne laisse son nom à l'Histoire, d'abord par sa participation à la Fronde et sa conspiration contre Mazarin, plus tard quand, s'étant soumis au roi, il devient l'un des plus grands capitaines des temps modernes. Son tombeau se trouve aux Invalides. Les ruines du château se dressent au plus haut point de la butte. Une terrasse fleurie sur le promontoire va de la tour de César à la tour de l'Horloge. De là, le panorama est unique, plongeant sur le bourg et, au-delà, sur le paysage verdoyant et vallonné. Une seule rue droite descend du château vers la ville. De riches demeures, faites de fin calcaire blanc, la bordent, accrochées aux flancs de la colline. On est dans le village médiéval à la place du Foirail. Nombre d'hôtels particuliers des XVe, XVIe et XVIIe siècles, avec leur tourelle à encorbellement, leurs poivrières, sont en général en bon état de conservation. Dans la maison du Grenier à sel se tenaient les états généraux de la vicomté. L'église collégiale fut construite sur le désir de Charlotte de Lamark, épouse du premier vicomte de Turenne. Elle contient un retable de bois doré, une chaire, une mise au tombeau remarquables. Turenne est faite de trois faubourgs, ou "barris". Ne pas négliger celui du "Marchadiol", ancien marché aux huiles, où les ruelles sont très pittoresques.

♦ 718 habitants, 350 m d'altitude ♦ **Accès :** à 16 km S de Brive-la-Gaillarde par D 38 et D 8 ♦ **Aux alentours :** le gouffre de la Fage (7 km N-O), la vallée de la Dordogne ♦ **Foires, festivités :** Foire aux bœufs le Jeudi saint, Foire aux chèvres et aux chevaux le 8 mai ♦ **Hôtel :** La Maison des Chanoines (tél. 05.55.85.93.43), hôtel de charme, 3 chambres 300-370 F, restaurant ♦ **S. I.** (tél. 05.55.85.94.38).

LE MOUTIER-D'AHUN
23150 Ahun (Creuse)

Dans sa haute vallée, la Creuse est enjambée par un très beau pont romain à avant-becs. Depuis les collines boisées dévalent nombre de ruisseaux qui s'en vont grossir la rivière. C'est là que se niche Moutier-d'Ahun, village-rue, prolongement d'Ahun proprement dit. Ce jumelage était assez courant au temps où la chrétienté était dans toute sa puissance : d'une part, un village seigneurial, de l'autre, les possessions monastiques. Le "moûtier" date du Xe siècle. Boson, comte de La Marche, avait fait don d'une église à l'abbaye d'Uzerche, pour la fondation d'un monastère de règle bénédictine. Au XIIe siècle, le Moûtier est au faîte de sa prospérité. Il n'échappera pas, hélas, aux malheurs de la guerre de Cent Ans, pas plus qu'aux guerres de Religion. Ce qu'il reste et que nous pouvons admirer est dû à une restauration faite par les moines en 1610. En 1673 et 1681, d'admirables boiseries seront ajoutées pour décorer l'abside et le chœur de l'église. L'ancien portail flamboyant est encore debout ; il ouvre sur un jardin et sur une allée d'arbres à l'emplacement de la nef disparue. Les plus intéressantes maisons d'Ahun remontent au XVe siècle, dont des hôtels particuliers à baies soulignées de pilastres et assorties de frontons à boule.

♦ 234 habitants, 349 m d'altitude ♦ **Accès :** à 80 km N-E de Limoges par D 941 - Pontarion et D 13 ♦ **A voir :** l'exposition de tapisseries d'Aubusson ; le musée des Vieux Outils ♦ **Foires, festivités :** marché à Ahun (2 km) le mercredi matin ; Fête de la Saint-Roch le 16 août ♦ **Hôtel :** à Saint-Georges-la-Pouge (14 km S), Domaine des Mouillères (tél. 05.55.66.60.64), hôtel de charme, 7 chambres 200-370 F ♦ **Mairie** (tél. 05.55.62.45.63).

MORTEMART
87330 (Haute-Vienne)

Mortemart est née dans cette plaine humide et marécageuse, d'où vient son nom, "Mare mortuum", mer morte. Abon Drut, l'un des premiers seigneurs, avait guerroyé victorieusement contre Guillaume de Poitiers, et sauvé la place de Bellac. Il fut autorisé, en récompense, à édifier un château en 995. De ce château, il ne reste que les tours et le dessin des douves, car il fut démantelé sur ordre du cardinal de Richelieu. En 1330, le cardinal Pierre Gauvain, autre fils du pays, fonde à Mortemart trois édifices religieux : l'Hôtel-Dieu tenu par les Carmes, le collège des Augustins et un monastère de Chartreux. Ce dernier a totalement disparu. Par contre, le couvent des Carmes fut agrandi au XIXe siècle par un bâtiment néo-classique, et la chapelle des Augustins est devenue église paroissiale. Son clocher à bulbe, en ardoise, est curieux. A l'intérieur, on voit de fort belles stalles de bois sculpté, et un retable baroque. De son passé commercial prospère, Mortemart conserve une jolie halle. A voir aussi la maison du Sénéchal, à tour carrée, du XVe siècle, qui dans ses jardins garde les restes de l'ancien portail de l'église Saint-Hilaire. La maison de Verdilhac et celle du chevalier de Béon conservent des tourelles et des éléments gothiques à leurs fenêtres.

♦ 150 habitants, 396 m d'altitude ♦ **Accès :** à 47 km N-O de Limoges par N 147 et D 83 ♦ **A voir :** l'exposition de peintures et sculptures au château des Ducs (en été) ♦ **Aux alentours :** de nombreux sentiers de randonnée ; le circuit des Mégalithes, le circuit dans les monts de Blond ♦ **Foires, festivités :** marché fermier tous les matins en été ; Foire à la brocante le 3e week-end de mars ♦ **Hôtels :** à 6 km S Les Hauts de Boscartus (tél. 05.55.03.30.63), maison d'hôtes de charme, 2 chambres 210-260 F ♦ **Mairie** (tél. 05.55.68.12.11) - **S. I.** (tél. 05.55.68.98.98).

Bourgogne ! Ce nom évoque d'emblée le plaisir de vivre. Cette belle région mêle harmonieusement les souvenirs historiques, les richesses artistiques et religieuses, aux joies vigneronnes et gastronomiques. Églises romanes, abbayes (Cluny, Cîteaux), châteaux, témoignent de l'importance de la foi, de la puissance et du raffinement des ducs de Bourgogne du Moyen Âge à la Renaissance. Prenez votre temps pour parcourir cette belle région, pour admirer ses villages restés bien authentiques et pour déguster ses vins renommés dans le monde entier.

A l'est, voici la Franche-Comté : les monts du Jura cachent des vallées profondes, des "reculées" étroites et pittoresques, dans lesquelles se blottissent de petits villages. Partout dans le paysage, des sources, des rivières, des lacs font miroiter leurs eaux pures et transparentes. La végétation est superbe : les forêts s'étendent sur près de 500 000 hectares, les prairies déroulent un merveilleux tapis vert, les torrents aux eaux vives sont le domaine de prédilection des pêcheurs. Il faut partir à la découverte de cette belle région, visiter ses villages encore secrets et silencieux, goûter ses délicieux fromages, ses poissons, ses vins parfumés.

CHÂTEAUNEUF-EN-AUXOIS
21320 Pouilly-en-Auxois (Côte-d'Or)

A quelques kilomètres de Pouilly-en-Auxois, l'ancien village fortifié de Châteauneuf domine la plaine dans un site des plus pittoresques. Ce qui frappe tout d'abord le visiteur, c'est le magnifique château fort construit au XIIe siècle puis agrandi et remanié au XVe siècle. Il comporte d'épaisses murailles, des tours rondes, des logis de style gothique et un pont-levis. Comme toutes les forteresses de cette époque, il n'a pas de donjon. Le château fut donné à l'État en 1936 par le comte de Vogüé, et on peut aujourd'hui le visiter. Le village est lui aussi fort pittoresque et l'on découvre avec plaisir les vieilles demeures construites aux XIVe, XVe et XVIe siècles par de riches marchands bourguignons. L'église du village est du XVe siècle. Lorsqu'on gagne le belvédère situé près de la porte Nord, on découvre un très agréable panorama qui permet de contempler les monts du Morvan et le canal qui relie l'Yonne à la Saône.

♦ 63 habitants, 475 m d'altitude ♦ **Accès :** à 34 km N-O de Beaune par A 6, sortie Pouilly-en-Auxois ♦ **Aux alentours :** la chapelle Notre-Dame-du-Chêne ; l'ermitage de Saint-Julien ; le château de Commarin (7 km N par D 977bis) ♦ **Foires, festivités :** Brocante en juin, Marché médiéval en juillet ; Messe de la Saint-Hubert le dernier dimanche d'octobre ; Messe de Minuit avec crèche vivante à Noël ♦ **Hôtel :** Hostellerie du Château (tél. 03.80.49.22.00) 17 chambres 380-450 F, restaurant ♦ **Mairie** (tél. 03.80.49.21.64).

ÉPOISSES
21460 (Côte-d'Or)

Situé au cœur de la Bourgogne, au carrefour du Morvan, de la Haute-Bourgogne et du Tonnerrois, Époisses est un ravissant village qui a gardé tout le charme de son passé. Les richesses architecturales de la cité sont l'église collégiale du XIIIe siècle et le château, magnifique forteresse de plaine des XIVe et XVIe siècles à double enceinte fortifiée. Vous franchissez la poterne et vous êtes en plein passé ! Les communs forment un petit village bourguignon en miniature entourant l'église et le colombier du XVe siècle. Au fond, le majestueux château avec ses quatre tours (Xe-XIVe siècles). Des personnages célèbres y ont séjourné : Henri IV, madame de Sévigné, Chateaubriand. L'intérieur conserve un très riche mobilier et de nombreux souvenirs des hôtes de passage. Un peu à l'écart, le village présente un petit troupeau de jolies maisons paysannes bien entretenues. Les balcons sont fleuris, les toits sont de tuiles plates. Époisses est un village vivant et gai qui est renommé pour son célèbre et délicieux fromage, créé au XVIe siècle par une communauté de moines cisterciens. Aujourd'hui, il est toujours fabriqué selon les mêmes méthodes artisanales, lait cru et affinage au marc de Bourgogne. Avant de partir, vous pourrez visiter la fromagerie (sur la place du Champ-de-Foire) et goûter tous les bons produits fermiers.

♦ 820 habitants, 271 m d'altitude ♦ **Accès :** à 12 km O de Semur-en-Auxois par D 954 ♦ **Foires, festivités :** marché le mercredi après-midi ♦ **Hôtel :** à Flée (17 km S-E) Le Château de Flée (tél. 03.80.97.17.07), maison d'hôtes de charme, 2 suites 850 F, table d'hôtes ♦ **Mairie** (tél. 03.80.96.44.09).

FLAVIGNY-SUR-OZERAIN
21150 (Côte-d'Or)

Bâtie sur un rocher dans un très beau site, Flavigny se construisit autour d'une abbaye bénédictine implantée au VIIIᵉ siècle et vit affluer de nombreux pèlerins. De son riche passé, la cité a conservé des remparts, des portes fortifiées (porte du Val, du Bourg), des tours anciennes, des ruelles étroites et pavées et des maisons et hôtels des XIIIᵉ et XVᵉ siècles en belle pierre ocre. L'église Saint-Genest mérite une visite, elle remonte au XIIIᵉ siècle mais elle fut remaniée aux XVᵉ et XVIᵉ siècles (à l'intérieur, rares tribunes à barrières de bois, stalles XVIᵉ, très belle statue du XIIᵉ siècle). De l'abbaye bénédictine, outre les bâtiments XVIIIᵉ, on peut voir d'étonnants vestiges de l'époque carolingienne : la crypte Sainte-Reine et une chapelle. Avant de quitter Flavigny, n'oubliez pas d'acheter les fameux bonbons à l'anis toujours fabriqués à l'abbaye.

♦ 411 habitants, 421 m d'altitude ♦ **Accès :** à 16,5 km E de Semur-en-Auxois par D 9 ♦ **A voir :** la Maison du Donataire ♦ **Aux alentours :** le château de Bussy-Rabutin (XVᵉ-XVIIᵉ siècles) ; Alise-Sainte-Reine ; l'abbaye de Fontenay ; les sources de la Seine ♦ **Foires, festivités** : Fête de la Saint-Simon fin octobre ♦ **Hôtels :** à Flée (17 km S-E) Le Château de Flée (tél. 03.80.97.17.07), maison d'hôtes de charme, 2 suites 850 F, table d'hôtes ; à Nan-sous-Thil (32 km S-O) Château de Beauregard (tél. 03.80.64.41.08), maison d'hôtes de charme, 3 chambres 620-720 F, 1 suite 990 F ♦ **Mairie** (tél. 03.80.96.21.73) - **S. I.** (tél. 03.80.96.25.34).

SALMAISE
21690 Verrey-sous-Salmaise (Côte-d'Or)

Le site de Salmaise était déjà habité dans les temps préhistoriques mais, à part un petit monument gallo-romain conservé dans la crypte (XIᵉ siècle) de l'église romane, les vestiges du village datent surtout du XIᵉ au XVᵉ siècle. Dès l'arrivée, on est frappé par l'imposant château. Édifié au XIIIᵉ siècle par les Mont-Saint-Jean, il protégeait Salmaise dont les habitants furent affranchis du servage le 12 mai 1265, ainsi qu'en témoigne un document toujours conservé à la mairie. Aujourd'hui, le village est toujours bien vivant. Les petites maisons sont pleines de charme ; édifiées en pierre calcaire, elles se serrent les unes contre les autres tout en se ménageant quelquefois des jardins. Leurs toits, généralement de laves, sont très caractéristiques. C'est également de cette lave calcaire que sont recouvertes les magnifiques halles ; celles-ci font l'orgueil des habitants de Salmaise ; elles datent du XIIIᵉ siècle et ont retrouvé leur marché hebdomadaire. Vous pourrez faire une halte gourmande à la pâtisserie artisanale avant de quitter à regret ce village classé parmi les plus beaux de France.

♦ 161 habitants, 450 m d'altitude ♦ **Accès :** à 38 km N-O de Dijon par N 71, D 103 d, D 26, D 10 ♦ **Aux alentours :** le château de Bussy-Rabutin, l'abbaye de Fontenay ♦ **Foires, festivités :** marché le samedi après-midi sous les halles (XIIIᵉ siècle) ; Foire artisanale le 2ᵉ dimanche de juin ♦ **Hôtel :** à Val-Suzon (18 km S-E), Hostellerie du Val-Suzon (tél. 03.80.35.60.15), hôtel de charme, 17 chambres 400-500 F, restaurant ; à Nan-sous-Thil (28 km S-O) Château de Beauregard (tél. 03.80.64.41.08), maison d'hôtes de charme, 3 chambres 520-720 F, 1 suite 990 F ♦ **Mairie** (tél. 03.80.35.84.99) - **S. I.** canton de Venarey (tél. 03.80.96.89.13).

SEMUR–EN–AUXOIS
21140 (Côte-d'Or)

Dans la belle et verdoyante région de l'Auxois, Semur apparaît, fière sur son rocher de granit rose enserré par une boucle de l'Armançon. La cité médiévale avec ses tours et ses remparts est dominée par la magnifique collégiale Notre-Dame autour de laquelle se pressent des maisons aux toits pentus de tuiles brunes entourées de jardins qui descendent jusqu'à la rivière. Ancienne place forte des puissants ducs de Bourgogne, Semur se divisait jadis en trois parties chacune entourée d'une enceinte de granit. Aujourd'hui, vous admirerez les quatre belles tours rondes dont la tour de l'Orle d'Or, les deux portes fortifiées (XIVe et XVe s.), le quartier du château (démoli sur ordre d'Henri IV) avec ses remarquables hôtels particuliers des XVIIe et XVIIIe siècles et l'église Notre-Dame, une des plus belles de Bourgogne. Édifiée au XIIIe siècle sur l'emplacement d'une église romane, elle fut agrandie aux XIVe et XVe siècles et restaurée par Viollet-le-Duc. Toute la construction est en claire pierre calcaire de Pouillenay et l'intérieur est dallé de calcaire bleu-noir. Depuis la promenade des remparts, ombragée de tilleuls, on jouit d'une vue splendide sur le vallon de l'Armançon et, les soirs d'été, toute la vieille cité est superbement illuminée.

♦ 5364 habitants, 286 m d'altitude ♦ **Accès :** à 70 km d'Auxerre par A 6 sortie Bierre-lès-Semur et D 980 ♦ **A voir :** le musée municipal ♦ **Aux alentours :** l'abbaye de Fontenay ♦ **Foires, festivités :** marché le jeudi et le samedi matin ; foire le 3e jeudi de chaque mois ; Fêtes de la Bague fin mai ; Festival de théâtre en août, concerts à la collégiale Notre-Dame ; "Opéra d'Automne" en septembre-octobre. (tél. 03.80.97.05.96) ♦ **Hôtel :** à Flée (8 km S-E) Le Château de Flée (tél. 03.80.97.17.07), maison d'hôtes de charme, 2 suites 850 F, table d'hôtes ♦ **S. I.** (tél. 03.80.97.05.96).

DONZY
58220 (Nièvre)

Donzy se situe au cœur d'une région vallonnée, au nord du département de la Nièvre. Deux petites rivières traversent le village lui donnant beaucoup de charme et rappelant l'importance de la meunerie autrefois. Au Moyen Âge, Donzy fut la capitale d'une baronnie et l'un des fiefs les plus importants du duché de Bourgogne. De son passé, le village a conservé une tour ronde, vestige du château féodal, des maisons à pans de bois des XVe et XVIe siècles, ainsi que l'église gothique Saint-Caradheuc. Toutes proches de Donzy (1km), les ruines de l'ancien prieuré clunisien de Donzy-le-Pré dont il faut admirer le portail orné d'un tympan du XIIe siècle, véritable joyau de l'art roman bourguignon. Un peu plus loin encore, à Saint-Martin-du-Pré, très jolie petite église romane à chevet plat.

♦ 1733 habitants, 182 m d'altitude ♦ **Accès :** à 65 km S-O d'Auxerre par N 151 - Clamecy D 977, D 19, D 33 ♦ **A voir :** à Donzy-le-Pré (1 km), le prieuré clunisien ; l'Écomusée de la Meunerie au moulin de Maupertuis (tél. 03.86.39.39.46) ♦ **Aux alentours :** à Suilly-la-Tour (7,5 km S-O), le château des Granges ♦ **Foires, festivités :** marché le jeudi et le samedi matin ; Foires à Pâques et à la Pentecôte ; "Musique en Donziais" en mai-juin, Festival de danse début août ♦ **Hôtel :** Le Grand Monarque (tél. 03.86.39.35.44) 16 chambres 230-270 F, restaurant. ♦ **Restaurant :** à Cosne-sur-Loire, Le Sévigné (tél. 03.86.28.27.50) ♦ **Mairie** (tél. 03.86.39.30.28) - **S. I.** (tél. 03.86.39. 45.29).

ANZY-LE-DUC
71110 (Saône-et-Loire)

Lorsque vous verrez, de loin, apparaître dans la plaine du Brionnais le ravissant clocher de l'église d'Anzy-le-Duc, vous serez séduit par son élégance et sa beauté simple. Le village, en effet, sert d'écrin à l'une des plus belles églises romanes de Bourgogne à laquelle on accède par une belle allée d'arbres. L'édifice bâti au XIe siècle, dans une belle pierre aux tons dorés, est surmonté d'un clocher polygonal à trois étages d'arcades magnifiques. A l'intérieur, vous pourrez admirer de très beaux chapiteaux (XIIe siècle), de remarquables fresques et les lignes très pures de la nef. L'église était autrefois précédée d'un portail, aujourd'hui exposé à Paray-le-Monial. Tout à côté, après avoir contourné la ferme (ancien prieuré), vous verrez un très beau portail sculpté et une tour, restes de l'ancienne abbaye. Il faut contempler le village et l'église par beau temps, car, alors, le soleil illumine et fait resplendir les murs de pierre.

♦ 428 habitants ♦ **Accès :** à 20 km S-O de Paray-le-Monial par D 352 et D 982 ♦ **Foires, festivités :** "été musical" en juillet et août ♦ **Hôtels :** Chez M. et Mme Lamy (tél. 03.85.25.17.21), maison d'hôtes de charme, 2 chambres 220-250 F ; à Marcigny (6 km S) Les Récollets (tél. 03.85.25.03.34), maison d'hôtes de charme, 7 chambres et 2 suites 320-450 F ; à Céron (12 km S-O), Château de la Fredière (tél. 03.85.25.19.67), maison d'hôtes de charme, 9 chambres 290-620 F, 2 suites 750 F, restaurant ♦ **Mairie** (tél. 03.86.60.10.30).

BERZÉ
71960 (Saône-et-Loire)

Au milieu de vallons aux pentes couvertes de vignes, voici Berzé. Le village est constitué de deux parties distinctes : Berzé-le-Châtel avec son important château fort doté de tours rondes à toits pointus, de deux donjons, d'une chapelle et de deux enceintes séparées par des jardins à la française et à 5 kilomètres au sud, Berzé-la-Ville, pittoresque petit village implanté sur un mamelon rocheux, très connu pour son "château des Moines", ancien prieuré (XVIIIᵉ siècle) de l'abbaye de Cluny, qui a conservé une chapelle romane aux admirables et rares fresques du XIIᵉ siècle sur fond bleu (Christ en Majesté encadré d'apôtres, Légende de saint Blaise, Martyr de saint Vincent). Ce petit village préservé laisse une impression d'harmonieuse tranquillité.

♦ 410 habitants ♦ **Accès :** à 19 km N-O de Mâcon par N 79 et D 17 ♦ **Aux alentours :** le village de Blanot ; Cluny (10 km N-O) : l'abbaye du XIIᵉ siècle et le musée Ochier ; à Mâcon (14 km), le musée Lamartine, le musée des Ursulines ♦ **Hôtels :** à Bourgvilain (3 km) Moulin Arbillon (tél. 03.85.50.82.83/03.85.50.81.11), maison d'hôtes de charme, 5 chambres 280-380 F ; à Cluny (10 km N), Hôtel de Bourgogne (tél. 03.85.59.00.58), hôtel de charme, 12 chambres 390-490 F, 3 suites 890-920 F, restaurant ♦ **Mairie** (tél. 03.85.37.71.10).

BRANCION
71700 Martailly-les-Brancion (Saône-et-Loire)

Treize kilomètres séparent Brancion du très célèbre édifice roman qu'on aperçoit en bordure d'autoroute, l'abbatiale Saint-Philibert-de-Tournus. Ce petit bourg s'est constitué sur l'emplacement d'un oppidum celto-ligure. Il comporte un ancien château fort, restauré au XIVe siècle, qui se visite et qui fut autrefois entouré par une triple enceinte. Le second centre d'intérêt de ce village, c'est son église romane, très sobre, et très finement proportionnée, située à l'extrémité d'un promontoire qui permet d'apercevoir le magnifique panorama des monts de la Loire et de l'Autunois. A l'intérieur de ce lieu de culte, on découvre des fresques gothiques et le tombeau d'un grand gisant. Dans le vieux village, dont l'ensemble est protégé par les monuments historiques, les maisons, toutes simples, sont en pierre blanche, ornées parfois de galeries ou d'escaliers extérieurs. Sur la place se trouve une grande halle du XVe siècle, qui repose sur de solides piliers de bois. Ce tout petit village, enfoui dans la verdure, laisse une impression de paix et de sérénité.

♦ 146 habitants, 400 m d'altitude ♦ **Accès :** à 14 km O de Tournus par D 14 ♦ **A voir :** le château (visite tous les jours de Pâques au 1er novembre, le dimanche hors saison) ♦ **Aux alentours :** menhir au bord de la D 14 ; les églises romanes de Chapaize ♦ **Foires, festivités :** marché biologique le 1er et le 3e dimanche de chaque mois ♦ **Hôtel :** La Montagne de Brancion (tél. 03.85.51.12.40), hôtel de charme, 20 chambres 450-750 F, restaurant ♦ **Restaurant :** Auberge du Vieux Brancion (tél. 03.85.51.03.83) ♦ **Mairie** (tél. 03.85.51.12.56).

SEMUR-EN-BRIONNAIS
71110 (Saône-et-Loire)

Voici au sud de la Bourgogne, le joli pays du Brionnais, avec ses teintes douces, ses vallons verdoyants où paissent de paisibles troupeaux de vaches, et sa jolie pierre dorée qui illumine chaque village, chaque église. Semur-en-Brionnais est un charmant bourg dominant des vagues d'arbres fruitiers et de vignes, ancien fief de la famille de saint Hugues. La pierre prend ici des teintes presque roses et l'on est séduit par l'aspect des maisons anciennes, par l'hôtel de ville du XVIIIe siècle, par le château à donjon carré (IXe siècle) agrémenté de tours du XVIIIe siècle et par la belle église Saint-Hilaire. Ancienne collégiale romane elle offre un clocher à huit côtés avec arcades et colonnes et un splendide portail sculpté. De l'ancien chemin de ronde on peut profiter d'une agréable vue sur les monts du Forez et de la Madeleine.

♦ 655 habitants, 380 m d'altitude ♦ **Accès :** à 35 km N de Roanne par D 482 - Marcigny et D 989 ♦ **A voir :** le musée du château Saint-Hugues (affiches révolutionnaires) ♦ **Aux alentours :** à Saint-Martin-du-Lac (7 km S-O), le musée des Attelages de la Belle Époque; à Marcigny (5 km O), le musée de la Tour du Moulin ; le circuit des églises romanes du Brionnais ♦ **Foires, festivités :** marché le lundi ; marché aux bovins charolais le jeudi matin à Saint-Christophe-en-Brionnais ♦ **Hôtels :** à Marcigny (5 km N), Les Récollets (tél. 03.85.25.03.34), maison d'hôtes de charme, 7 chambres et 2 suites 320-450 F ; à Céron (10 km O), Château de la Fredière (tél. 03.85.25.19.67), maison d'hôtes de charme, 9 chambres 290-620 F, 2 suites 750 F, restaurant ♦ **Mairie** (tél. 03.85.25.02.94) - **S. I.** (tél. 03.85.25.39.06).

MONTRÉAL
89420 (Yonne)

Implanté dans un cadre magnifique dominant la vallée du Serein voici Montréal, "Mont-Royal", fondé à la fin du IXe siècle et constitué en seigneurie dès le XIe siècle. Le bas du village traversé par la route n'a pas beaucoup d'intérêt, mais le village haut est magnifique. On pénètre dans le bourg par la porte d'En-Bas aux belles arcades de pierre du XIIIe siècle et l'on poursuit la promenade le long des rues bordées de maisons anciennes agrémentées de fenêtres à meneaux, de linteaux sculptés et de lourdes portes en bois clouté. Des escaliers extérieurs, des toits en forte pente donnent à Montréal un aspect pittoresque, celui qu'il présentait au Moyen Âge. On monte ensuite jusqu'à la porte d'En-Haut et à la superbe collégiale Notre-Dame de l'Assomption de style ogival primitif. Bâtie en position dominante au sommet de la colline dans la seconde moitié du XIIe siècle, son aspect austère est atténué par un splendide portail en plein cintre. A l'intérieur on admirera une tribune reposant sur des consoles à encorbellement, d'admirables stalles en bois sculpté, les restes d'un retable en albâtre du XVe siècle et des pierres tombales dont certaines sont incorporées dans le dallage. De l'esplanade située derrière l'église, on jouit d'une fort belle vue sur la vallée du Serein cernée au fond par le Morvan.

♦ 183 habitants ♦ **Accès :** à 12 km N-E d'Avallon par D 957 ♦ **A voir :** le musée d'Art sacré (dans l'église) ♦ **Aux alentours :** la vallée du Serein ; l'église romane du village de Talcy ♦ **Mairie** (tél. 03.86.32.10.01).

NOYERS-SUR-SEREIN
89310 (Yonne)

Quel plaisant village ! Cerné par une boucle du Serein, ceint de remparts et de tours, Noyers propose au visiteur d'agréables rues pavées, de petites places, une église du XVe siècle et d'attrayantes maisons. La visite peut s'effectuer dans le désordre, au gré de votre fantaisie. Tout est joli, tout est fleuri ! Vous pourrez flâner le long de ruelles aux noms charmants, rue de la Petite-Étape-aux-Vins, rue du Poids-du-Roi, pour découvrir un bel échantillonnage de maisons bourguignonnes : belle demeure à pans de bois du XVe siècle, maison Renaissance de la Toison d'Or, maisons de pierre à linteaux sculptés, à arcades, à pignon, ou maisons vigneronnes, toutes simples. Il faut admirer l'Hôtel de Ville du XVIIe siècle avec ses piliers sculptés et ses jolis balcons de fer forgé et, sur la place, les ravissantes maisons des XIVe et XVe siècles. Enfin, n'oubliez pas l'église Notre-Dame bâtie au XVe siècle avec sa tour carrée à gargouilles.

♦ 757 habitants, 176 m d'altitude ♦ **Accès :** à 39 km S-E d'Auxerre par A 6 sortie Nitry et D 49 ♦ **A voir :** le musée d'Art naïf ♦ **Aux alentours :** le prieuré de Vausse à Châtel-Gérard ; les villages de Nitry, Villiers-la-Grange, Annoux et Jouancy ♦ **Foires, festivités :** marché le mercredi ; Foire à la brocante le 3e dimanche de juillet ; "Rencontres Musicales" en été ♦ **Hôtel :** à 14 km N, Le Moulin de Poilly-sur-Serein (tél. 03.86.75.92.46), maison d'hôtes de charme, 5 chambres 250-400 F ♦ **Restaurants :** La Vieille Tour (tél. 03.86.55.87.69), avec chambres ; Auberge du Serein (tél. 03.86.82.80.53) ♦ **Mairie - S. I.** (tél. 03.86.82.83.72).

VÉZELAY
89450 (Yonne)

Magnifique et douce vision que celle de la colline de Vézelay : étirées le long de la colline, les maisons pressent leurs murs de pierre ocre et leurs toits de tuiles plates et brunes au pied de l'immense nef échouée là, l'immense (par la taille et par la beauté) basilique Sainte-Madeleine (classée par l'Unesco en 1979). Il faut effectuer la montée jusqu'à la basilique à pied, pour profiter de l'agréable promenade dans les venelles bordées de belles maisons Renaissance ou de simples maisons de vignerons, enfouies dans des jardins débordants de lierres et de clématites. On arrive devant la basilique, impressionnant symbole de la foi chrétienne ; construite aux XIIe-XIIIe siècles, pillée lors des guerres de Religion, en partie détruite lors de la Révolution, elle fut restaurée et reconstruite au XIXe siècle par Viollet-le-Duc. L'intérieur est magnifique par ses grandes dimensions et sa clarté : hautes arcades de calcaire, tympan du narthex représentant le Christ en gloire, nef avec splendides chapiteaux sculptés. Du sommet de la tour, on jouit d'une très belle vue sur le village et la vallée.

♦ 550 habitants, 302 m d'altitude ♦ **Accès :** à 52 km S-E d'Auxerre par N 6 et D 951 ♦ **A voir :** le musée lapidaire (dans la basilique) ♦ **Aux alentours :** le parc naturel régional du Morvan, les villages de Saint-Père-sous-Vézelay, Asquin, Pierre-Pertuis, Asnières-sous-Bois ♦ **Foires, festivités :** Fête de Sainte Marie-Madeleine le 22 juillet ; nombreux concerts classiques et chants dans la basilique en saison ♦ **Hôtels :** Hôtel de la Poste et du Lion d'Or (tél. 03.86.33.21.23) 39 chambres 320-590 F, restaurant ; à Saint-Père (3 km E), L'Espérance-Marc Meneau (tél. 03.86.33.39.10) 34 chambres 400-1500 F, restaurant gastronomique ♦ **Restaurant :** Le Pré des Marguerites (tél. 03.86.33.33.33) ♦ **S. I.** (tél. 03.86.33.23.69).

VILLENEUVE-SUR-YONNE
89500 (Yonne)

Entre Joigny et Sens, sur les bords de l'Yonne, Villeneuve presse ses maisons autour de sa belle église Renaissance. Autrefois dénommée Villefranche-le-Roy, la cité était au Moyen Âge résidence du roi Louis VII ; c'est en effet par décision royale qu'elle fut créée en 1163. Aujourd'hui, on peut encore voir deux des portes qui fermaient les remparts, la porte de Sens et la porte de Joigny, la Tour Louis-le-Gros, vestige de l'ancien château fort et, à l'intérieur de ce qui était l'ancienne enceinte, les pittoresques vieux quartiers avec leurs maisons XVIᵉ-XVIIIᵉ siècle en belles pierres de Bourgogne. Bien sûr, le chef-d'œuvre de Villeneuve est représenté par l'église Notre-Dame dont la première pierre fut posée par le pape Alexandre III en 1163. Elle mêle harmonieusement différents styles : ses parties les plus anciennes sont romanes (chœur et déambulatoire), les dernières sont Renaissance (façade, nef). Après une flânerie bien agréable dans les ruelles, vous pourrez faire une délicieuse étape à La Lucarne aux Chouettes, une auberge de charme installée au bord de la rivière.

5000 habitants, 74 m d'altitude ♦ **Accès :** à 12 km S de Sens par N6 ♦ **A voir :** musée de la Porte de Joigny (histoire), musée des Beaux-Arts ♦ **Aux alentours :** les ruines de l'Enfourchure, Dixmont ♦ **Foires, festivités :** petit marché le mardi, grand marché le vendredi matin ♦ **Hôtels :** Auberge La Lucarne aux Chouettes (tél. 03.86.87.18.26) hôtel de charme, chambres 490 F, suites 720 F, duplex 830 F, restaurant ; Cochepie (tél. 03.86.87.39.76) maison d'hôtes de charme, 6 chambres 350-750 F ♦ **Mairie** (tél. 03.86.87.07.45).

LODS
25930 (Doubs)

Lods est un petit village accroché à flanc de coteau aux bords de la Loue. Le bourg s'est développé et enrichi grâce à la culture de la vigne. Le long des rues, on peut voir d'anciennes maisons vigneronnes, certaines restaurées avec goût, avec des entrées de caves voûtées. Elles entourent l'église édifiée au XVe siècle, et remaniée au XVIIIe. En haut du village, on admirera la Maison forte des sires de Thoraise qui est du XIVe siècle. On peut visiter un petit musée de la vigne et du vin qui est installé dans une demeure du XVIe siècle. De l'autre côté de la rivière, se trouvent les anciens bâtiments des forges de Lods ; elles employaient de nombreux habitants du village au XIXe siècle. Lods et sa région sont le paradis des amoureux de la nature qui pourront parcourir les nombreux sentiers de randonnée ou pêcher la truite dans les rivières.

♦ 284 habitants, 360 m d'altitude ♦ **Accès :** à 35 km S-E de Besançon par D 67 ♦ **A voir :** le musée de la Vigne et du Vin (objets et documents concernant la culture de la vigne) ♦ **Aux alentours :** de nombreux sentiers de randonnée dans la vallée de la Loue ; Ornans, la petite ville de Courbet (11 km N-O) ; le village de Hautepierre-le-Châtelet (5 km E) ♦ **Hôtels :** La Truite d'Or (tél. 03.81.60.95.48) 14 chambres 120-250 F environ, restaurant ; à La Longeville (25 km E) Le Crêt l'Agneau (tél. 03.81.38.12.51), maison d'hôtes de charme, 7 chambres 500 F par personne, table d'hôtes ♦ **Mairie** (tél. 03.81.60.90.11).

MOUTHIER-HAUTE-PIERRE
25920 (Doubs)

Le printemps est le moment idéal pour découvrir Mouthier-Haute-Pierre. Les cerisiers fleurissent ce vaste amphithéâtre, traversé par la Loue. Ce sont les Bénédictins qui apportèrent cette culture quand ils vinrent s'y installer au IXe siècle. De l'ancien prieuré il reste de nombreux bâtiments qui appartiennent aujourd'hui à des particuliers. La vigne fut longtemps la principale source de revenu, mais aujourd'hui, il n'en reste que des souvenirs. Dans la partie haute du village subsistent des maisons de vignerons, avec leurs caves fermées par de grosses portes cloutées (certaines sont maintenant bouchées) et leurs galeries à balcons de bois. En visitant Mouthier-Haut, on découvre aussi des fontaines, des passages voûtés, et surtout la rue Robert-Dame, la plus pittoresque, avec ses maisons étrangement alignées en coin et dont on peut admirer les superbes toits débordants. Le village est dominé par la belle église Saint-Laurent datant du XVe siècle. La partie la plus ancienne du village se trouve en bas, le long de la rivière. Mais avant de quitter Mouthier, n'oubliez pas de goûter son kirsch. Il paraît qu'il rivalise avec celui d'Alsace...

♦ 360 habitants, 430 m d'altitude ♦ **Accès :** à 37 km S-E de Besançon par D 67 ♦ **Aux alentours :** nombreux sentiers de randonnée ; le village de Hautepierre-le-Châtelet (7 km N par D 24) ; Ornans, la ville de Courbet (13 km N-O par D 67) ♦ **Hôtels :** à Lods, La Truite d'Or (tél. 03.81.60.95.48) 14 chambres 120-250 F environ, restaurant ; à La Longeville (25 km E) Le Crêt l'Agneau (tél. 03.81.38.12.51), maison d'hôtes de charme, 7 chambres 500 F par personne, table d'hôtes ♦ **Mairie** (tél. 03.81.60.91.10).

SAINT-HIPPOLYTE
25190 (Doubs)

Saint-Hippolyte est situé au confluent de deux rivières, le Doubs et le Dessoubre, au carrefour de leurs pittoresques vallées couvertes de forêts de sapins. Ancien bourg romain puis résidence des comtes de La Roche, le village était entouré de remparts (dont il ne reste que les ruines de deux tours) et de fossés. Aujourd'hui, les maisons sont toujours resserrées autour de la place centrale ; certaines conservent encore des escaliers du XVIIIe siècle. En face de l'Hôtel de Ville, on peut admirer une très belle maison avec des étages en surplomb. Au bord du Doubs, l'ancien couvent des Ursulines élève sa masse imposante. A l'autre extrémité du village, l'église du XIVe siècle appartient au style ogival primitif ; le clocher gothique, détruit par un incendie, a été remplacé par un clocher comtois dit "en impérial". Saint-Hippolyte a su conserver le charme du passé dans une merveilleuse nature sauvage et préservée.

♦ 1200 habitants, 350 m d'altitude ♦ **Accès :** à 18 km S de Montbéliard par D 437 ♦ **Aux alentours :** les vallées du Doubs et du Dessoubre ; le village de Goumois (21 km S-E par D 437 et D 437B) ♦ **Foires, festivités :** Foire à la saucisse en mai ♦ **Hôtels :** à Mancenans-Lizerne (12 km S) Château de l'Hermitage (tél. 03.81.64.09.24), maison d'hôtes de charme, 3 chambres 350-450 F, table d'hôtes ; à Goumois, (22 km E), Auberge Le Moulin du Plain (tél. 03.81.44.41.99), hôtel de charme, 22 chambres 204-295 F, restaurant ; Hôtel Taillard (tél. 03.81.44.20.75), hôtel de charme, 17 chambres 280-350 F, restaurant ♦ **Mairie** (tél. 03.81.96.55.74) - **S. I.** (tél. 03.81.96.53.75).

BAUME–LES–MESSIEURS
39210 Voiteur (Jura)

Baume-les-Messieurs est un minuscule village blotti au carrefour de trois vallées, dans un magnifique site encaissé bordé de falaises, au fond duquel coule la Seille. Le village ne comporte que quelques maisons disséminées autour de son "joyau" : une abbaye bénédictine fondée au VIᵉ siècle. C'est au Xᵉ siècle que l'abbaye devint un grand monastère. Après la Révolution, les biens de l'abbaye furent dispersés et les bâtiments transformés en habitations par les agriculteurs, le cloître fut détruit, les salles conventuelles abîmées, les pierres tombales dégradées. Mais des vestiges demeurent, superbes, et les actuels propriétaires s'emploient à la rénovation des bâtiments. On entre dans la cour de l'abbaye par une porte voûtée : l'église abbatiale, en partie romane, a été remaniée au XVᵉ siècle. A l'intérieur, statues de saint Paul (XVᵉ siècle) et de sainte Catherine et très beau retable flamand du début du XVIᵉ siècle. Au centre de l'ancienne cour du cloître, aujourd'hui disparu, il y a une fontaine du XVIᵉ siècle. Aujourd'hui, le village semble un peu abandonné, plus de commerce, plus de petit café. Mais il reste cet impressionnant paysage et, dans le silence, comme le murmure des prières des moines.

♦ 198 habitants, 320-510 m d'altitude ♦ **Accès :** à 72 km E de Chalon-sur-Saône par D 978, D 471 et D 70ᴱ ♦ **A voir :** les musées de la Forge et de la Vinification ♦ **Aux alentours :** le village de Château-Chalon ; le lac de Chalain ♦ **Foires, festivités :** Fête de la Saint-Jean en juin ; vente de produits locaux du 13 au 15 juillet et du 13 au 15 août ♦ **Hôtels :** à Rotalier (22 km S) Château Gréa (tél. 03.84.25.05.07), maison d'hôtes de charme, 1 chambre et 1 suite 370 F ; à Arbois (38 km N), Le Moulin de la Mère Michelle (tél. 03.84.66.08.17), hôtel de charme, 22 chambres 380-680 F, restaurant ♦ **Restaurant :** Les Grottes (tél. 03.84.44.61.59) ♦ **Mairie** (tél. 03.84.44.61.41).

PESMES
70140 (Haute-Saône)

C'est en venant du sud que l'on profite de la plus jolie vue sur Pesmes. Le village est posé tout en longueur sur un plateau rocheux et domine une jolie rivière, l'Ognon. Place forte stratégique, elle fut prise d'assaut par Henri IV et ne devint française qu'en 1678. De la ville haute à la ville basse, les rues s'entrelacent autour de grandes places et alignent des maisons anciennes en pierre blonde ; assez massives, elles sont parfois ornées d'escaliers, de jolies fenêtres, de niches et de caves voûtées. L'église Saint-Hilaire a conservé du XIIe siècle un portail et les murs du chœur et présente de magnifiques chapelles du XVIe siècle (à l'intérieur, très belles statues et deux retables, l'un en bois doré, l'autre en marbre rose). La promenade est vraiment agréable dans ce charmant village et, l'été, la rivière permet de rafraîchissantes baignades.

♦ 1013 habitants, 210 m d'altitude ♦ **Accès :** à 44 km O de Besançon par D 67, Marnay, D 15 et D 12 ♦ **Foires, festivités :** Fêtes de l'Ognon en juillet ; nombreux concerts et représentations théâtrales en été ; Foire à la brocante en août ; Foire aux produits naturels en octobre ♦ **Hôtel :** La Maison Royale (tél. 03.84.31.23.23) chambres d'hôtes 450 F ♦ **Mairie** (tél. 03.84.31.22.27) - **S. I.** (tél. 03.84.31.23.37).

Pays de mer aux côtes sauvages et découpées, mais aussi pays de terre et de forêts, la Bretagne révèle ses beautés à chaque promenade. S'il existe peu de villages merveilleusement préservés comme Locronan ou Rochefort-en-Terre, partout, dans chaque village ou hameau, à la croisée des chemins, les artisans ont laissé leur empreinte dans la pierre et le bois. On découvre l'histoire et l'ampleur des richesses de la province, chapelle après jubé, manoir après château, maison de granit après ferme paysanne, petit port de pêche après grand port langoustier.

ÎLE DE BRÉHAT
22870 (Côtes-d'Armor)

Bréhat... deux îles reliées au XVIIIe siècle par Vauban qui fait construire le Pont-ar-Prat. Dans l'île nord sauvage et désertique, des amoncellements de rochers de granit rose conduisent au phare du Paon, limite extrême du pays Goëlo. Dans l'île sud, plus accueillante, d'étroits chemins se faufilent entre les jardins, les murets de pierres, les massifs d'hortensias et les champs. Quatre-vingt-six îlots, roches ou récifs entourent ces deux îles pour en faire un paysage insaisissable, qu'autrefois les Anglais et les Français se sont disputé avec violence. On dit que c'est un corsaire bréhatin, Coatantem, qui aurait indiqué à Christophe Colomb la route du Nouveau Monde. Les maisons basses du village aux jardinets fleuris se regroupent autour de l'église, remaniée aux XVIIe et XVIIIe siècles, au beau clocher-mur de granit rose. Dans cette île-jardin, pas de voitures mais des bicyclettes pour des balades de charme sur les chemins.

♦ 474 habitants ♦ **Accès :** par bateau depuis la pointe de l'Arcouest, (à 5 km de Paimpol) : Les Vedettes de Bréhat (tél. 02.96.55.86.99) ; durée de la traversée 10 mn ♦ **Aux alentours :** promenade sur la rivière du Trieux ♦ **Hôtels :** Hôtel Bellevue (tél. 02.96.20.00.05) 17 chambres 390-800 F environ, agréable restaurant de poissons et fruits de mer ; La Vieille Auberge (tél. 02.96.20.00.24) 14 chambres 350 F la demi-pension ♦ **Restaurants :** Le Chardon Bleu (tél. 02.96.20.00.08) ; Aux Pêcheurs (tél. 02.96.20.00.14) ; sur la plage, La Potinière (tél. 02.96.20.00.29) ♦ **Mairie** (tél. 02.96.20.00.36) - **S. I.** (tél. 02.96.20.04.15).

MONCONTOUR
22510 (Côtes-d'Armor)

Bâtie au XIᵉ siècle sur un escarpement rocheux au confluent de deux vallées, Moncontour est une ravissante petite cité, entourée de remparts, avec des portes anciennes, de belles maisons en granit et des rues toutes fleuries. La citadelle a subi de nombreux assauts au cours de son histoire et l'enceinte fut en partie démantelée en 1626 sur ordre de Richelieu. Mais ce que nous en voyons aujourd'hui est superbe. Le long des rues pentues, on peut admirer de belles maisons en granit, aux portes sculptées et des maisons à colombage ornées parfois de poutres ouvragées. Il faut visiter l'église Saint-Mathurin dont la nef est du XVIᵉ siècle. Elle contient des vitraux remarquables et deux beaux retables. Après cette jolie visite vous pourrez aller jusqu'au château des Granges (XVIIIᵉ siècle) qui est construit sur une butte au nord du village.

♦ 909 habitants, 130 m d'altitude ♦ **Accès :** à 23 km S-E de Saint-Brieuc par D 1 ♦ **A voir :** la Maison de la Chouannerie et de la Révolution (ouverte en été) ♦ **Aux alentours :** la chapelle Notre-Dame-du-Haut (à 3 km S-E) ; le château (XVIᵉ siècle) de la Touche-Trébry (6 km E) ; Bel Air (7 km S), point culminant du Méné (349 m) ; le château de Bogard à Quessoy (8 km N) ♦ **Foires, festivités :** marché le lundi matin ; pèlerinage de Saint-Mathurin à la Pentecôte ; Pardon à Notre-Dame-du-Haut le 15 août ; Fête médiévale en août ♦ **Hôtel :** à Hillion (17 km N) Château de Bonabry (tél. 02.96.32.21.06), maison d'hôtes de charme, 2 chambres 500-600 F ♦ **Restaurants :** Les Remparts (tél. 02.96.73.54.83) ; Beaujouan (tél. 02.96.73.40.34) ♦ **Mairie** (tél. 02.96.73.41.05) - **S. I.** (tél. 02.96.73.50.50).

TRÉGUIER
22220 (Côtes-d'Armor)

Entre Lannion et Saint-Brieuc, véritable trait d'union entre la côte de Goëlo et celle de Granit rose, la petite cité de Tréguier fut fondée au VIᵉ siècle par saint Tugdual aux confins de l'estuaire du Jaudy et du Guindy. De son riche passé, Tréguier a conservé de belles maisons anciennes, des jardins et des couvents. Sur la place du Martray, on peut admirer la cathédrale Saint-Tugdual (XIIIᵉ-XVᵉ siècles), toute en granit rose, de style gothique flamboyant. C'est l'un des plus beaux édifices religieux de Bretagne. Trois tours surmontent le transept : la tour Hastings, carrée et trapue, est un vestige de l'église du XIIᵉ siècle, celle du centre est couronnée d'une balustrade ajourée, et la troisième est dominée par une flèche élancée. Le cloître de la cathédrale est magnifique avec ses arcades de granit entourant une paisible cour fleurie. On peut visiter également la maison natale d'Ernest Renan, belle demeure à colombage du XVIᵉ siècle, devenue musée en 1947. De nombreux souvenirs évoquent la vie de l'écrivain. Tous les ans, le 19 mai, le Pardon de Saint-Yves (patron des juristes et des avocats) se déroule à Tréguier et au cimetière de Minihy-Tréguier, ville natale du saint.

◆ 3400 habitants ◆ **Accès :** à 13 km E de Lannion par D 786 ◆ **A voir :** le trésor de la cathédrale Saint-Tugdual ; la maison natale de Renan ◆ **Aux alentours :** le village de Minihy-Tréguier (1 km au S) ; le petit port de Port-Blanc (10 km N) ; la Côte de Granit rose ◆ **Foires, festivités :** marché le mercredi matin ; Pardon de Saint-Yves le 19 mai ◆ **Hôtel :** sur la route de Lannion, Kastell Dinec'h (tél. 02.96.92.49.39), hôtel de charme, 15 chambres 420-490 F, restaurant ◆ **Mairie - S. I.** (tél. 02.96.92.30.19) - **Port** (tél. 02.96.92.42.37).

ÎLE DE BATZ
29253 (Finistère)

Entourée d'une ceinture de récifs, l'île de Batz s'appelle "Enez-Vaz" (île du Bâton) en breton. Un kilomètre de large et quatre de long, à un bout de l'île, "Toul-al-Sarpant" (le Trou du Serpent), à l'autre bout, le jardin exotique, à l'ouest le phare, et à l'est, les ruines de la chapelle romane élevée sur l'emplacement du monastère fondé par saint Pol-Aurélien. Autour de la baie de Kernoc'h, digues et maisons sont de granit. Elles sont dominées par l'église construite en 1873. A l'intérieur, on peut admirer de très belles statues de la Vierge datant des XIVe et XVe siècles et une statue en bois de saint Pol-Aurélien du XVIIe siècle. Les maisons, toutes simples, sont entourées de jardins fleuris où poussent parfois des palmiers et des plantes exotiques. L'île jouit en effet d'un climat très doux. Du haut du phare de 44 mètres, on découvre l'île, la côte, les récifs et les plages de sable blanc.

♦ 750 habitants ♦ **Accès :** par bateau depuis le vieux port de Roscoff, Cie Ar-Menn (tél. 02.98.61.76.98 / 02.98.61.77.75) ; durée de la traversée 15 mn ♦ **A voir :** l'église (XIXe siècle), le phare, la chapelle Sainte-Anne, le jardin Georges-Delasselle ♦ **Foires, festivités :** Pardon de Sainte-Anne le dernier dimanche de juillet (messe en plein air et feu de joie), Fête de la mer, kermesse en juillet-août ♦ **Hôtel :** Ty Va Zadou (tél. 02.98.61.76.91), maison d'hôtes de charme, 3 chambres 260 F, 1 suite 400 F ♦ **Mairie** - **S. I.** (tél. 02.98.61.75.70) - **Port** (tél. 02.98.61.76.98).

CAMARET-SUR-MER
29129 (Finistère)

L e petit port de Camaret est situé sur la presqu'île de Crozon, entre la pointe du Raz et la pointe Saint-Mathieu. Le village est ravissant et agréable. Quel dommage que, pour y parvenir, on soit obligé de traverser une succession de lotissements fort laids ! Sur le "Sillon", longue digue qui ferme le port, la chapelle de Rocamadour, bâtie de 1610 à 1653, fut détruite en 1910 et restaurée ensuite. Dans le passé, les attaques anglaises, hollandaises, espagnoles furent nombreuses ; Vauban construisit des fortifications à la fin du XVIIᵉ siècle pour protéger Camaret et la rade de Brest. Il n'en reste aujourd'hui que le château Vauban, imposante tour à trois étages de feu qui abrite un intéressant musée naval. La petite cité est construite en rues parallèles au quai. La promenade est pleine de charme, aussi bien dans les petites rues animées de boutiques et de crêperies, que le long du quai. Camaret est un important port langoustier et une agréable station balnéaire.

♦ 2954 habitants ♦ **Accès :** à 31 km S-O de Brest par N 165 - Le Faou, D 791, D 887 et D 8 ♦ **A voir :** le musée naval ♦ **Aux alentours :** la presqu'île de Crozon de la pointe de Penhir à la pointe des Espagnols (magnifique panorama) ♦ **Foires, festivités :** marché le 3ᵉ mardi de chaque mois ♦ **Hôtel :** Hôtel Thalassa (tél. 02.98.27.86.44), Hôtel de France (tél. 02.98.27.93.06) ♦ **Mairie** (tél. 02.98.27.94.22) - **S. I.** (tél. 02.98.27.93.60).

LE FAOU
29142 (Finistère)

Ce n'est pas au premier coup d'œil que l'on découvre le vrai charme du Faou. Il faut flâner dans la rue du Passage et rejoindre la rue des Cendres pour admirer l'alignement des maisons en schiste et en granit ornées d'encorbellements du XVIe siècle. Au bout, l'église Saint-Sauveur se reflète dans l'eau. Construit sur la rade de Brest, au fond de la rivière Steir Coz, Le Faou est le passage obligé pour rejoindre la presqu'île de Crozon. Cette situation stratégique sur la route de Quimper permit à la petite ville de prendre un essor important entre l'activité portuaire, le commerce et l'artisanat. C'est en effet de là que partaient vers les armateurs royaux d'impressionnantes cargaisons de chênes et de hêtres (en breton "ar faou"). Pour les marcheurs, un sentier aménagé le long de la grève permet d'embrasser une superbe vue sur la rade avec, en arrière-plan, les ruines de l'abbaye de Landevennec et l'île de Tibidy.

♦ 1630 habitants ♦ **Accès :** à 28 km S-E de Brest par N 165 ♦ **Aux alentours :** le village de Rumengol (église du XVIe siècle), la forêt domaniale du Cranou, les ruines des abbayes de Daoulas et Landevennec ♦ **Foires, festivités :** marché le dernier samedi du mois ; Foire à la brocante mi-août ; Festival de danses et de musiques bretonnes en été ; Rassemblement de vieux gréements en août (tous les deux ans) ♦ **Hôtel :** à Commana (27 km N-E) Kerfornedic (tél. 02.98.78.06.26), maison d'hôtes de charme, 2 chambres 250-280 F ♦ **Mairie** (tél. 02.98.81.90.44) - **S. I.** (tél. 02.98.81.06.85).

ÎLE-TUDY
29157 (Finistère)

Située sur une presqu'île (et non sur une île, malgré son nom), Ile-Tudy est un ravissant petit port de pêche. D'un côté l'océan, de l'autre la calme rivière de Pont-l'Abbé et, en face, Loctudy sa rivale de toujours (un passeur assure un service avec Loctudy). C'est ici que saint Tudy a accosté en 494. La commune est si petite qu'elle n'a aucune terre cultivable. Au XIXe siècle, les hommes partaient, d'avril à novembre, pêcher la sardine et Ile-Tudy devenait le domaine des femmes. Les ruelles sont étroites avec des maisons basses, toutes blanches, serrées les unes contre les autres. L'endroit est tout à fait charmant mais, ici encore, on regrettera les trop nombreux pavillons modernes construits aux alentours, qui dénaturent ce beau paysage.

♦ 552 habitants ♦ **Accès :** à 6 km S-E de Pont-L'Abbé par D 44 et D 144 ♦ **Aux alentours :** à Sainte-Marine, le jardin botanique de Cornouailles ; à Loctudy, le manoir de Kérazan (tél. 02.98.87.40.40) ; visite de l'archipel des Glénan ♦ **Foires, festivités :** Festival international de musique mécanique en juin, Kermesse folklorique le 1er dimanche d'août ♦ **Hôtel :** à Pont-L'Abbé (6 km N-O) Château de Kernuz (tél. 02.98.87.01.59), hôtel de charme, 19 chambres 350-600 F, restaurant ♦ **S. I.** (tél. 02.98.56.30.14).

LOCRONAN
29136 (Finistère)

Petite cité devenue prospère aux XVIe et XVIIe siècles grâce à l'industrie de la toile à voile, Locronan, merveilleusement préservée, a conservé de son riche passé de très belles maisons Renaissance en granit. Groupées autour de la place, elles encadrent l'église Saint-Ronan, qui date du XVe siècle, magnifique construction de granit ouvragé. L'intérieur, avec ses voûtes en ogives, est exceptionnel et contient un beau vitrail du XVe siècle et des statues anciennes. A son côté, la chapelle du Penity (XVIe siècle) et le tombeau de saint Ronan. Il faut flâner dans les rues voisines agrémentées de nombreuses boutiques d'antiquaires et d'artisans. Par la rue Moal on descend jusqu'à la chapelle Notre-Dame-de-Bonne-Nouvelle datant du XVIe siècle. Locronan a accueilli de nombreux artistes, dont le peintre Yves Tanguy.

◆ 686 habitants, 145 m d'altitude ◆ **Accès :** à 17 km N-O de Quimper par D 39 et D 63 ◆ **A voir :** le musée municipal (route de Châteaulin), l'atelier Saint-Ronan, les Tissages de l'ancienne Compagnie des Indes, l'atelier du Ménez, la Verrerie du Ponant ◆ **Aux alentours :** la montagne de Locronan (2 km E) et la chapelle de Kergoat (3,5 km E) sur la route de Châteaulin ◆ **Foires, festivités :** Grande Troménie tous les 6 ans (la prochaine en 2001) les 2e et 3e dimanches de juillet, Petite Troménie le 2e dimanche de juillet ; Pardon de Notre-Dame-de-la-Palud (8 km N-O) le dernier dimanche d'août ◆ **Hôtels :** à Plonévez-Porzay (4 km N), Manoir de Moëllien (tél. 02.98.92.50.40), hôtel de charme, 10 chambres 330-350 F ; à Douarnenez (10 km O) Hôtel Ty Mad (tél. 02.98.74.00.53), hôtel de charme, 23 chambres 230-320 F, restaurant ◆ **Restaurant :** Au Fer à Cheval (tél. 02.98.91.70.74) ◆ **Mairie** (tél. 02.98.91.70.05) - **S. I.** (tél. 02.98.91.70.14).

ÎLE MOLÈNE
29259 (Finistère)

Pour naviguer en mer d'Iroise, la ligne droite est inconnue parce que, dans l'archipel de Molène, il y a autant d'îles ou d'écueils que de jours dans l'année. Moal Enez, Molène, 1200 mètres de long et 800 mètres de large, est si petite "qu'une vache n'a jamais les quatre sabots dans le même champ". Les petites maisons basses sont tournées vers le sud pour se protéger des vents du nord ; elles ont des volets roses, jaunes, rouges ou turquoise, des toits d'ardoises, des murs blanc lumineux ou de granit et des petits jardins clos de murets de pierres. Les Molénais ont toujours récolté le goémon, cet anneau noir entourant la côte qui donne, une fois séché, un engrais très apprécié, la cendre de Molène. La grande activité des habitants de l'Ile est la pêche aux crustacés, mais aussi au filet. Si un jour vous bravez les courants, les écueils et le vent, vous n'oublierez plus l'Île Molène, île au charme sauvage, où on se balade à pied et seul endroit de France à vivre à l'heure du soleil.

♦ 250 habitants ♦ **Accès :** par bateau (tous les jours en été) de Brest ou Le Conquet : Cie maritime Penn-Ar-Bed (tél. 02.98.80.24.68) ; durée de la traversée de Brest 1 h 15, de Le Conquet 30 mn ♦ **A voir :** le musée "Drumon Castle" consacré au sauvetage en mer ♦ **Hôtel :** Kastell-an-Daol (tél. 02.98.07.39.11) 10 chambres 232-305 F, restaurant ♦ **Restaurant :** L'Archipel (tél. 02.98.07.38.56) ♦ **Mairie** (tél. 02.98.07.39.05).

ÎLE D'OUESSANT
29242 (Finistère)

Ouessant fait sept kilomètres de long, quatre de large et culmine
à soixante mètres au point le plus élevé. Vent violent, mer
déchaînée ont sculpté le paysage, fait de rochers déchiquetés, de
landes d'ajonc et de murets de pierres entourant de petits enclos
cultivés. À Lampaul, le bourg de l'île, les vieilles maisons ont des
volets bleus ou verts, les couleurs ouessantines. Terre de culture,
l'île avait autrefois de nombreux moulins, aujourd'hui, il n'en reste
qu'un. Ici la terre et les femmes se conjuguent ensemble, tout comme
les hommes et la mer. Mais l'île cultivée d'hier appartient aux oiseaux
migrateurs ou nicheurs, aux moutons, et les bateaux doivent affronter
le vent, les vagues et des courants violents : le Fromrust au nord-
ouest et le Fromveur au sud-est. Pour veiller sur les hommes, les
phares de Nividic, la Jument, Kereon, le Stiff et le Créac'h. Ouessant,
île fière, sauvage et solitaire est protégée (pas de voitures dans l'île).
Elle fait partie du parc régional d'Armorique.

◆ 1255 habitants ◆ **Accès :** par bateau depuis Brest ou Le Conquet, Cie maritime Penn-
Ar-Bed (tél. 02.98.80.24.68) ; durée de la traversée : de Brest 2 h 15, de Le Conquet
1 h 15 ou 35 mn par catamaran. Par avion (20 mn) de Brest-Guipavas, Finist'Air
(tél. 02.98.84.64.87) ◆ **A voir :** l'Écomusée dans deux maisons du hameau de Niou-
Huella ; le musée des Phares et Balises, le phare du Créac'h ◆ **Foires, festivités :**
Pardon de l'île à la chapelle Notre-Dame-de-Bon-Voyage le 1er ou le 2e dimanche de
septembre ◆ **Hôtels :** les hôtels sont assez rustiques : Roc'h-Ar-Mor (tél. 02.98.48.80.19) ;
Hôtel de l'Océan (tél. 02.98.48.80.03) ; La Duchesse Anne (tél. 02.98.48.80.25) ; Le
Fromveur (tél. 02.98.48.81.30) ◆ **Restaurant :** Crêperie du Stang (tél. 02.98.48.80.94)
◆ **S. I.** (tél. 02.98.48.85.83).

PONT-AVEN
29123 (Finistère)

C'est Paul Gauguin qui a fait entrer dans l'histoire le nom de la petite cité. Entouré d'Émile Bernard et de ses amis peintres, il créa l'École de Pont-Aven, internationalement connue. Aujourd'hui vous serez toujours séduits par le charme discret, l'aspect champêtre du village. La rivière est là, bordée de maisons aux toits bleutés, de collines verdoyantes, de moulins qui ont fait autrefois la prospérité de la cité. La place de l'Hôtel-de-Ville et la rue des Meunières présentent de belles maisons des XVIIe et XVIIIe siècles, aux façades de granit, ornées de fenêtres ouvragées. Gauguin prenait pension chez Marie-Jeanne Gloannec (place Paul-Gauguin bien entendu) et la maison voisine était celle de la « belle Angèle » dont le peintre fit le portrait. Les peintres se retrouvaient aussi chez Julia Guillou, à l'angle de la place de l'Hôtel-de-Ville. Il faut suivre ensuite le chemin Xavier-Grall qui longe la rivière et d'où l'on a une vue superbe. Mais ne quittez pas Pont-Aven sans aller goûter les délicieuses spécialités de la pâtisserie Kersale !

♦ 3295 habitants ♦ **Accès :** à 32 km S-E de Quimper par N 165 et D 24 ♦ **A voir :** le musée municipal ♦ **Aux alentours :** l'église de Nêvez ; le port de Kerdruc ; le bois d'Amour ; le moulin du Plessis (1,5 km) ; la chapelle de Tremalo (1 km N-O) ; l'église de Nizon (2 km N-O) ; le petit port de Kerdruc (5 km S) ♦ **Foires, festivités :** Fête des fleurs d'ajonc le 1er dimanche d'août ♦ **Hôtels :** Le Moulin de Rosmadec (tél. 02.98.06.00.22) hôtel de charme, 4 chambres 470 F, restaurant gastronomique ; à Riec-sur-Belon (5 km O), Le Chatel (tél. 02.98.06.00.04), maison d'hôtes de charme, 5 chambres 250 F ♦ **Mairie** (tél. 02.98.06.00.35) - **S. I.** (tél. 02.98.06.04.70).

PONT-CROIX
29122 (Finistère)

Située au fond de l'estuaire du Goyen, la petite cité de Pont-Croix était autrefois la capitale du cap Sizun. Son port de commerce était très actif et ses foires renommées dans toute la Bretagne. Les maisons anciennes sont alignées le long des petites rues pavées, entrecoupées parfois d'escaliers en pierre. Mais le joyau de Pont-Croix est sa magnifique église Notre–Dame–de–Roscudon, qui date du XIIIᵉ siècle. Sa tour-clocher a servi de modèle à celle de la cathédrale de Quimper. Le porche du XIVᵉ siècle, fin et ouvragé, ouvre sur la nef romane, et à l'intérieur on peut admirer une très belle Cène en bois sculpté. Aujourd'hui, Pont-Croix est un village calme, recueilli, qui a oublié les temps lointains (XVIᵉ siècle) où le bandit Fontenelle l'avait ravagé.

♦ 1842 habitants ♦ **Accès :** à 17 km S-O de Douarnenez par D 765 ♦ **Aux alentours :** d'admirables points de vue à la pointe du Raz, du Van, de Kastel Coz ; le port d'Audierne (5 km) ♦ **Foires, festivités :** marché tous les jeudis ; Foire-exposition fin avril ; Grand Pardon et procession aux flambeaux le 15 août ♦ **Hôtels :** à la Pointe du Raz (15 km O) Hôtel de L'Iroise (tél. 02.98.70.64.65), hôtel de charme, 10 chambres 150-200 F ; à Landudec (14 km S-E) Château de Guilguiffin (tél. 02.98.91.52.11), maison d'hôtes de charme, 4 chambres 550-750 F, 2 suites 800-1300 F, table d'hôtes ♦ **Mairie** (tél. 02.98.70.40.66) - **S. I.** (tél. 02.98.70.46.88).

ÎLE DE SEIN
29162 (Finistère)

L'île est le dernier vestige apparent de la presqu'île qui existait jadis, et dont il ne reste que cinquante-six hectares posés sur l'océan à un peu plus d'un mètre de hauteur moyenne. Pour sa conquête, ce n'est pas entre eux que les hommes se sont battus le plus durement, mais contre les éléments : inondations, tempêtes, raz de marée. Celui de 1756 fut terrible, seuls émergeaient les toits des maisons. On commença alors la construction de digues. Autrefois, on disait que les Sénans étaient naufrageurs, ils étaient pilleurs d'épaves bien sûr, comme tous les îliens, mais surtout d'intrépides sauveteurs. En 1940, tous les hommes de l'île partirent en Angleterre rejoindre le général de Gaulle et les Forces de la France Libre. Les maisons du bourg sont blanches ou de granit, ou parfois encore, peintes de couleur vive, jaune comme le petit café ou rose ; coiffées de toits d'ardoise, elles se resserrent le long du quai des Français-Libres ou du quai des Paimpolais. Les ruelles sont étroites et tortueuses pour briser la force du vent. Allez voir aussi l'église et ses deux menhirs, le calvaire et le phare d'Ar-Men. Ile à la beauté lumineuse, Sein est classée "patrimoine naturel" par l'Unesco.

♦ 354 habitants ♦ **Accès :** par bateau de Saint-Evette (à 3 km d'Audierne, tél. 02.98.70.21.15 en été), Cⁱᵉ maritime Penn-Ar-Bed (tél. 02.98.70.02.37) ; durée de la traversée : 1 h ♦ **Foires, festivités :** Pardon paroissial le dimanche de la Trinité, Pardon de Saint-Corentin le dimanche après le 15 août ♦ **Hôtel :** Hôtel des Trois Dauphins (tél. 02.98.70.92.09) 7 chambres 180-300 F, crêperie ♦ **Restaurants :** Chez Annick (tél. 02.98.70.90.79); L'Iroise (tél. 02.98.70.90.12) ; L'Hippocampe (tél. 02.98.70.91.87) Le Men Brial (tél. 02.98.70.90.87) ♦ **Mairie** (tél. 02.98.70.90.35).

COMBOURG
35270 (Ille-et-Vilaine)

Construit en 1016 sur une hauteur, le château de Combourg se dresse, sévère forteresse, au-dessus d'un lac bordé de peupliers. Remanié extérieurement aux XIVᵉ et XVᵉ siècles, ses tours, ses mâchicoulis, ses créneaux et ses chemins de ronde dominent noblement le village. Le père de François-René de Chateaubriand l'acheta en 1761 et, aujourd'hui, il appartient toujours à sa famille. Le château, dont l'intérieur a été remodelé au XIXᵉ siècle, se visite ; on y découvre de nombreux souvenirs de l'écrivain. "C'est dans les bois de Combourg que je suis devenu ce que je suis", écrivit Chateaubriand dans ses "Mémoires d'outre-tombe". Dans le vieux bourg, les maisons aux toits d'ardoises et aux cheminées de briques se serrent les unes contre les autres. Dans la rue de la Barrière, qui mène de l'église au château, la belle maison de la Lanterne du XVIᵉ siècle abrite le syndicat d'initiative. Tout le village est imprégné du souvenir romantique du célèbre écrivain.

♦ 4900 habitants, 57 m d'altitude ♦ **Accès :** à 37 km N de Rennes par N 137 - Hédé et D 795 ♦ **A voir :** le château (visites d'avril à octobre), le musée international de la Faune ♦ **Aux alentours :** le château de Lanrigan, l'église de Saint-Léger-des-Prés, le menhir et la chapelle de Cuguen ; le manoir, le château du Breil et la motte féodale de Meillac ♦ **Foires, festivités :** marché le lundi matin ; Foire de la mi-mai (dimanche et lundi après le 15 mai) ; L'Angevine (foire et grand marché les 1ᵉʳ dimanche et lundi de septembre) ♦ **Hôtels :** à Pleugueneuc (12 km O), Château de la Motte-Beaumanoir (tél. 02.99.69.46.01), hôtel de charme, 6 chambres 900 F, 2 suites 1000 F, restaurant ; à Saint-Pierre-de-Plesguen (15 km O) Le Petit Moulin du Rouvre (tél. 02.99.73.85.84), maison d'hôtes de charme, 4 chambres 250-320 F, table d'hôtes ♦ **Mairie** (tél. 02.99.73.00.18) - **S. I.** (tél. 02.99.73.13.93).

PAIMPONT
35380 Plélan-le-Grand (Ille-et-Vilaine)

L a forêt de Paimpont, ancienne forêt de Brocéliande, est aujourd'hui la plus grande de Bretagne : 7000 hectares parsemés d'étangs, de châteaux, de lieux magiques et de légendes. Le bourg s'est construit au VIIe siècle autour d'un monastère qui se transformera en abbaye à la fin du XIIe siècle. La mairie actuelle est installée dans l'aile nord (XVIIe s.) qui seule a subsisté. La petite église du XIIIe siècle, remaniée au XVIIe, possède de magnifiques statues des XVe et XVIe siècles et un maître-autel du XVIe. Un peu plus loin se trouve le pittoresque hameau des Forges où, du XVIe au XIXe siècle, les familles travaillaient aux hauts fourneaux. Vous ne résisterez pas au charme de ces maisons de schiste rose à toits d'ardoises. Paimpont ou Brocéliande... Il faut s'y promener au hasard des chemins à la rencontre de Viviane, de Merlin, du roi Arthur, ou des chevaliers de la Table Ronde.

♦ 1395 habitants ♦ **Accès :** à 40 km O de Rennes par N 24 et D 38 ♦ **A voir :** le musée de l'abbaye Notre-Dame ♦ **Foires, festivités :** spectacle son et lumière en été ♦ **Hôtel :** Manoir du Tertre (tél. 02.99.07.81.02), 8 chambres 350-500 F environ, restaurant ♦ **S. I.** (tél. 02.99.07.81.27).

ÎLE DE HOUAT
56170 Quiberon (Morbihan)

Au large des côtes du Morbihan, voici l'île de Houat, longue de cinq kilomètres, bordée de falaises enserrant de petites criques et de plages de sable blanc à l'est. Elle a subi différents assauts : les assauts guerriers des Anglais aux XVIIᵉ et XVIIIᵉ siècles, et ceux des tempêtes qui, en 1951, ont détruit le port. Aujourd'hui on accoste au nouveau port de Saint-Gildas, empli de bateaux de pêche, au quai chargé de casiers à homards et langoustes. Dans le village, les maisons blanchies à la chaux ou aux épais murs de granit bordent les ruelles qui mènent à la place des Trois-Pouvoirs. Elles ont des volets bleu ciel ou vert pâle, des toits d'ardoises et des rosiers grimpants. La fontaine du village est amusante, avec son soubassement de granit et son toit pointu ! Derrière l'église (XIXᵉ siècle) un petit chemin conduit à un promontoire d'où l'on peut contempler un superbe panorama. Il faut parcourir (à pied bien sûr, il n'y a pas de voitures sur l'île) les sentiers qui longent la côte au milieu d'une végétation méditerranéenne parfumée, et partir à la découverte des superbes plages de sable blanc et des criques sauvages.

♦ 390 habitants ♦ **Accès :** par bateau de Port-Maria-Quiberon, Cⁱᵉ Morbihannaise de Navigation (tél. 02.97.50.06.90) ; durée de la traversée de 30 à 60 mn selon les bateaux ♦ **Foires, festivités :** Pardon de Saint-Gildas le dernier dimanche de janvier, Pardon de la mer le 15 août ♦ **Hôtel :** Hôtel des Iles (tél. 02.97.30.68.02) ♦ **Mairie** (tél. 02.97.30.68.04).

JOSSELIN
56120 (Morbihan)

Au cœur de la Bretagne, au sortir de la forêt de Lanouée lorsqu'on vient du nord, la petite cité de Josselin est bâtie sur les bords escarpés de l'Oust. Elle est connue surtout pour son magnifique château, construit par Jean II de Rohan entre 1490 et 1505. Le château présente deux aspects : côté rivière il est imposant, militaire, austère, mais côté jardin, il est élégant, ouvragé (frises armoriées, fleurs de lys et hermines bretonnes délicatement ciselées), accueillant. Il appartient toujours à la famille des Rohan. Il ne faut pas manquer la visite de la basilique Notre-Dame-du-Roncier (XIIᵉ siècle, remaniée aux XIVᵉ et XVIᵉ siècles) qui présente un bel ensemble de style gothique flamboyant. Vous pourrez aussi monter tout en haut du clocher et profiter ainsi d'une vue superbe. Dans les rues en pente du bourg (notamment rue des Vierges, rue des Trente), on peut admirer de belles maisons anciennes de granit et des maisons à colombage des XVᵉ et XVIᵉ siècles. On peut aussi arriver à Josselin en bateau en empruntant le canal de Nantes à Brest.

♦ 2740 habitants ♦ **Accès :** à 42 km N-E de Vannes par N 166 et N 24 ♦ **A voir :** le musée de Poupées ♦ **Aux alentours :** les petits bourgs de Gréguon et Trégranteur ♦ **Foires, festivités :** Pardon de Notre-Dame-du-Roncier le 2ᵉ dimanche de septembre ♦ **Hôtel :** La Carrière (tél. 02.97.22.22.62), maison d'hôtes de charme, 6 chambres 250-350 F ♦ **Mairie** (tél. 02.97.22.24.17) - **S. I.** (tél. 02.97.22.36.43).

LANVAUDAN
56240 (Morbihan)

Classé par les Monuments historiques, le hameau de Lanvaudan forme un bel ensemble du Moyen Âge peu courant dans la région. Le granit prend ici des teintes ocre et roses, des harmonies douces et le chaume recouvre les toits des grosses maisons paysannes bien restaurées groupées autour de l'église du XVIIe siècle. Sa simplicité et son harmonie sont les fidèles reflets de la foi de ses habitants d'hier. Sur les toitures des maisons il y a de toutes petites lucarnes, les façades sont ornées de fenêtres de toutes les tailles aux encadrements de pierre et les portes en bois sont parfois décorées de motifs sculptés. Les puits sont nombreux et souvent ornementés. Vous pourrez aussi voir, accolée à l'une des maisons, une superbe niche à chien à tête de lion, en granit. Un retour dans le passé très émouvant.

♦ 827 habitants, 95 m d'altitude ♦ **Accès :** à 9 km N de Hennebont par D 145
♦ **Hôtel :** à Bubry (13 km N-E), Auberge de Coët-Diquel (tél. 02.97.51.70.70), restaurant.
♦ **Mairie** (tél. 02.97.33.33.08).

ÎLE-AUX-MOINES
56780 (Morbihan)

Combien d'îles dans le magnifique golfe du Morbihan ? Combien de légendes ? L'Ile-aux-Moines (Izenah, en breton) est la plus grande de toutes : elle s'étire sur six kilomètres. Les religieux qui autrefois l'habitaient lui ont donné son nom. Très longtemps, les îliens ont cherché dans leur sol la sépulture de Jules César, qui, dit-on, y aurait été enseveli dans un cercueil d'or ! Le nord de l'île est très habité, belles maisons entourées de murets, enfouies dans leurs jardins, le sud, plus sauvage, est couvert de genêts et de landes. Au Bourg, le petit village de l'île, les maisons de pêcheurs sont serrées autour de l'église Saint-Michel. Les façades, peintes à la chaux, sont égayées par des portes et des volets peints dans tous les tons de bleu. L'île est charmante, fleurie de mimosas, de roses, d'hortensias, de lauriers, de pins et de palmiers, une ambiance méditerranéenne. Les petits bois environnants portent des noms romantiques : le bois d'Amour, le bois des Soupirs, le bois des Regrets... L'Ile-aux-Moines a séduit de nombreux artistes (comme le peintre Signac) dans le passé. De nos jours ce lieu enchanteur a conservé tout son charme. On parcourt l'île à bicyclette (location sur le port) et l'on peut aller jusqu'au village de Kergonan voir le plus grand cromlec'h de France.

♦ 624 habitants ♦ **Accès :** par bateau de Port-Blanc, Cie Izenah (tél. 02.97.26.31.45) ; durée de la traversée 5 mn ♦ **Foires, festivités :** marché le mercredi et le vendredi matin ; Fête de la mer le 15 août ; Régates en août ♦ **Hôtels :** Le San Francisco (tél. 02.97.26.31.52), hôtel de charme, 8 chambres 315-525 F, restaurant ; Le Clos (tél. 02.97.26.34.29), maison d'hôtes de charme, 1 suite 300 F (en été seulement)
♦ **Restaurants :** La Désirade (tél. 02.97.26.36.81), Les Embruns (tél. 02.97.26.30.86)
♦ **Mairie** (tél. 02.97.26.32.61) - **S. I.** (tél. 02.97.26.32.45) - **Port** (tél. 02.97.26.30.57).

ROCHEFORT-EN-TERRE
56220 (Morbihan)

Sur une butte dominant l'Arz et le Gueuzon, Rochefort, ancienne cité fortifiée, étage ses pittoresques maisons. Sur cet emplacement privilégié, déjà choisi par les Romains, les comtes de Rochefort bâtirent un château au XIIIe siècle. Détruit par Anne de Bretagne, reconstruit, les Chouans le démolissent à nouveau en 1793. Du château féodal, il ne reste qu'une porte fortifiée. Au début du siècle, un riche Américain, Alfred Klost, subjugué par le charme des lieux, achète les ruines et restaure les anciens communs (XVIIe siècle). Aujourd'hui, le château appartient au département. Le centre du bourg est une merveille : la mairie s'est installée dans les anciennes halles de granit, la place est entourée de superbes maisons à tourelles ou à encorbellement. Il faut se promener dans la Grande-Rue, place du Puits, pour découvrir d'autres demeures des XVIe et XVIIe siècles, il faut voir la chapelle Saint-Michel (XVIe siècle) et l'église Notre-Dame-de-la-Tronchaye qui date des XVIe et XVIIe siècles (tour du XIIe siècle). L'Histoire semble s'être arrêtée à Rochefort-en-Terre.

♦ 613 habitants, 50 m d'altitude ♦ **Accès :** à 35 km E de Vannes par N 166, D 775 et D 777 ♦ **A voir :** le musée (peintures, mobilier XVIe-XVIIe siècles, costumes, faïences de Quimper des XIIIe et XIVe siècles) ♦ **Aux alentours :** le hameau de La Gacilly (musée Yves-Rocher) ; le parc de préhistoire (2 km) ♦ **Foires, festivités :** Fête artisanale en mai ; Pardon de Notre-Dame-de-la-Tronchaye le dimanche après le 15 août ♦ **Hôtel :** Château de Talhouët (tél. 02.97.43.34.72), maison d'hôtes de charme, 9 chambres 600-990 F, table d'hôtes ♦ **Restaurants :** Hostellerie du Lion d'Or (tél. 02.97.43.32.80) ; Le Vieux Logis (tél. 02.97.43.31.71) ♦ **Mairie** (tél. 02.97.43.32.81).

ÎLE DE SAINT-CADO
56550 Belz (Morbihan)

Sur la bordure d'une presqu'île, bien à l'abri derrière la barre d'Étel, se trouve le village de Saint-Cado. Le site est vraiment merveilleux. La chapelle, le calvaire, les maisons blanches aux toits d'ardoise bleus et la fontaine forment un superbe ensemble à découvrir à marée haute. La très jolie chapelle est l'un des rares monuments romans du Morbihan. A l'intérieur, vous pourrez voir une pietà du XVe siècle et le lit de saint Cado. Au début du siècle, il y avait encore 250 thoniers qui montaient et descendaient la rivière pour se rendre au large des Açores. Aujourd'hui, ce sont plutôt les bateaux de plaisance qui naviguent dans cette petite mer intérieure. Pour terminer la visite, vous pourrez aller manger des crêpes à la ravissante petite crêperie, sur le port.

♦ 250 habitants ♦ **Accès :** à 19 km N-O d'Auray par D 22 et D 16 ♦ **Aux alentours :** la barre d'Étel ; l'église romane de Merlevenez ; la citadelle de Port-Louis ; l'abbaye Sainte-Anne de Kergonam à Plouharnel ; Saint-Colomban ♦ **Foires, festivités :** marché le lundi à Auray, le mardi à Étel ; Pardon de Saint-Cado le 3e dimanche de septembre ♦ **Hôtel :** à Plouhinec (6 km N-O), Hôtel de Kerlon, (tél. 02.97.36.77.03), hôtel de charme, 16 chambres 240-300 F, restaurant ♦ **Mairie** (tél. 02.97.55.33.13) - **S. I.** (à Auray tél. 02.97.24.09.75).

SAUZON
56360 Belle-Île-en-Mer (Morbihan)

La plus belle façon de découvrir ce ravissant petit port de pêche, c'est d'y arriver en bateau, et de débarquer presque au pied de l'Hôtel du Phare. On pourra alors admirer un village encore préservé aux maisons coquettes. Le port s'étale sur une ria d'un kilomètre à l'intérieur des terres, entre des coteaux couverts de bruyères. Les pavillons, les friteries et boutiques de mode n'ont pas encore sévi et l'on peut se promener tranquillement sur les quais et dans les petites ruelles. L'ensemble a un charme suranné. Prendre l'apéritif au café d'Armor sur la place de l'église, déjeuner sur la terrasse de l'Hôtel du Phare ou dîner au Contre-Quai chez Bill sont de bien jolis moments. Un seul point noir : les cars de visite de l'île qui viennent se garer sur la place de l'église. Il faut partir à la découverte du reste de l'île, la meilleure façon étant de le faire à vélo, pour admirer la végétation presque exotique (palmiers, figuiers, lauriers roses) et les splendides points de vue sur les îles, la côte et le large.

♦ 570 habitants ♦ **Accès :** par bateau de Port-Maria-Quiberon, Cⁱᵉ Morbihannaise de Navigation (tél. 02.97.50.06.90/02.97.31.80.01) ; durée de la traversée jusqu'à Le Palais 45 mn en ferry, jusqu'à Sauzon 30 mn (en été, passagers seulement) ; par avion de Lorient, Finist'Air (tél. 02.97.31.41.14) ♦ **Foires, festivités :** marché le mardi et le vendredi ♦ **Hôtels :** Les Pougnots (tél. 02.97.31.61.03), hôtel de charme, 5 chambres 450-530 F ; à Bangor, La Désirade (tél. 02.97.31.51.76), hôtel de charme, 26 chambres 390-560 F ; au Palais, Le Clos Fleuri (tél. 02.97.31.45.45) 20 chambres 350-500 F environ, restaurant ♦ **Restaurants :** Le Contre-Quai (tél. 02.97.31.60.60) ; Roz-Avel (tél. 02.97.31.61.48) ; le Café de la Cale (tél. 02.97.31.65.74) pour les fruits de mer ; à Bangor crêperie Chez Renée (tél. 02.97.31.52.87) ♦ **S. I.** (tél. 02.97.31.81.73).

ÎLE DE FÉDRUN
44720 Saint-Joachim (Loire-Atlantique)

L' Ile de Fédrun est l'une des sept îles posées sur le marais formant la commune de Saint-Joachim. Jusqu'au siècle dernier, c'est en barque que les Briérons reliaient la terre ferme. Pas de routes, mais des canaux entre les roseaux. Paradis des hérons et des petits passereaux, le marais se dévoile lentement, au bruit léger de la pigouille qui fait glisser la barque sur l'eau. Les îles furent données aux Briérons par François II en 1461, ils sont ainsi devenus tous ensemble propriétaires en indivision de la Grande Brière. L'Ile de Fédrun est le plus typique des villages de la commune. Les maisons, aux toits de chaume, aux portes et aux volets peints de couleurs vives, sont petites et basses. Les murs passés à la chaux sont d'un blanc intense ou teintés de couleurs délavées par le temps. L'ensemble des chaumières était exceptionnel au début du siècle. Aujourd'hui, l'apparence du village a été hélas enlaidie par la construction de pavillons modernes et les touristes sont très nombreux en été. Mais hors saison, la Brière garde un charme incomparable.

♦ 700 habitants ♦ **Accès :** à 24 km S de la Roche-Bernard par N 165, D 2 et D 50 ♦ **A voir :** la maison de la Mariée, la chaumière briéronne ♦ **Foires, festivités :** marché le samedi matin ♦ **Hôtel :** à Saint-Lyphard (16 km E), Auberge de Kerhinet (tél. 02.40.61.91.46), hôtel de charme, 7 chambres 250-270 F, restaurant ♦ **Restaurants :** Auberge du Parc (tél. 02.40.88.53.01), Hutte Briéronne (tél. 02.40.88.43.05) ; à Saint-Lyphard, Auberge du Nézil (tél. 02.40.91.41.41) ♦ **Mairie** (tél. 02.40.88.42.31) - **S. I.** de Brière (tél. 02.40.66.85.01).

KERHINET
44410 Saint-Lyphard (Loire-Atlantique)

Kerhinet est un tout petit village situé au sud du Parc naturel régional de la Grande Brière, dans un paysage aéré, parsemé de petits hameaux et parcouru de routes tranquilles bordées de haies. C'est un adorable village, reconstitué grâce à l'aide du Parc, qui présente un ensemble unique et harmonieux de chaumières aux murs de pierres blondes ou crépis de blanc, aux portes et volets peints de couleurs vives, rouge, bleu, vert, s'abritant sous de grands toits de chaume. Des rosiers grimpants poussent le long des murs, des rideaux de dentelles ornent les fenêtres, des fleurs garnissent le pas des portes et les rebords de fenêtres ; il y a aussi un vieux puits, un four ancien, une mare romantique et une auberge de charme où l'on vous accueillera avec le sourire. Un vrai village de contes de fées !

♦ **Accès :** à 23 km N-O de Saint-Nazaire par D 47 ♦ **A voir :** le musée de Kerhinet qui reconstitue l'intérieur d'une ancienne maison briéronne, la Maison des Artisans ♦ **Aux alentours :** promenades en barques dans le marais de la Grande Brière ; Guérande, la "Carcassonne bretonne" ♦ **Foires, festivités :** marché du terroir le jeudi toute la journée en été ♦ **Hôtel :** Auberge de Kerhinet (tél. 02.40.61.91.46), hôtel de charme, 7 chambres 250-270 F, restaurant ♦ **Mairie** à Saint-Lyphard (tél. 02.40.91.41.08) - **Point informations** (tél. 02.40.61.94.06 en été, week-end et vacances scolaires).

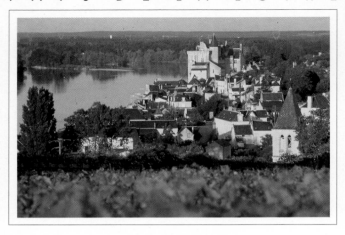

MONTSOREAU
49730 (Maine-et-Loire)

Au seuil de la Touraine, Montsoreau est situé dans un doux paysage baigné par la Loire d'un côté et bordé d'une falaise de clair tuffeau de l'autre. Le village présente des rues fleuries, de belles maisons aux murs de tuffeau et aux toits d'ardoises mais son joyau est le magnifique château rendu célèbre par un roman d'Alexandre Dumas, "La Dame de Montsoreau". Construit au XVᵉ siècle, ses fondations baignaient autrefois dans la Loire ; aujourd'hui, un quai et des berges le séparent de la rivière. Il offre à la fois un aspect féodal avec une façade austère et un donjon défensif, et un aspect Renaissance fin et élégant avec des fenêtres à meneaux, des entrelacs sculptés. Depuis la place de la Diligence, on peut atteindre le chemin du Coteau qui domine le village et longe la roche percée d'habitations troglodytes. Tout en haut de la falaise, tout devient plat ; un charmant petit moulin émerge d'une mer de vignes, le panorama sur la Loire est magnifique bien que l'on aperçoive au loin une centrale nucléaire. En redescendant, on peut rejoindre le village de Candes-Saint-Martin tout proche par un sentier pédestre.

♦ 561 habitants, 36 m d'altitude ♦ **Accès :** à 11 km E de Saumur par D 947 ♦ **A voir :** le musée des Goums marocains (au château) ♦ **Aux alentours :** l'Abbaye royale de Fontevraud (tél. 02.41.51.71.41), le Moulin de la Herpinière (musée de l'Outil), les châteaux de la Loire ♦ **Foires, festivités :** marché le dimanche matin ; marché aux puces tous les 2ᵉ dimanches du mois ♦ **Hôtels :** Maridor (tél. 02.41.38.11.23), maison d'hôtes de charme, 4 chambres 280-330 F, 1 suite 350 F ; à 2 km S, Le Domaine de Mestré (tél. 02.41.51.72.32), maison d'hôtes de charme, 11 chambres 310 F, table d'hôtes ; à Chinon (13 km E) Hôtel Diderot (tél. 05.47.93.18.87), hôtel de charme, 29 chambres 250-400 F ♦ **S. I.** (tél. 02.41.51.70.22).

SAINTE-SUZANNE
53270 (Mayenne)

Qui devinerait que ce charmant village, dressé en triangle sur un éperon rocheux, demeure la seule forteresse que Guillaume le Conquérant ne put jamais prendre ? C'est en effet en 1083 que Guillaume entreprend de mater la révolte des Manceaux soutenue par Hubert II de Beaumont, vicomte du Maine. Retranché dans Sainte-Suzanne, celui-ci résistera à un siège de trois ans et verra sa bravoure récompensée par une offre de paix et la restitution des places fortes confisquées... Moins chanceux par la suite, le château passera aux Anglais lors de la guerre de Cent Ans, avant de revenir à la duchesse d'Alençon, puis à Henri IV qui le donnera à son contrôleur général des Postes. Lors de votre visite, gagnez le cœur du village, vous y verrez de belles maisons souvent ornées de sculptures, balcons, fenêtres à meneaux. Puis, par la rue du Château, rejoignez le vigoureux donjon médiéval autour duquel alternent vieilles murailles, douves sèches et espaces verdoyants avec, un peu à l'écart, le manoir Renaissance. Enfin, suivez la promenade de la poterne offrant de belles vues sur les fortifications et sur un immense panorama allant des collines des Coévrons aux paysages de l'Anjou.

♦ 935 habitants, 170 m d'altitude ♦ **Accès :** à 31 km S-E de Mayenne par D 7 ♦ **A voir :** le musée Les Amis de Sainte-Suzanne (1000 ans d'histoire) ♦ **Aux alentours :** 15 km de sentiers balisés, de nombreux étangs et des rivières pour la pêche ; le petit village de Blandovet ♦ **Foires, festivités :** Foire à la brocante le week-end après le 15 août ♦ **Hôtel :** à Chammes (3,5 km S O), Le Chêne Vert (tél. 02.43.01.41.12), maison d'hôtes de charme, 6 chambres 220 F, table d'hôtes le soir ♦ **S. I.** (tél. 02.43.01.43.60).

ASNIÈRES–SUR–VÈGRE
72430 (Sarthe)

Un petit village de charme, enfoui dans la verdure au bout d'une vallée où coule une rivière, la Vègre. Il offre des maisons restaurées de façon discrète, coiffées de grands toits pentus de tuiles ou d'ardoises, un pittoresque café qui fait office d'épicerie-tabac, des fontaines, une église romane qui contient de superbes peintures des XIIIe et XVe siècles, et une belle demeure gothique, la Cour d'Asnières, aux jolies fenêtres géminées. Par une petite rue, on rejoint le centre du village et, un peu plus loin, un vieux pont médiéval, à dos d'âne. De là, on profite d'une vue ravissante sur la rivière bruissante et verdoyante, sur l'ancien moulin et sur une demeure à tourelle abritée par un fouillis de végétation. Tout à côté du moulin, on peut grimper par un petit chemin de campagne jusqu'au château du Moulin-Vieux qui date du XVIIIe siècle. Un village d'un autre temps, paisible, au charme discret.

♦ 356 habitants, 59 m d'altitude ♦ **Accès :** à 38 km S-O du Mans par D 309 et D 57 ♦ **Aux alentours :** à 2,5 km le château de Verdelles (XVe siècle) ♦ **Foires, festivités :** marché à l'ancienne le dernier week-end d'août ♦ **Hôtels :** à Saint-Denis d'Anjou (20 km S-O), Le Logis et les Attelages du Ray (tél. 02.43.70.64.10), maison d'hôtes de charme, 3 chambres 300-350 F ; La Maison du Roi René (tél. 02.43.70.52.30), maison d'hôtes de charme, 3 chambres 350-450 F, restaurant ♦ **Mairie** (tél. 02.43.95.30.07).

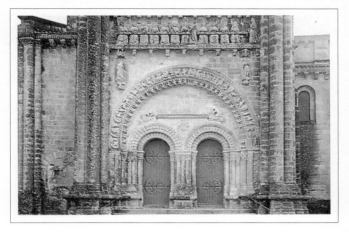

VOUVANT
85120 (Vendée)

Vouvant ressemble à un îlot rocheux contourné presque entiè-rement par une petite rivière, la Mère. A proximité se trouve un paysage de bocage et l'immense forêt domaniale de Vouvant-Mervent. Juché en hauteur, le village est entièrement ceint de remparts. Au XIIᵉ siècle, il était à l'abri d'un château dont il ne reste que le donjon appelé "Tour Mélusine", référence à la légende qui veut qu'en une nuit la fée ait construit le château et soit l'ancêtre des comtes de Lusignan, seigneurs du lieu. Au hasard d'un enche-vêtrement de petites rues aux maisons enduites de chaux, le pro-meneur découvrira l'église du XIᵉ siècle, remarquable par son portail roman décoré d'animaux et d'entrelacs de fleurs, mais endommagé par les guerres de Religion. Autre richesse architecturale, la poterne ; puissante ouverture dans les remparts, elle commandait l'accès au village. Avant de quitter Vouvant, il est recommandé de gravir les cent vingt marches de la tour Mélusine pour découvrir, 36 mètres plus haut, un splendide panorama.

♦ 798 habitants, 78 m d'altitude ♦ **Accès :** à 15 km N de Fontenay-le-Comte par D 938 et D 30 ♦ **Aux alentours :** nombreux sentiers de randonnée ♦ **Hôtel :** Auberge de Maître Pannetier (tél. 02.51.00.80.12), restaurant ♦ **S. I.** (tél. 02.51.00.86.80).

L a région du Centre est le jardin de la France. La nature est douce et paisible, parsemée de châteaux et de villages anciens. Ce guide vous propose une promenade dans quatre des départements de cette région, l'Indre-et-Loire, le Loir-et-Cher, l'Indre et le Cher, ces deux derniers formant le Berry, province qui fut si présente dans l'œuvre de George Sand : "Le Berry n'est pas doué d'une nature éclatante. Ni le paysage, ni l'habitant ne sautent aux yeux par le côté pittoresque, par le caractère tranché. C'est la patrie du calme et du sang-froid. Hommes et plantes, tout y est tranquille, patient." Terre chargée d'histoire, l'Ile-de-France est parée d'églises et de somptueux châteaux. Ce pays de rivières et de riches prairies, de forêts et de vallées verdoyantes nous offre aussi des villages paisibles qui ont préservé leur douceur de vivre.

APREMONT-SUR-ALLIER
18150 La Guerche-l'Aubois (Cher)

L e petit village d'Apremont est installé sur les bords de l'Allier, à la frontière de la Bourgogne et du Berry ; il est dominé par un très beau château. De la forteresse médiévale, il ne reste aujourd'hui que cinq tours crénelées, le château ayant été partiellement reconstruit au XVe siècle puis embelli au XVIIe siècle. Il appartient à la même famille depuis 1722. Le village, avec ses maisons en grès doré, toutes fleuries, s'étire au pied du château. Les habitations ont été restaurées ou reconstruites dans le style médiéval, par l'industriel Eugène Schneider dans les années trente. L'ensemble est tout à fait paisible et harmonieux. Il faut visiter le château, le musée de calèches (dans les écuries), et le magnifique parc floral qui borde le village. Apremont est un site classé et fait partie de l'Association des plus beaux villages de France.

♦ 83 habitants, 195 m d'altitude ♦ **Accès :** à 16,5 km S-O de Nevers par N 7, D 976 et D 45 ♦ **A voir :** le musée de Calèches anciennes ♦ **Foires, festivités :** exposition-vente de produits régionaux dans l'ancienne salle de classe de mi-juin à mi-septembre ♦ **Hôtels :** à 5 km, Hôtel de la Grenouille (tél. 02.48.80.40.78), restaurant ; à Bannegon (34 km S-O), Auberge du Moulin de Chaméron (tél. 02.48.61.83.80), hôtel de charme, 13 chambres 350-500 F, restaurant ♦ **Restaurants :** Restaurant du Parc Floral (tél. 02.48.80.41.52), ouvert de Pâques à fin septembre ; à 6 km, Restaurant du Pont-Canal (tél. 02.48.80.40.76) ; au Guétin, Restaurant des Pêcheurs (tél. 02.48.80.40.20) ♦ **Mairie** (tél. 02.48.80.40.17).

SANCERRE
18300 Cher

La plus jolie manière de découvrir Sancerre consiste à passer par Chavignol, petit village célèbre pour ses fromages, et à emprunter la "route du Panorama" traversant un magnifique paysage de collines couvertes de vignes qui produisent un incomparable petit vin blanc. Sancerre est disposé en couronne sur l'une de ces collines dominant la rive gauche de la Loire, poste d'observation entre le Berry et le Nivernais. La cité, ayant embrassé la religion protestante, s'illustra par une résistance acharnée aux troupes royales lors d'un siège en 1573. Aujourd'hui, dans les rues de la vieille ville, on peut découvrir de belles maisons, certaines typiques de la Loire avec leurs toits d'ardoises et leurs façades en tuffeau, d'autres représentatives de l'architecture bourguignonne avec des toits de tuiles plates et des murs crépis. On admire une multitude de détails intéressants, joli portail, linteau sculpté, tourelle pointue... Par la rue des Juifs on arrive à la place de la Halle, cœur de la cité avec ses boutiques d'artisanat et ses terrasses de cafés. Un peu plus loin, nichée dans la verdure, la Tour des Fiefs, donjon du XIVe siècle, seul vestige de l'ancien château. Il faut terminer la balade par l'esplanade de la porte César qui offre une très belle vue sur les vignes et la vallée de la Loire.

♦ 2059 habitants, 312 m d'altitude ♦ **Accès :** à 11 km S de Cosne-sur-Loire par D 955 ♦ **Aux alentours :** les villages de Saint-Satur, Léré, Chavignol ♦ **Hôtel :** à Pouilly-sur-Loire (15 km) La Rêverie (tél. 03.86.39.07.87), maison d'hôtes de charme, 5 chambres 250-420 F ♦ **Restaurants :** La Tour (tél. 02.48.54.00.81) ; L'Esplanade (tél. 02.48.54.01.36) ; salon de thé Adélaïse ♦ **Mairie** (tél. 02.48.54.00.26) - **S. I.** (tél. 02.48.54.00.26 / 02.48.54.08.21).

GARGILESSE-DAMPIERRE
36190 Orsennes (Indre)

Gargilesse se blottit dans la verdoyante et paisible vallée de la Creuse. Le village forme un ensemble harmonieux avec ses vieilles maisons simples et fleuries, son château reconstruit au XVIIIᵉ siècle et son église romane. Il faut entrer dans cette ravissante église pour y voir les fresques de la crypte et surtout les chapiteaux décorés. Très sensible au pittoresque de ce village et à la beauté de son environnement naturel, George Sand s'y installa et en fit le théâtre de nombreux romans. Sa maison, transformée en musée, se trouve dans le bas du bourg. Gargilesse accueillit aussi beaucoup de peintres parmi lesquels Monet, Théodore Rousseau, Osterlind, etc. Aujourd'hui, de nombreux artistes habitent le village. La municipalité organise des expositions en été.

♦ 350 habitants, 221 m d'altitude ♦ **Accès :** à 45 km S de Châteauroux par N 20 - Argenton, D 48 et D 40 ♦ **A voir :** la maison de George Sand ♦ **Aux alentours :** circuit "George Sand en Berry"; l'église de Dampierre ; le lac d'Éguzon (10 km) ♦ **Foires, festivités :** marché le dimanche matin (en saison) ; marché aux fleurs et aux produits fruitiers le 1ᵉʳ dimanche de mai ; Salon Arts plastiques en juin ; Festival de harpe en août ♦ **Hôtels :** (à 8 km N) Château du Vivier (tél. 02.54.24.22.99), hôtel de charme, 9 chambres 300-580 F, restaurant ; Manoir de Boisvillers (tél. 02.54.24.13.88), hôtel de charme, 14 chambres 180-380 F ♦ **Restaurants :** La Patache (tél. 02.54.47.85.23) ; Au Fil du Temps (tél. 02.54.47.89.67) ; Chez Bernadette (tél. 02.54.47.84.16) ♦ **Mairie** (tél. 02.54.47.83.11) - **S. I.** (tél. 02.54.47.85.06).

SAINT-BENOÎT-DU-SAULT
36170 (Indre)

Aux alentours de Saint-Benoît-du-Sault, le relief est paisible et vallonné. Cela ne laisse pas prévoir le haut rocher de granit sur lequel est perché le village. C'est probablement cette position défensive qui incita les moines bénédictins à choisir ce site pour implanter une abbaye en 974. Le village s'installa tout contre le prieuré, à l'intérieur de puissants remparts. Aujourd'hui, la promenade dans les rues du bourg est très agréable. Il faut visiter l'église en partie romane et, juste à côté, aller sur la terrasse où s'élevait l'ancien prieuré, pour admirer en contrebas la vallée et les eaux calmes du Portefeuille. En suivant le chemin de Ronde, on emprunte une rue très escarpée sur la gauche pour atteindre une double porte en ogive et l'ancien bourg ; c'est un ensemble harmonieux datant essentiellement du XVe siècle avec des rues étroites et des maisons en granit. Il faut aller voir le beffroi, la maison du Gouverneur et la maison de l'Argentier (XVe siècle) qui comporte une très belle porte cloutée.

♦ 870 habitants, 220 m d'altitude ♦ **Accès :** à 51 km S-O de Châteauroux par N 20 - Argenton et D 1 ♦ **Aux alentours :** la Chatille, la Roche, le château de Montgarnaud ; de nombreuses églises romanes ; les vallées de l'Abloux et de l'Anglin ♦ **Foires, festivités :** foires à thème tous les mois ; Foire aux moutons le 4 août ; Foire aux bovins le dernier samedi d'août ♦ **Hôtels :** à 20 km N-E, Château du Vivier (tél. 02.54.24.22.99), hôtel de charme, 9 chambres 300-580 F, restaurant ; Manoir de Boisvillers (tél.02.54.24.13.88), hôtel de charme, 14 chambres 180-380 F, restaurant ♦ **Mairie** (tél. 02.54.47.51.44).

CANDES-SAINT-MARTIN
37500 (Indre-et-Loire)

En gaulois "candate" signifie "confluent", et c'est au lieu de rencontre de la Vienne et de la Loire que s'est implanté le village. Celui-ci est d'une homogénéité rare, ses maisons rivalisent en beauté, certaines datant souvent du XVe siècle. Construites en tuffeau blanc, leur décoration semble inspirée par les châteaux des alentours, leur empruntant mille détails. Avant de remonter jusqu'en haut du village pour découvrir ses habitations troglodytes creusées dans la falaise, attardez-vous rue "du Bas" ; c'est ici qu'habitaient les mariniers de la Loire, lorsque Candes était un port actif pour la pêche et la batellerie. Admirez l'église collégiale des XIIe et XIIIe siècles, édifiée à l'endroit même où mourut saint Martin en l'an 397. Cet événement fit de Candes un lieu de pèlerinage ; les rois de France et d'Angleterre y séjournèrent, rendant à cette occasion visite aux archevêques de Tours, dont vous pourrez également voir la résidence (XVe siècle). Enfin, les adeptes de la marche pourront gravir le petit sentier de pierres jusqu'à la colline surplombant le village ; la vue sur les toits d'ardoises et sur les deux rivières y est très représentative du charme de la "Douce France".

♦ 246 habitants, 40 m d'altitude ♦ **Accès :** à 11 km E de Saumur par D 947 ♦ **A voir :** l'Atelier de céramiques de Francis Katchatourof ♦ **Aux alentours :** les châteaux de la Loire (Ussé, Langeais, Villandry) ♦ **Hôtels :** à 4 km S-E, Le Domaine de Mestré (tél. 02.41.51.72.32), maison d'hôtes de charme, 11 chambres 310 F, table d'hôtes ; à Parnay (10 km N-O) Domaine du Marconnay (tél. 02.41.67.60.46), maison d'hôtes de charme, 4 chambres 250-300 F, table d'hôtes ; à Chinon (16 km E) Hôtel Diderot (tél. 02.47.93.18.87), hôtel de charme, 29 chambres 250-400 F, restaurant ♦ **Mairie** (tél. 02.47.95.90.61).

CRISSAY-SUR-MANSE
37220 (Indre-et-Loire)

Situé au cœur de la Touraine, dans la pittoresque vallée de la Manse, le village de Crissay est plein de charme. Les maisons sont magnifiques, notamment celles de la place qui sont des XVᵉ et XVIᵉ siècles. Construites en tuffeau, cette belle pierre blanche de Touraine, elles ont conservé des fenêtres à meneaux et de beaux toits d'ardoises agrémentés de lucarnes ouvragées. On peut ensuite, en passant sous la poterne, grimper jusqu'aux ruines du château (XVᵉ siècle). A droite, l'église qui date de 1527. Crissay saura vous séduire avec le charmant désordre de ses rues, ses jardins, ses petits murs fleuris. C'est un adorable village campagnard qui a su garder toute son authenticité.

◆ 99 habitants, 60 m d'altitude ◆ **Accès :** à 16 km S d'Azay-le-Rideau par D 57 et D 457 ◆ **Aux alentours :** la pittoresque vallée de la Manse, la route de Courtineau ; les anciennes fermes "La Fretonnière" et "La Boisselière" ; les villages de Saint-Épain et d'Avon-les-Roches ◆ **Foires, festivités :** Foire aux vieilleries le dimanche de la Pentecôte ; Semaine théâtrale mi-août. ◆ **Hôtel :** à Azay-le-Rideau (16 km N), Château du Gerfaut (tél. 02.47.45.40.16), maison d'hôtes de charme, 6 chambres 295-580 F ◆ **Mairie** (tél 02.47.58.54.05) ◆ **S. I.** (tél. 02.47.95.22.81).

MONTRÉSOR
37460 (Indre-et-Loire)

Dressé sur les bords de l'Indrois, Montrésor semble resté à l'écart de toute modernisation. En bas, les maisons en tuffeau blanc longent la rivière et remontent peu à peu le coteau. On y verra des demeures des XVe et XVIe siècles (dont une en bois) débouchant sur la collégiale et le château, tous deux Renaissance. L'ensemble est d'une très belle unité avec ses toits de tuiles plates et tous ces détails pittoresques qui organisaient la vie d'autrefois : lavoir, fontaine, halle aux laines... Pourtant Montrésor n'eut pas toujours cet aspect bonhomme et raffiné ; au XIe siècle, Foulque Merra, tirant profit de ce promontoire rocheux protégé au nord par un ravin et au sud par la rivière, en avait fait une puissante forteresse. C'est sur ses bases que fut édifié l'actuel château ; lui aussi était plus imposant, vous n'en voyez aujourd'hui que le corps principal. Le château appartient toujours à la famille polonaise descendante du comte Xavier Branicki, ami de Napoléon III, qui l'avait acquis en 1849.

♦ 381 habitants, 100 m d'altitude ♦ **Accès :** à 60 km S-E de Tours par N 10, D 17, N 143 et D 760 ♦ **A voir :** le château (tél. 02.47.92.60.04, visites de Pâques à la Toussaint : pièces du trésor des rois de Pologne, superbe collection de tableaux, Raphaël, Véronèse, Le Caravage...) ♦ **Aux alentours :** les villages de Chemillé (église romane et chapelle du XVIe siècle), Beaumont-Village, Novans-les-Fontaines et Villeloin-Coullangé (église du XIIe siècle) ; le château de Montpoupon ♦ **Foires, festivités :** marché le samedi matin ; Fête historique le dimanche de Pentecôte ♦ **Hôtel :** à Loches (20 km O), Hôtel George Sand (tél. 02.47.59.39.74), hôtel de charme, 20 chambres 260-650 F, restaurant ♦ **Mairie** (tél. 02.47.92.60.19).

RICHELIEU
37120 (Indre-et-Loire)

É tonnante, cette cité de Richelieu implantée au cœur de la douce France ! La Fontaine l'avait déclaré "le plus beau village de l'univers", c'est, en tout cas, l'un des rares ensembles de style classique construit au XVIIᵉ siècle de par la volonté d'un seul homme, le cardinal de Richelieu, qui voulut construire sa "ville idéale". Installée sur la rive gauche du Mâble, la cité répond aux critères architecturaux de l'époque : ordre et symétrie. Elle est rectangulaire, entourée de fossés aujourd'hui transformés en jardins, et de murs dans lesquels s'ouvrent des portes. Les constructions s'organisent autour de la place du Marché. On y trouve la halle, l'église Notre-Dame, le presbytère et l'ancien Hôtel de Ville transformé en musée. La Grande Rue bordée d'hôtels particuliers en pierre de taille, tous semblables conduit à la place des Religieuses, symétrique de la place du Marché. Elle est entourée de l'hôtel du Receveur, du couvent et du collège. Revenir ensuite par la rue de la Galère longée de maisons d'artisans très remaniées mais qui ont conservé leurs proportions d'origine. On sort de la ville par la porte de Châtellerault pour gagner le château, dont il ne reste aujourd'hui qu'un bâtiment surmonté d'un dôme, et l'on admire le parc, propriété de l'université de Paris.

♦ 2296 habitants, 51 m d'altitude ♦ **Accès :** à 29 km N-O de Châtellerault par D 749 ♦ **A voir :** le musée municipal (tableaux et documents sur l'histoire de Richelieu) ♦ **Aux alentours :** le château de la Grillère (tél. 02.47.95.66.06) ♦ **Foires, festivités :** marché le lundi et le vendredi matin ; Festival de la chasse fin août ♦ **Hôtel :** Les Religieuses (tél. 02.47.58.10.42), maison d'hôtes de charme, 4 chambres 210-330 F, 1 suite 330 F ♦ **Mairie** (tél. 02.47.58.10.13) - **S. I.** (tél. 02.47.58.13.62 en été).

CHAUMONT-SUR-THARONNE
41600 (Loir-et-Cher)

En Sologne, au milieu de vastes paysages de landes et de forêts, Chaumont-sur-Tharonne groupe ses maisons autour d'une jolie place gazonnée et de son église. Autrefois fortifié, le village se love à l'intérieur du tracé de ses anciens remparts. Il présente une belle unité d'architecture : ses demeures, certaines à colombages (notamment face à l'église, une belle maison XVIIIᵉ) ont conservé leurs appareillages de briques claires, leurs toits d'ardoises ou de tuiles brunes. L'église Saint-Étienne a été remaniée aux XVᵉ et au XVIᵉ siècle ; elle possède également d'épais murs de briques et un délicat clocher ouvragé. Chaumont est un village attachant, original par sa forme concentrique, rare dans ce pays solognot où l'on trouve surtout des villages–rue construits en longueur. Pour prolonger les plaisirs, vous pourrez visiter la Maison de l'artisanat, acheter les bons produits régionaux dans les fermes environnantes, pêcher en rivière ou dans les nombreux étangs des alentours et surtout, faire une halte de charme à la délicieuse auberge de La Croix Blanche, l'une des plus anciennes hostellerie de France. De nombreux sentiers de randonnées balisés vous permettront de découvrir cette belle région qui se pare à l'automne de couleurs chatoyantes.

950 habitants, 126 m d'altitude ◆ **Aux alentours :** la jolie cité de La Ferté-Saint-Aubin et son château, La Ferté-Beauharnais, les châteaux de Chambord et de Cheverny ◆ **Foires, festivités :** concerts dans l'église en été ; expositions sur la Sologne et thèmes ruraux en août-septembre ◆ **Hôtels :** La Croix Blanche (tél. 02.54.88.55.12), hôtel de charme, 12 chambres 250-500 F, suites 500-600 F ; La Farge (tél. 02.54.88.52.06), maison d'hôtes de charme, 3 chambres 325 F ◆ **Restaurant :** La Grenouillère (tél. 02.54.88.50.71) - **S.I.** (tél. 02.54.88.64.00).

LAVARDIN
41800 (Loir-et-Cher)

Enfoui dans la verdure au bord du Loir, Lavardin est blotti au pied des ruines impressionnantes de son château. Pour y accéder, on traverse un vieux pont gothique. Le village est vraiment pittoresque ! Il faut se balader dans les rues bordées de vieilles maisons aux beaux toits d'ardoises ou de tuiles ; certaines datent des XVe et XVIe siècles et ont gardé de jolies fenêtres à meneaux, des lucarnes pointues et de beaux colombages. Il faut aller admirer la mairie (belles salles du XIe siècle) et tout près, l'église de style roman primitif qui a un clocher-porche carré (à l'intérieur, très belles peintures murales et jolies colonnes). Vous verrez aussi des caves aux murs couverts de lierre puis vous grimperez jusqu'au château. Ruiné par les troupes d'Henri IV, il conserve, malgré tout, une fière allure avec son donjon haut de 26 mètres (XIe siècle), ses courtines, ses vestiges de tours et d'enceintes. Que la vie semble douce dans ce joli village !

♦ 245 habitants, 80 m d'altitude ♦ **Accès :** à 21 km S-O de Vendôme par D 917 et D 108 ♦ **Aux alentours :** le village troglodyte de Troo ; la ravissante ville de Vendôme et la vallée du Loir ♦ **Foires, festivités :** Championnat mondial de « chouine » (jeu de cartes du XVIe siècle) le 1er dimanche de mars ♦ **Hôtel :** à Troo (8,5 km), Château de la Voûte (tél. 02.54.72.52.52), hôtel de charme, 5 chambres 370-550 F ♦ **Restaurants :** Le Relais d'Antan (tél. 02.54.86.61.33) ; à Montoire-sur-le-Loir (2 km), Le Cheval Rouge (tél. 02.54.85.07.05) ; à Troo (8,5 km O), Le Cheval Blanc (tél. 02.54.72.58.22) ♦ **Mairie** (tél. 02.54.85.07.73).

BARBIZON
77630 (Seine-et-Marne)

Avant d'être adopté au XIXe siècle par quelques peintres paysagistes, Barbizon n'était qu'un petit hameau de bûcherons. Modeste mais merveilleusement situé, car c'est ici que la forêt de Fontainebleau vient rencontrer la plaine de Bière. L'unique rue du village en constitue la frontière. Elle permet de s'enfoncer immédiatement dans la forêt et conduit vers un site surélevé, bordé de rochers. C'est cette nature qui a inspiré Théodore Rousseau, Millet et tous les peintres qui formeront l'école de Barbizon. Préférant un travail en "plein air", ces artistes rompirent avec l'obligation d'une représentation historique ou mythologique du paysage. L'histoire de Barbizon se confond avec celle de ses peintres. Dans la rue du village, chaque petite maison conserve le souvenir d'un artiste, et si les hôtels et les restaurants sont nombreux, l'endroit est encore tout à fait charmant. Il faut visiter l'auberge du père Ganne et le petit musée de l'école de Barbizon qui regroupe de nombreux souvenirs et quelques œuvres des peintres qui ont vécu dans le village.

♦ 1400 habitants ♦ **Accès :** à 10 km S-O de Melun par D 64 ♦ **A voir:** le musée de l'auberge Ganne (évocation des peintres paysagistes du XIXe siècle) ; l'atelier de J.-F. Millet ; le musée de l'école de Barbizon ; la maison de T. Rousseau ♦ **Aux alentours :** les châteaux de Fontainebleau et de Vaux-le-Vicomte ; la forêt de Fontainebleau ♦ **Foires, festivités :** concerts et Fête des peintres en été ♦ **Hôtels :** Hostellerie de la Clé d'Or (tél. 01.60.66.40.96), hôtel de charme, 16 chambres 420 F, restaurant ; Hostellerie Les Pléïades (tél. 01.60.66.40.25), hôtel de charme 23 chambres 320-550 F ; à Perthes-en-Gâtinais (7 km N) Le Manoir des Freyculs (tél. 01.60.66.03.31), maison d'hôtes de charme, 5 chambres 510 F, table d'hôtes ♦ **Restaurants :** Le Relais de Barbizon (tél. 01.60.66.40.28) ; L'Angélus (tél. 01.60.66.40.30) ♦ **Mairie** (tél. 01.60.66.41.92) - **S. I.** (tél. 01.60.66.41.87).

LA ROCHE-GUYON
95780 (Val d'Oise)

Lorsqu'on arrive à La Roche-Guyon, on est saisi par la beauté du site, petit bourg enserré entre la Seine (large de 170 mètres à cet endroit) et une falaise crayeuse et abrupte, dominé par un imposant château. De la forteresse originale bâtie au XIIIᵉ siècle, il ne reste que le donjon perché en haut de la falaise. Le château, largement remanié au cours des siècles, appartient depuis 1659 à la famille de La Rochefoucauld (c'est au château que François de La Rochefoucauld écrira une partie de ses "Maximes"). Il a gardé toute sa majesté. On peut faire une jolie promenade en empruntant la route des Crêtes ; de là-haut, la vue sur le bourg et les boucles de la Seine est superbe. On redescend ensuite au village par une petite rue très escarpée, la Charrière des Bois, et l'on remarque des caves creusées dans la roche. Les maisons de La Roche-Guyon sont de qualité inégale, il y en a de très belles à colombage et de plus simples, mais elles ont toutes des murs clairs et des toits pentus de tuiles ou d'ardoises. L'église fut construite au XVᵉ siècle. La Gabelle (l'ancien grenier à sel) date du XVIᵉ siècle et abrite aujourd'hui le syndicat d'initiative. L'ensemble du village a beaucoup de charme, et le site est exceptionnel.

♦ 561 habitants, 14 m d'altitude ♦ **Accès :** à 77 km O de Paris par A 13, D 147 et D 913 ♦ **Aux alentours :** la forêt et l'arboretum, la route des Crêtes ♦ **Foires, festivités :** marché le dimanche matin ; Grande brocante à l'Ascension ♦ **Hôtel :** à Herbeville (24 km S-E) Mont au Vent (tél. 01.30.90.65.22), maison d'hôtes de charme, 5 chambres 350-450 F, 1 suite 700 F, table d'hôtes ♦ **Restaurant :** Le Vieux Logis (tél. 01.34.79.70.73) ♦ **Mairie** (tél. 01.34.79.70.55).

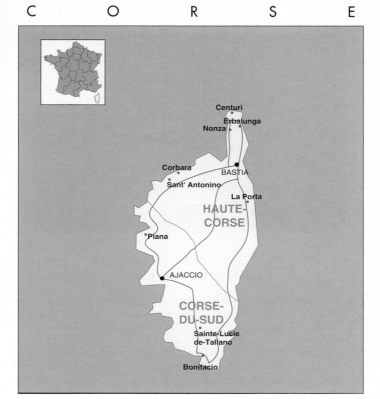

Située sur le tracé de voies commerciales maritimes décisives, disputée par de puissants voisins, la Corse a longtemps été "bousculée" par l'Histoire.

A la fin du siècle dernier, ce sont des Britanniques qui l'ont découverte comme lieu de villégiature hivernal. La douceur du climat côtier et un arrière-pays riche en paysages d'exception les séduisirent. Ajaccio, d'abord, puis Calvi… par-delà le mythe napoléonien, ils se laissèrent surprendre par cette autre Riviera, plus distante et plus âpre.

Géographiquement, la Corse est un fragment de l'ensemble alpin. Son altitude moyenne est élevée. Cette donnée physique et des rivages peu sûrs ont fait se concentrer la population insulaire à mi-pente, sur les coteaux. Elle s'organisait en unités de vallées - les pievi - et se consacrait aux cultures d'usage en Méditerranée occidentale. Les sites anciens montrent bien le discernement des Corses dans la maîtrise de leur cadre. Villages des hauteurs ou "marines" des bords de mer (dans les régions où l'on naviguait, comme dans le Cap), maisons de schiste ou de granit, c'est par ces accords heureux entre une nature splendide et des constructions en harmonie avec elle qu'une véritable magie des lieux se produit.

CENTURI
20238 (Haute-Corse)

A quelques encâblures de l'extrémité ouest du Cap Corse, au pied du col de la Serra d'où le panorama sur la mer de Ligurie est à couper le souffle, se trouve la délicieuse marine de Centuri. A la fin du XVIIIᵉ siècle, on y dénombrait plusieurs dizaines de commerces. On exportait du vin, du bois, de l'huile… On importait tout ce que nécessitait une région prospère. Les maisons qui bordent les quais, avec voûtes et escaliers, étaient conçues pour le négoce et le stockage. La population excellait ici dans la conservation des produits de la mer. Le corail était emmené vers Bastia et vers Gênes. On pêchait la langouste que l'on pêche toujours aujourd'hui dans ces eaux très limpides. La lumière est ici parfaite : elle met bien en valeur les nuances de gris et de vert des lauzes qui couvrent les toits. La commune de Centuri compte de nombreux hameaux, l'Orche, Cannelle, Ortinola, bien blottis sur ses pentes, avec des tours de guet ou des constructions nobles qui offrent autant de points de vue d'une grande harmonie.

♦ 202 habitants ♦ **Accès :** à 55 km N-O de Bastia par D 80 et D 35 ♦ **Aux alentours :** les hameaux de Cannelle, l'Orche, Ortinola et le château du général Cipriani ♦ **Hôtel :** à Rogliano (20 km) U Sant'Agnellu (tél. 04.95.35.40.59), hôtel de charme, 9 chambres 220-300 F, restaurant ♦ **Restaurant :** Le Vieux Moulin (tél. 04.95.35.60.15) ♦ **Mairie** (tél. 04.95.35.60.06).

CORBARA (CURBARA)
20256 (Haute-Corse)

A mi-distance entre Algaiola et L'Ile-Rousse (L'Isula Rossa), Corbara s'est installé sur les pentes du Monte Guidu. Du rivage, on l'aperçoit à peine mais le village maîtrise du regard toute l'étendue de son territoire. Dans les circulations, les décrochements, les passages, on retrouve ici quelque chose de l'architecture mauresque et de l'art de construire dans la grande tradition de Méditerranée. Il y a aussi la végétation avec ses oliviers et ses figuiers de Barbarie. De toute part, des terrasses, des banquettes de pierres sèches sont aménagées sur les collines et rappellent que la Balagne était le "jardin de la Corse". En plein cœur du village, non loin de belles demeures à loggias, s'impose, surélevée de marches, la remarquable façade baroque de Santa Maria Assunta. Les marbres polychromes du maître-autel et de la clôture du chœur sont justement célèbres. Des figures de saints sur fond or sont des œuvres précieuses entre toutes : il s'agit de primitifs siennois datant du XVe siècle. Ils appartenaient au trésor du couvent (d'origine franciscaine mais désormais dominicain) situé à quelques kilomètres de là. Guy de Maupassant, pertinent voyageur de Corse, l'a décrit au siècle dernier.

◆ 597 habitants, 300 m d'altitude ◆ **Accès :** à 5 km S de L'Ile-Rousse par D 513 et D 313 ◆ **Aux alentours :** le beau village de Pigna ◆ **Foires, festivités :** Fête du village le 15 août avec illumination ; concerts dans l'église en été ◆ **Hôtel :** à Monticello (7 km) La Bergerie (tél. 04.95.60.01.28), hôtel de charme, 19 chambres 250-450 F, restaurant ◆ **Restaurant :** à Pigna (5 km) Casa Musicale (tél. 04.95.61.77.31) ◆ **Mairie** (tél. 04.95.60.06.51).

ERBALUNGA
20222 (Haute-Corse)

Sur une petite pointe rocheuse agrémentée d'une vieille tour génoise écroulée, Erbalunga disperse ses hautes maisons autour du minuscule port animé de quelques barques de pêche. Elles sont restées dans l'ensemble bien authentiques avec leurs toits de lauzes et leurs murs tout simples enduits de gris ou de couleurs délavées. Le village a un charme suranné et reste très calme en dehors des week-ends et de l'été : café tranquille, petits restaurants typiques sans oublier l'église Sant'Erasmu qui date du XVIIIᵉ siècle. Erbalunga est fidèle à ses traditions et tous les ans, le Jeudi et le Vendredi saints a lieu la "Cerca" qui réunit les hommes du village et des alentours pour une procession solennelle. Vous prendrez peut-être le temps d'emprunter la route magnifique qui fait le tour du Cap Corse pour rejoindre Nonza et Saint-Florent en passant par les jolis villages de Rogliano et de Centuri-Port.

♦ 55 habitants ♦ **Accès :** à 11 km N de Bastia par D 80 ♦ **Aux alentours :** Castello ; la chapelle Santa Maria Assunta (IXᵉ siècle) ♦ **Foires, festivités :** "Cerca" le Jeudi et le Vendredi saints ; Fête de la Saint-Érasme, patron des pêcheurs le 2 juin ♦ **Hôtel :** Hôtel Castel Brando (tél. 04.95.30.10.30), hôtel de charme, 10 chambres 380-530 F, 6 suites 530-830 F ♦ **Restaurant :** Le Pirate (tél. 04.95.33.24.20) ♦ **Mairie** (tél. 04.95.33.20.84).

NONZA
20217 Saint-Florent (Haute-Corse)

Lorsque l'on découvre le village de Nonza, perché sur son rocher, dominant la mer avec fierté, on a le souffle coupé ! Il est là depuis le Moyen Âge, serré autour de son église, protégé par la vieille tour édifiée en 1550, défiant le temps et les hommes. Les maisons aux toits de lauzes, de couleur gris délavé, bordent des ruelles pentues et s'agrippent jusqu'au rebord de la vertigineuse paroi en à-pic sur la mer. Il faut visiter l'église, dont l'autel baroque du XVIIe siècle et les orgues sont classés, aller voir les ruines de l'ancien couvent des Franciscains et surtout grimper jusqu'à la tour pour profiter du superbe panorama sur le golfe de Saint-Florent. Au pied de la falaise, une grande plage de sable noir fait un étonnant contraste avec le bleu du ciel, le rocher, la végétation et le petit village perché tout en haut. C'est à Nonza qu'est née sainte Julie, la patronne de la Corse.

♦ 86 habitants, 150 m d'altitude ♦ **Accès :** à 20 km N de Saint-Florent par la D 81 et D 80 ♦ **Aux alentours :** de ravissants hameaux et villages tout au long de la D 80 ; le petit port de Saint-Florent ♦ **Foires, festivités :** Semaine culturelle début août ; Fête du 15 août avec procession et illumination du village ♦ **Hôtels :** à Saint-Florent, Hôtel Bellevue (tél. 04.95.37.00.06) ; Dolce Notte (tél. 04.95.37.06.65) ♦ **Restaurant :** Auberge Patrizzi (tél. 04.95.37.82.16) ♦ **Mairie** (tél. 04.95.37.82.82).

LA PORTA (A PORTA)
20237 (Haute-Corse)

Entre Golu et Tavignanu, la Castagniccia, région plutôt secrète, développe sa succession de vallées profondes et de crêtes bien affirmées. Désormais inclus dans le périmètre du Parc Naturel Régional, ce vaste territoire se consacrait surtout à la culture du châtaignier : il lui doit son nom. Les multiples hameaux de schiste sont disposés sur les versants, à portée de voix les uns des autres. Ils survivent aujourd'hui dans une altière solitude. Chef-lieu traditionnel de la pieve de l'Ampugnani, La Porta est un beau village qui sait ménager ses effets : une grande place s'ouvre sur la vallée et les bois à perte de vue. Sur le côté, voici l'église San Ghjuvanbattistu et l'admirable campanile, chefs-d'œuvre indiscutés du baroque insulaire. Les fresques rococo et l'orgue de style italien (fin XVIIIe) sont de grande qualité. Depuis La Porta, on peut rallier les parages du San Petrone (1767 m) d'où le panorama s'étend jusqu'aux plus hauts sommets de l'île et jusqu'aux côtes de Toscane. Plus bas, la conque d'Orezza - avec ses sources et ses taillis, ses précieux sanctuaires baroques -, la vallée d'Alesani, ses nobles paysages et son couvent San Francescu. On peut y admirer le panneau dit "de la Vierge à la cerise", gracieuse réalisation siennoise du XVe siècle.

♦ 358 habitants, 530 m d'altitude ♦ **Accès :** à 60 km S de Bastia par N 193, N 198 et D 506 ♦ **Aux alentours :** le village de Piedicroce, ses églises et le couvent d'Orezza, les hameaux de Stazzona et de Carcheto ♦ **Foires, festivités :** Fête de la Saint-Jean-Baptiste le 29 août ; concerts d'orgues, chants lyriques dans l'église et expositions de peintures en été ♦ **Hôtel :** à Piedicroce (6 km) Le Refuge (tél. 04.95.35.82.65) 20 chambres 220-390 F, bon restaurant ♦ **Restaurant :** Restaurant de l'Ampugnani "Chez Risavetta" (tél. 04.95.39.22.00) délicieuse cuisine corse ♦ **Mairie** (tél. 04.95.39.21.48).

SANT'ANTONINO (Sant'Antuninu)
20220 L'Île-Rousse (Haute-Corse)

Le village de Sant'Antonino, l'un des plus hauts de Balagne, est perché sur un piton de granit à près de 500 mètres d'altitude. L'origine du village remonterait au IXe siècle, d'après la légende d'Ugo Colonna et de ses compagnons. A cette époque apparaissent en Balagne des "castra" qui, situées sur des points stratégiques, permettaient à leurs occupants de surveiller les vallées. Aujourd'hui, le village a gardé son aspect d'acropole en nid d'aigle. Ses maisons de granit se confondent avec le rocher. Massives, elles s'élèvent en hauteur pour compenser le manque d'espace au sol. Les rues sont étroites, entrecoupées de passages voûtés et d'escaliers. Un peu en contrebas, la petite église paroissiale, toute simple, possède un clocher à trois étages. Le village a été restauré peu à peu, les toitures ont été réparées, les murs relevés, les maisons rénovées ; mais Sant'Antonino a su garder son charme sauvage et rustique. Depuis le haut du village, la vue sur la vallée du Reginu, sur la Balagne et sur la mer est superbe.

♦ 60 habitants, 500 m d'altitude ♦ **Accès :** à 15 km S-O de L'Ile-Rousse par D 513, D 151 et D 413 ♦ **Aux alentours :** les villages de Pigna et de Lavatoggio ; la Balagne ; nombreux sentiers de randonnée ♦ **Foires, festivités :** Fête de la Madone des Grâces le 2 juillet ; Soirées musicales en août ; Fête de Saint-Antonin le 17 novembre ♦ **Hôtel :** à Monticello, la Bergerie (tél. 04.95.60.01.28), hôtel de charme, 19 chambres 250-450 F, restaurant ♦ **Restaurants :** La Taverne corse (tél. 04.95.61.70.15) ; Restaurant Bellevue (tél. 04.95.61.73.91) ♦ **Mairie** (tél. 04.95.61.78.38).

BONIFACIO (Bonifaziu)
20169 (Corse-du-Sud)

Place-forte spectaculaire, Bonifacio est une cité vénérable qui surprendra les plus blasés. Elle contrôle un détroit stratégique de la hauteur de ses falaises : passé l'archipel des Lavezzi, la Sardaigne est toute proche. Ici, l'audacieux Ulysse et ses compagnons ont eu à en découdre avec les géants Lestrygons. Quand l'Odyssée décrit un mouillage bien à l'abri de son rempart de roche, la coïncidence est des plus troublantes. Désormais, les quais de la Marine concentrent l'animation de la plaisance et de la pêche. Par une rampe très marquée, on accède à la Ville Haute avec ses bastions, ses murailles, formidables témoins de l'architecture défensive génoise. Défiant le vertige et les flots, certaines des maisons sont carrément posées sur les surplombs calcaires. L'entrelac des ruelles pousse à la promenade. Elle s'organise autour de la maison des Podestats et de Santa Maria Maggiore (XIIIe s.), avec son fin clocher, sa loggia élégante. Dans la Citadelle, à l'écart, le sanctuaire de San Dumenicu est la démonstration – exceptionnelle dans l'île – d'un bâti gothique très raffiné. Un peu plus avant, le couvent San Francescu et son église du XIVe bordent l'un des plus admirables cimetières marins qu'on puisse imaginer. Site et cité extraordinaire, à visiter absolument.

♦ 2745 habitants ♦ **Accès :** à 27 km S de Porto-Vecchio par N 198 ♦ **Aux alentours :** les grottes marines des falaises, le cap de Pertusato, le golfe de Sant'Amanza et le petit port de Gurgazu, les îles Lavezzi ♦ **Foires, festivités :** cérémonies de la Semaine Sainte avec procession des différentes confréries ♦ **Hôtels :** Hôtel Genovese (tél. 04.95.73.12.34) hôtel de charme, 14 chambres 700-1500 F ; Résidence du Centre Nautique (tél. 04.95.73.02.11) 10 chambres 450-950 F ♦ **Restaurants :** La Caravelle (tél. 04.95.73.06.47) très bon restaurant ; Le Voilier (tél. 04.95.73.07.06) ; Stella d'Oro (tél. 04.95.73.03.63) ; ♦ **S.I.** (tél. 04.95.73.11.88).

PIANA
20115 (Corse-du-Sud)

L e village de Piana est situé en surplomb sur le golfe de Porto, à proximité d'un lieu exceptionnel : les "calanche", calanques d'une beauté somptueuse mariant le bleu de la mer à tous les tons de rose et de rouge des falaises de granit. C'est un site classé d'intérêt mondial par l'Unesco, et il est entièrement protégé. L'origine du village remonte à 1725. Il est dominé par son église bâtie dans le style italien à la fin du XVIIIe siècle ; elle est agrémentée d'un très joli campanile. La promenade dans les ruelles étroites, bordées de maisons typiquement corses, est vraiment agréable. Partant de Piana, de nombreux circuits pédestres proposent de magnifiques randonnées dans tout le massif.

♦ 506 habitants, 438 m d'altitude ♦ **Accès :** à 12 km S-O de Porto par D 81 ♦ **Aux alentours :** nombreux sentiers de randonnée : circuit du Capu d'Ortu, de Mizzanu, de Palani ; le village d'Evisa (20 km E de Porto) ; la réserve naturelle de Scandola ♦ **Foires, festivités :** Fête patronale le 15 août avec procession à travers les rues du village ♦ Hôtels : Les Roches Rouges (tél. 04.95.27.81.81), hôtel de charme, 30 chambres 265-280 F, restaurant ♦ **Mairie** (tél. 04.95.27.80.28).

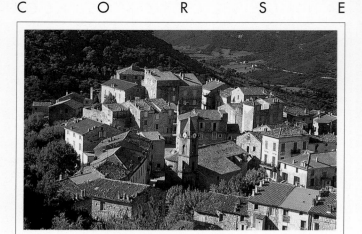

SAINTE-LUCIE-DE-TALLANO
(SANTA LUCIA DI TALLÀ)
20112 (Corse du Sud)

Voici les terres de l'Alta Rocca... Sainte-Lucie domine une vallée dont les pans successifs couverts de chênes-lièges et d'oliviers s'inscrivent dans la lumière. Des hameaux sont éparpillés, çà et là, dans la verdure près de rochers escarpés. L'architecture traditionnelle, ici, a la maîtrise du granit qui a servi à édifier de vastes maisons-blocs aux toits de tuiles rose éteint. Tout semble fait pour la défense et l'austérité, pour le repli et les secrets, l'intimité. Les ruelles sont très étroites et les façades des demeures magnifiques. Certaines, avec mâchicoulis, affirment leur origine médiévale. Comme souvent en Corse, la grand-place ouvre sur le vaste panorama d'une nature magistrale. Le grand seigneur du lieu fut, à la fin du XVe siècle, Rinuccio della Rocca. Il a fondé le couvent San Francescu et l'a doté de deux splendides œuvres du maître de Castelsardo et de son atelier. Un peu plus loin dans les collines, au hameau de Poggio, on peut admirer une ravissante église romane du XVIIe siècle et son appareil raffiné de dalles de granit blond. Au-delà encore se trouvent les entassements de pierre du Castellu de Cucuruzzu, un oppidum torréen de l'Age du bronze, puis Levie (Livia) et ses trésors d'archéologie, Carbini et son église romane à campanile fort admirée de Mérimée...

♦ 424 habitants, 410 m d'altitude ♦ **Accès :** à 21 km E de Propriano par N 196 et D 268 ♦ **Aux alentours :** la chapelle Saint-Jean-Baptiste, Levie, le hameau de Poggio ♦ **Foires, festivités :** concert de chants polyphoniques au couvent San Francescu en été ; journée artisanale en juillet ♦ **Hôtel :** Sole i Monti (tél. 04.95.78.62.53), restaurant, délicieuse cuisine corse ♦ **Restaurant :** à Levie (8 km) A Pignata (tél. 04.95.78.41.90) ♦ **Mairie** (tél. 04.95.78.80.54)

La région du Languedoc-Roussillon est pleine de contrastes, les paysages les plus différents se succèdent, aussi magnifiques les uns que les autres.

Au nord, les plateaux calcaires des Causses, lieux rudes et solitaires, troués de vallées encaissées, enserrant les splendides gorges du Tarn. Puis, plus bas, on découvre les âpres Cévennes culminant à 1702 mètres d'altitude au Mont Lozère. Leurs pentes sont boisées de châtaigniers ou couvertes de maigres pâturages à moutons. Plus au sud, la riante plaine du Languedoc couverte de vignes descend jusqu'à la Méditerranée.

Les villages perchés ou fortifiés, regroupés autour de leur château ou de leur abbaye, s'intègrent parfaitement au paysage qui les entoure : les maisons ont des toits de lauzes et de schiste, des murs de granit, de pierre grise ou dorée, de calcaire ; les couleurs sont plus austères au nord, plus vives au sud.

Partout les vestiges du passé abondent : châteaux forts perchés à l'entrée des canyons et des vallées, églises romanes parfois fortifiées, demeures d'époque Renaissance.

LAGRASSE
11220 (Aude)

En pleines Corbières, Lagrasse s'inscrit dans un paysage de vignes et de collines. On suppose que c'est Charlemagne qui fit construire là une abbaye en 799. Dès le XIIe siècle, le village déborda sur la rive opposée de l'Orbieu, reliée par un pont qui est toujours là, et se protégea pendant la guerre de Cent Ans avec des fortifications dont on peut voir de beaux vestiges. Ici, l'habitat est simple, les murs sont en pierre calcaire, les toits en tuiles canal, et l'on peut voir encore certaines maisons qui datent du XIVe siècle. Les demeures construites sur les remparts longeant la rivière sont de toute beauté. On peut se promener dans les ruelles étroites, découvrir un puits, des fenêtres à meneaux ou bien visiter l'église et admirer les halles qui sont du XIVe siècle. Lagrasse a toujours vécu de l'artisanat, mais aujourd'hui, c'est surtout son bon vin de Corbières et le tourisme qui sont ses principales sources de revenus.

♦ 725 habitants, 108 m d'altitude ♦ **Accès :** à 41 km S-O de Narbonne par N 113, D 613 et D 3 ♦ **Aux alentours :** l'abbaye de Fontfroide ; par la D 212, les sites impressionnants et les vestiges des châteaux de Termes et de Durfort (18 km environ) ; les magnifiques châteaux de Peyrepertuse et de Quéribus (50 km environ) ♦ **Hôtels :** à Ornaisons (25 km N-E), Relais du Val d'Orbieu (tél. 04.68.27.10.27), hôtel de charme, 15 chambres 490-790 F, restaurant ; à Carcassonne, Hôtel Dame Carcas (tél. 04.68.71.37.37), hôtel de charme, 30 chambres 400-600 F ♦ **Mairie** (tél. 04.68.43.10.05).

AIGUÈZE
30760 (Gard)

Aiguèze est un minuscule village médiéval construit sur un éperon rocheux, en surplomb des gorges de l'Ardèche. On découvre de loin, depuis Saint-Martin-d'Ardèche sur l'autre rive, son ancien donjon, sa tour sarrasine, son clocher et son chemin de ronde vestige de l'ancienne forteresse. Et puis l'on s'approche, et l'on est saisi par l'aspect doux et riant du site, par l'heureux mariage de la pierre des constructions et du rocher, par l'étonnante ampleur de la place pour un si petit village, par l'authenticité des maisons anciennes qui se restaurent peu à peu, par le calme de ses ruelles entrecoupées d'arceaux. La Grand'Rue est pavée comme autrefois et quelques maisons montrent avec fierté leur façade Renaissance. L'église, accolée à la falaise, date du XVIe siècle ; elle a malheureusement été coiffée d'une lourde flèche XIXe qui écrase son clocher, mais elle a un joli portail. Des fortifications érigées sur ordre de Charles Martel, il ne reste que les deux tours crênelées défiant le temps. On peut descendre ensuite par un pittoresque escalier taillé dans le rocher jusqu'aux berges de l'Ardèche et admirer la vue superbe sur la garrigue, l'eau miroitante et les vieux murs couverts de vigne vierge, tout cela sur un fond de ciel très bleu. Un petit village hors des sentiers battus, à ne pas oublier !

♦ 215 habitants ♦ **Accès :** à 18 km O de Bollène par D 994, N 86, D 901 et D 180 à droite ♦ **Aux alentours :** les gorges de l'Ardèche ♦ **Hôtels :** Le Rustic (tél. 04.66.82.13.05) ; Résidence Le Castellas (tél. 04.66.82.18.76) ♦ **Restaurants :** Auberge Sarrasine (tél. 04.66.82.17.26) et un jazz-bar Espace Soleil Bleu (tél. 04.66.82.10.83) ♦ **Mairie :** (tél. 04.66.82.14.77).

CASTILLON-DU-GARD
30210 Remoulins (Gard)

Perché sur un escarpement rocheux, face au merveilleux Pont du Gard, le village médiéval de Castillon domine une plaine plantée de vignes et d'arbres fruitiers (cerisiers notamment). Les maisons moyenâgeuses de belle pierre dorée (la même pierre servit à la construction du Pont du Gard en 35 av. J.-C.), aux toits de tuiles rondes à génoises, sont resserrées à l'intérieur des remparts. Les ruelles, rue des Marchands, rue de la Citernasse, parfois entre-coupées d'arcades et toutes fleuries permettent une agréable flânerie. Vous admirerez aussi le presbytère, ancienne église romane, avec sa tour carrée et son clocheton à balustres. Vous pourrez visiter les caves et les ateliers de tailleurs de pierre, faire une halte au bistrot du village, déjeuner ou dîner dans les restaurants réputés de Castillon. En bas, dans le vallon, il faut voir la chapelle romane Saint-Caprais toute simple et tranquille. Castillon-du-Gard est un merveilleux village, restauré de manière très authentique (certaines maisons sont classées), qui a conservé tout le charme de son passé moyenâgeux.

♦ 750 habitants, 90 m d'altitude ♦ **Accès :** à 4 km N de Pont-du-Gard par D 19 et D 228 ♦ **Aux alentours :** le Pont du Gard ; le village de Vers ; Uzès ♦ **Foires, festivités :** "Automne musical" en septembre-octobre (concerts dans la chapelle de Saint-Caprais) ; "Soirées musicales" d'octobre à décembre à l'hôtel Le Vieux Castillon ♦ **Hôtels :** Le Vieux Castillon (tél. 04.66.37.00.77), 33 chambres 620-1290 F, restaurant gastronomique ; à Vers (3 km) Le Grand Logis (tél. 04.66.22.92.12), maison d'hôtes de charme, 3 chambres 250-300 F ♦ **Mairie** (tél. 04.66.37.12.74) - **S. I.** (tél. 04.66.37.11.11 en été).

COLLIAS
30210 (Gard)

Collias étage ses maisons sur un plateau qui surplombe le Gardon à son confluent avec l'Alzon, là où la vallée s'élargit et forme une petite plaine plantée de cerisiers. La nature est splendide, c'est le paradis des amateurs d'eaux vives, de baignades ou de randonnées. Les maisons typiquement languedociennes ont des murs de pierres sèches et de beaux toits de tuiles roses ; elles se pressent autour de l'église bâtie au XIIe siècle. Le village est tout simple et a gardé sa vocation agricole malgré le développement du tourisme. Du pont qui enjambe le Gardon, vous pourrez jouir d'une très belle vue sur le village, le paysage de la rivière, les plages de sable et de galets. Aux alentours de Collias, dans toute la vallée du Gardon et dans l'arrière-pays, se trouvent de nombreuses grottes et plusieurs sites préhistoriques.

♦ 756 habitants, 65 m d'altitude ♦ **Accès :** à 7 km O de Pont-du-Gard par D 112 ♦ **A voir :** la chapelle de l'Hermitage ♦ **Aux alentours :** le Pont du Gard (4 km) ; Uzès ; les gorges du Gardon ♦ **Foires, festivités :** marché le mercredi matin ; Fête votive le 1er dimanche d'août ♦ **Hôtel :** Hostellerie Le Castellas (tél. 04.66.22.88.88), hôtel de charme, 15 chambres 400-590 F, restaurant ♦ **Mairie** (tél. 04.66.22.80.91) - **S. I.** (tél. 04.66.37.22.34).

LUSSAN
30580 (Gard)

Isolé dans un paysage de garrigues, tout près des gorges de l'Aiguillon, Lussan est un village perché qui a gardé de son passé des vestiges d'enceintes, de vieilles maisons pittoresques et un château à quatre tours rondes. Le château que nous admirons aujourd'hui fut construit au XVe siècle sur les bases de la première forteresse du XIe siècle (à l'intérieur, statue de la source de Fan). Depuis l'esplanade, on découvre une très belle vue sur tous les environs. Dans les ruelles parfois entrecoupées de passages voûtés, on peut voir de vieilles maisons aux pierres jointives, ornées de vigne vierge ou de rosiers grimpants. Il y a aussi un temple, bâtisse rectangulaire toute simple. Autrefois, Lussan était un village prospère et animé (filatures pour la laine et la soie, nombreux artisans). Aujourd'hui, c'est un petit bourg tranquille, mais il a conservé tout son charme et la promenade y est bien agréable.

♦ 365 habitants, 300 m d'altitude ♦ **Accès :** à 29 km E d'Alès par D 6 et D 979 ; à 17 km N d'Uzès par D 979 ♦ **Aux alentours :** Uzès (17 km S) ; de nombreux villages dans la vallée de la Cèze (Saint-André-de-Roquepertuis, Montclus) et près des gorges de l'Ardèche (Le Garn, Saint-Julien-de-Peyrola, Saint-Paulet-de-Caisson) ♦ **Foires, festivités :** Fête votive le dernier week-end de juillet ; Fête des Concluses le lundi de Pâques ; Foire à la brocante le 15 août ♦ **Hôtels :** Beth (tél. 04.66.72.94.80), maison d'hôtes de charme, 3 chambres 300 F ; Mas des Garrigues (tél. 04.66.72.91.18), maison d'hôtes de charme, 4 chambres 240-300 F, table d'hôtes ; à Uzès, Hôtel d'Entraigues (tél. 04.66.22.32.68), hôtel de charme, 36 chambres 195-650 F, restaurant ♦ **Restaurant :** Auberge de la Treille (tél. 04.66.72.90.26) ♦ **Mairie** (tél. 04.66.72.90.58).

LA ROQUE-SUR-CÈZE
30200 (Gard)

Pour atteindre le village de La Roque, on franchit la Cèze par un vieux pont moyenâgeux à douze arches. Le village apparaît alors dans toute sa beauté : sur un arrière-fond de garrigues, sur un roc dominant la rivière, les maisons toutes dorées se détachent, harmonieuses et claires, protégées par le château du XIIᵉ siècle et l'église romane, tout en haut. L'ensemble est parsemé de cyprès, ce qui lui donne l'aspect des villages de Toscane. Tout a été amoureusement restauré, tout est joli. Là encore des maisons anciennes aux murs de pierres jointives, avec des arcades ou des galeries et de ravissants toits de tuiles beige rosé à génoises, des ruelles caladées et pentues, tout le charme des villages restés authentiques. En contrebas du bourg une seconde église construite au XIXᵉ siècle. Précieux village resté intact dans son écrin de garrigues.

♦ 154 habitants, 103 m d'altitude ♦ **Accès :** à 14 km O de Bagnols-sur-Cèze par D 980 et D 166 ♦ **Aux alentours :** les gorges de la Cèze, les cascades du Sautadet, les villages de Cornillon et de Goudargues ♦ **Hôtel :** à Cornillon-du-Gard (10 km N-O), La Vieille Fontaine (tél. 04.66.82.20.56), hôtel de charme, 8 chambres 550-850 F, restaurant ♦ **Mairie** (tél. 04.66.82.77.46).

MINERVE
34210 (Hérault)

À la sortie des gorges de la Cesse et du Briant, là où les eaux des deux rivières se rejoignent, Minerve apparaît, à l'extrémité d'un plateau calcaire bordé de falaises abruptes, dans un fantastique paysage minéral et tourmenté. Le site est fréquenté depuis le paléolithique, quant au village, son origine semble antérieure à la forteresse des vicomtes du Minervois construite au XIᵉ siècle. Reliée au causse par un pont-levis, celle-ci sera, en 1210, l'un des bastions cathares assiégés par Simon de Montfort. Outre les vestiges du château (XIIᵉ et XIIIᵉ siècles), il faut voir le puits Saint-Rustique, car c'est sa destruction qui provoqua la reddition de Minerve. Il faut aussi visiter l'église romane (dont certains vestiges datent du Vᵉ siècle) et le musée archéologique, parcourir les ruelles du village bordées d'antiques maisons sobrement construites en pierre du causse et goûter le vin local, produit depuis des siècles par les vignerons minervois.

♦ 106 habitants, 150 m d'altitude ♦ **Accès :** à 45 km O de Béziers par D 11, D 607 - Aigues-Vives et D 907 ♦ **A voir :** musée archéologique (tél. 04.68.91.22.92) ♦ **Aux alentours :** les villages d'Aigne (XIᵉ s.) et de Cessenas ♦ **Foires, festivités :** marché le mardi matin à Olonzac ; Festival du Minervois en août ♦ **Hôtel :** Relais Chantovent (tél. 04.68.91.14.18), hôtel de charme, 17 chambres 180-220 F, restaurant ♦ **Restaurant :** à Olonzac, le Minervois Bel (tél. 04.68.91.20.73) ♦ **Mairie** (tél. 04.68.91.22.92) - **S. I.** (tél. 04.68.91.22.90).

ROQUEBRUN
34460 (Hérault)

S itué dans le Parc régional du Haut Languedoc, Roquebrun étage ses maisons de pierres jusqu'aux bords de l'Orb. Ici, le paysage prend des allures méditerranéennes : oliviers, chênes, cyprès, figuiers et vignes (qui produisent de très bons vins AOC Saint-Chinian) poussent sans contrainte dans cette vallée bien abritée et Roquebrun est fier de ses mimosas et de ses orangers qui s'épanouissent en pleine terre lui donnant un petit air de Côte d'Azur. Tout en haut du village, on peut admirer l'église du XVIIe siècle qui a conservé des parties plus anciennes et la vieille tour moyenâgeuse ruinée qui rappelle que le site fut autrefois fortifié.

553 habitants, 90 m d'altitude ♦ **Accès :** à 30 km N de Béziers par D14 ♦ **A voir :** le jardin méditerranéen (tél. 04.67.89.55.29), le musée des Moulins ♦ **Aux alentours :** les gorges d'Héric, les monts de l'Espinouse, les villages moyenâgeux de Ceps (4 km) et Vieussan (9 km) ♦ **Foires, festivités :** marché le mardi et le vendredi matin ; foire des produits du terroir le 5 août ♦ **Hôtels :** à Olargues (20 km N-O) Domaine de Rieumégé (tél. 04.67.97.73.99) hôtel de charme, 14 chambres 320-780 F, restaurant ♦ **Mairie** (tél. 04.67.89.64.54).

SAINT-GUILHEM-LE-DÉSERT
34150 (Hérault)

Saint-Guilhem occupe un site exceptionnel à l'entrée des gorges du Verdus. Le village est installé dans un petit vallon bordé de parois rocheuses. Guilhem était le petit-fils de Charles Martel et le compagnon de Charlemagne. Il accompagna l'empereur au cours de maintes expéditions, puis, lassé de la guerre et de la violence, il abandonna le monde pour se consacrer à Dieu. Il édifia un monastère dans cette vallée sauvage et isolée, et y déposa une précieuse relique offerte par Charlemagne : un morceau de la vraie Croix (aujourd'hui exposée dans l'abside nord de l'église). Jusqu'au XIIIe siècle, forte de la renommée de son fondateur, l'abbaye eut un grand rayonnement et le village se développa. Aujourd'hui, de l'abbaye, il ne reste que la très belle église du XIe siècle, et les galeries nord et ouest du cloître (le cloître a été vendu et reconstitué à New York). Le village a conservé de magnifiques maisons avec des fenêtres géminées, des linteaux gothiques, des meneaux Renaissance, des portes sculptées. Plus haut, à flanc de montagne, on peut marcher jusqu'aux ruines du château de Don Juan d'où la vue sur les gorges et le cirque de l'Infernet est splendide. Le village de Saint-Guilhem a un charme magique.

♦ 194 habitants, 100 m d'altitude ♦ **Accès :** à 50 km N-O de Montpellier par N 109 - Gignac D 32 et D 27 ♦ **A voir :** le musée lapidaire et le musée des Métiers d'autrefois ♦ **Aux alentours :** les gorges de la Buèges ; le village de Saint-Jean-de-Buèges (20 km N-E par D 4 et D 122) ♦ **Foires, festivités :** Saison musicale en juillet et août ♦ **Hôtels :** à Popian (16 km S) L'Impasse (tél. 04.67.57.68.34), maison d'hôtes de charme, 4 chambres 240-350 F ♦ **Mairie** (tél. 04.67.57.70.17) - **S. I.** (tél. 04.67.57.44.33).

LA SALVETAT-SUR-AGOUT
34330 (Hérault)

En plein cœur du parc régional du Haut-Languedoc, ce village est perché sur un piton rocheux à plus de 600 mètres d'altitude au-dessus du confluent de la Sèvre et de l'Agout. Son origine remonte au XIᵉ siècle lorsqu'une "sauveté" fut créée à côté d'un prieuré. Il constituait autrefois pour les pèlerins une étape sur le chemin de Saint-Jacques-de-Compostelle et un lieu de refuge. De son passé, La Salvetat a gardé des ruelles pentues, des maisons coiffées d'ardoises et des vestiges de portes (la Portanelle) et de tours des anciens remparts. Aujourd'hui, c'est une station touristique appréciée pour son superbe environnement, ses lacs et ses nombreuses possibilités sportives. Le village fait partie de l'Association des plus beaux villages de France.

♦ 1160 habitants, 700 m d'altitude ♦ **Accès :** à 56 km N-E de Mazamet par N 112, Saint-Pons, et D 907 ♦ **Aux alentours :** le village de Fraisse-sur-Agout (9 km E) ; les magnifiques lacs de Vézoles, La Ravièges et du Laouzas ♦ **Foires, festivités :** marché le jeudi matin, foire le 29 de chaque mois ; Foire des produits du terroir le 2ᵉ dimanche d'août ; Fête de la moisson le 15 août ♦ **Hôtel :** près d'Olargues (23 km S-E), Domaine de Rieumégé (tél. 04.67.97.73.99), hôtel de charme, 14 chambres 318-518 F, restaurant ♦ **Restaurant :** au Soulié (10 km S) Le Moulin de Vergouniac (tél. 04.67.97.05.62) ♦ **Mairie** (tél. 04.67.97.61.47) - **S. I.** (tél. 04.67.97.64.44).

SAINTE-ÉNIMIE
48210 (Lozère)

Au cœur des gorges du Tarn, le village de Sainte-Énimie étage ses maisons sur les pentes verdoyantes d'un étroit canyon. Le village doit son nom à la princesse Énimie, fille de Clotaire Ier et sœur de Dagobert. Atteinte de la lèpre, elle apprit qu'elle guérirait grâce à l'eau d'une source de la vallée du Gévaudan. Le miracle eut lieu, et Énimie fonda un monastère à cet emplacement. Le village s'est développé au pied de l'abbaye. Ses ruelles en pente, aux petits pavés, sont bordées de pittoresques maisons moyenâgeuses. La promenade est charmante ; sur la place, on peut voir une maison du XIe siècle admirablement restaurée. L'église du XIIe siècle a été plusieurs fois remaniée ; à l'intérieur, on peut voir de très belles statues des XIIe et XVe siècles. Tout en haut du village, l'abbaye, incendiée à la Révolution, a été en partie restaurée. Les bâtiments anciens comprennent trois salles, dont une salle capitulaire romane. Tout à côté, la chapelle Sainte-Madeleine. En souvenir d'Énimie, vous pourrez aller jusqu'à la source de Burle, ou monter jusqu'à l'Ermitage d'où la vue sur la vallée et les gorges est superbe.

♦ 500 habitants, 470 m d'altitude ♦ **Accès :** à 27,5 km S de Mende par N 88 et D 986 ♦ **A voir :** le "Vieux Logis" (musée folklorique) ♦ **Aux alentours :** les gorges du Tarn ; sur la D 907bis, les villages de Saint-Chély, de La Malène, de Prades et de Castelbouc ♦ **Hôtels :** à Meyrueis (29 km S) Château d'Ayres (tél. 04.66.45.60.10), hôtel de charme, 22 chambres 360-800 F, restaurant ; à Compeyre (48 km S-O par la magnifique D 907 longeant les gorges du Tarn) Ferme-Auberge de Quiers (tél. 04.65.59.85.10), maison d'hôtes de charme, 6 chambres 200-300 F, table d'hôtes ♦ **Restaurant :** Auberge du Moulin (tél. 04.66.48.53.08) ♦ **Mairie** (tél. 04.66.48.50.09) - **S. I.** (tél. 04.66.48.53.44).

CASTELNOU
66300 (Pyrénées-Orientales)

Au centre d'un magnifique cirque de collines, sur les derniers contreforts du Canigou, Castelnou offre la vision superbe d'un petit village fortifié couronné par les tours crénelées de son château. Tout le village est merveilleusement conservé ; à l'intérieur des remparts qui datent du XIIIᵉ siècle, on trouve des ruelles escarpées, pavées, et des maisons de pierres ocre et dorées amoureusement restaurées, décorées d'escaliers inégaux et d'un joyeux fouillis de lauriers-roses, de figuiers et de lierre. Il y a des boutiques d'artisanat et des restaurants, juste ce qu'il faut pour rendre le village accueillant et gai. A l'extérieur de l'enceinte, l'église romane ombragée de cyprès et la tour de guet offrent un spectacle harmonieux et paisible. L'ensemble est d'une grande beauté et remarquablement intact. Castelnou est un village exceptionnel, l'un des plus beaux sites du Roussillon.

◆ 278 habitants, 350 m d'altitude ◆ **Accès :** à 17 km S-O de Perpignan par D 612A, Thuir, et D 48 ◆ **Aux alentours :** l'église de Fontcouverte, L'Ille-sur-Têt (12 km N) ; le village de Bélesta (21 km N) ◆ **Foires, festivités :** Foire au miel en septembre ◆ **Hôtels :** à Caixas (9 km S), Mas Cammas (tél. 04.68.38.82.27), maison d'hôtes de charme, 2 chambres 460 F, 3 suites 660 F, restaurant ; Mas Saint-Jacques (tél. 04.68.38.87.83), maison d'hôtes de charme, 4 chambres 295 F, 1 suite 550 F ◆ **Restaurants :** La Poterie (tél. 04.68.53.45.75) ; L'Hostal (tél. 04.68.53.45.42) ◆ **Mairie** (tél. 04.68.53.45.72).

EUS
66500 Prades (Pyrénées-Orientales)

Entre la vallée du Conflent et le mont Canigou coiffé de neiges éternelles, Eus (prononcez Éousse), fut construit dans un but défensif sur un mamelon jadis dominé par le château des comtes de Cerdagne. Celui-ci fut remplacé au XVIe siècle par une imposante église typique du style régional, qui contient un retable d'une exceptionnelle qualité. Pour sa construction, les ouvriers utilisèrent les pierres du château ainsi qu'en témoignent les pans de murs qui l'entourent. C'est de cet ancien chemin de ronde que l'on profite des plus beaux points de vue sur la région. Dans le village, les rues étroites et pentues sont pavées de galets ; elles sont bordées de maisons anciennes souvent bien restaurées par les actuels habitants, agriculteurs ou artisans. A la sortie du village, près du cimetière, se trouve une très belle chapelle romane comprenant deux nefs parallèles et un portail en marbre. Avant de quitter la vallée, un dernier regard permet d'embrasser l'ensemble homogène de ce très beau village.

♦ 363 habitants, 350 m d'altitude ♦ **Accès :** à 39 km O de Perpignan par N 116 et D 35 ♦ **Aux alentours :** le village de Marcevol (10 km N-E) ; Saint-Michel-de-Cuxa ; Saint-Martin-du-Canigou ♦ **Foires, festivités :** Fête de l'été le dimanche après le 14 juillet (folklore catalan) ; Fête de la pêche le premier week-end d'août ♦ **Hôtels :** à Molitg-les-Bains (6 km O), Château de Riell (tél. 04.68.05.04.40), Relais et Châteaux, 19 chambres 950-1200 F, restaurant gastronomique ; Grand Hôtel Thermal (tél. 04.68.05.02.91) 51 chambres 145-500 F ♦ **Restaurant :** Grangousier (tél. 04.68.96.28.32) ♦ **Mairie - S. I.** (tél. 04.68.96.06.27).

PRATS-DE-MOLLO
66230 (Pyrénées-Orientales)

Ce sont des moines de l'abbaye d'Arles-sur-Tech d'origine andalouse qui s'installèrent dans ce cirque montagneux et construisirent sur les prats (les prés) une chapelle et une maison d'hôtes. Le village se développa sur la rive droite du torrent et s'entoura de remparts, en partie détruits par un tremblement de terre en 1428. Vauban les renforça en 1683 et fit construire un fort, le fort Lagarde qui est toujours là. La ville basse se blottit autour de sa belle église du XVIIe siècle qui a gardé des éléments de l'église romane d'origine, notamment son clocher à créneaux (à l'intérieur, beau retable en bois doré). La ville haute offre des ruelles moyenâgeuses à caniveau central, bordées de hautes maisons aux toits de tuiles roses. Admirez la belle place del Rey, puis montez l'escalier en pierre sculptée pour voir la maison des rois d'Aragon et profiter du magnifique panorama. Vous pourrez ensuite sortir par la porte d'Espagne en contrebas et, de là, vous aurez un superbe point de vue sur la ville close.

♦ 1107 habitants, 750 m d'altitude ♦ **Accès :** à 61 km S-O de Perpignan par A 9 sortie Le Boulou et D 115 ♦ **A voir :** le musée Vauban au fort Lagarde (tél. 04.68.39.74.90) ♦ **Aux alentours :** la pittoresque route des cols de la Seille, de la Guille et d'Ares ; les tours de Cabrens à Serralongue ♦ **Foires, festivités :** marché le mercredi et le vendredi ; Carnaval et Journée de l'ours en février ; foires le 1er dimanche de juin, le 14 octobre et le 1er dimanche de décembre ; Fête du village les 17 et 18 juillet ♦ **Hôtel :** Park Hôtel d'Estamarius (tél. 04.68.39.70.04) 53 chambres 125-285 F ♦ **Restaurants :** Les Touristes (tél. 04.68.39.72.12) ; La Crémaillère (tél. 04.68.39.70.62) ♦ **Mairie** (tél. 04.68.39.72.11) - **S. I.** (tél. 04.68.39.70.83).

VILLEFRANCHE-DE-CONFLENT
66500 Prades (Pyrénées-Orientales)

Au XIe siècle, le puissant comte de Cerdagne, opposé au comte de Roussillon, trouve en Villefranche un site stratégique permettant de verrouiller la vallée. La ville est en effet profondément encaissée au confluent des deux rivières. Aussitôt fortifiée, elle commence à jouer son rôle défensif et conservera longtemps cette vocation. A la fin de la guerre de Trente Ans, la France gagne le Roussillon et la Cerdagne. Villefranche devient un poste clé, très vite modernisé par Vauban, qui revoit les fortifications, creuse un réseau de galeries et construit le fort Libéria qui, à flanc de montagne, domine et protège la cité. Entièrement édifiée à partir de marbre rose et de ses dérivés, Villefranche est d'une totale unité. Chaque époque, du XIe au XVIIe siècle, a contribué à son embellissement. Du haut Moyen Âge, il reste la tour d'"En Solenell", et l'enceinte sud avec son chemin de ronde voûté, pris dans l'épaisseur du mur. L'église Saint-Jacques, au superbe portail roman en marbre rose et au riche mobilier, date du XVIIe siècle, ainsi que les quatre tours rondes qui renforcent l'enceinte, le beffroi et plusieurs maisons de notables. Les six bastions d'angle furent construits sous Vauban, la porte d'Espagne et la porte de France édifiées sous Louis XVI. Un ensemble médiéval intact et exceptionnel.

♦ 250 habitants, 430 m d'altitude ♦ **Accès :** à 49 km S-O de Perpignan par N 116 ♦ **Aux alentours :** Vernet-les-Bains (5 km S) ; l'abbaye de Saint-Martin-du-Canigou (7 km S) et l'abbaye de Saint-Michel-de-Cuxa ♦ **Foires, festivités :** Fête des fleurs et des gourmandises catalanes le lundi de Pâques ; Fête de la Saint-Jacques fin juillet ; Fête de la Saint-Luc (fête du patrimoine) le 18 octobre ♦ **Hôtel :** à Mont-Louis (30 km S-O), Lou Roubaillou (tél. 04.68.04.23.26), hôtel de charme, 14 chambres 150-300 F ♦ **Restaurant :** Au Grill (tél. 04.68.96.17.65) ♦ **Mairie** (tél. 04.68.96.10.78) - **S. I.** (tél. 04.68.96.22.96).

Les contreforts du Massif Central, les Pyrénées en toile de fond confèrent souvent aux paysages de la région Midi-Pyrénées un caractère plus rude, plus austère que ceux d'Aquitaine. Ici, les maisons se coiffent de lauzes brunes, d'ardoises ; parfois, elles s'en cuirassent pour se protéger des intempéries. Et la tuile romaine est souveraine dès que l'on aborde les sites ensoleillés si évocateurs de l'ancienne colonie. Le bois, ici aussi, est très présent ; vertigineuses et artistiques constructions de toitures, colombages souvent prétexte d'ornement, sculptures aux colonnes des cloîtres ou des couverts. L'imagination artistique est immense. La brique cuite, les galets de la Garonne sont assemblés en effets savants lorsque l'artiste n'a pas eu à sa disposition la pierre de taille. L'évocation historique nous est imposée sans cesse : remparts encore debout, puissants châteaux perchés en sentinelle, tout rappelle les temps dangereux. Pourtant les seules invasions, souhaitées cette fois, sont celles de touristes amoureux de la beauté du Midi-Pyrénées.

CAMON
09500 (Ariège)

L'Hers court à l'abri de sa vallée dans un paysage de coteaux boisés, dans cette partie de l'Ariège à vocation mi-agricole, mi-forestière. Dès 778, le monastère de Camon est fondé dans une boucle de la vallée. L'abbaye deviendra au Xᵉ siècle un simple prieuré. En 1279, Camon fut détruit par une inondation. Il fut reconstruit à l'image des forteresses royales dès 1316. Il faut attendre l'avènement de Philippe de Lévis, évêque de Mirepoix, pour voir à nouveau une ère prospère. De grands travaux sont entrepris : un mur d'enceinte entoure le village, une puissante tour rectangulaire est édifiée. Ce sera le "château". Les prieurs qui se succéderont aux XVIIᵉ et XVIIIᵉ siècles embelliront leur église et les bâtiments conventuels. Malheureusement, en 1791, le prieuré est vendu comme "bien national". On aborde le village par la porte voûtée de l'église. Il est charmant, coiffé de tuiles romanes, et encadre son château. Une promenade longe les remparts, où s'adosse la "maison haute", qui date du XVIᵉ siècle, embellie au XVIIIᵉ. Sa façade, en pierre et bois, est percée d'une belle porte cloutée et de fenêtres à meneaux. A voir aussi une tour ronde accolée aux remparts, sur ordre du cardinal Georges d'Armagnac. L'église renferme des trésors : peintures, objets sacerdotaux, mobilier, tout cela classé et répertorié aux Monuments historiques.

♦ 125 habitants, 380 m d'altitude ♦ **Accès :** à 55 km S-O de Carcassonne par D 119, D 625 et D 7 ♦ **Foires, festivités :** "L'Abbaye en musique" (nombreux concerts en juillet et août, expositions d'art en été) ♦ **Hôtel :** Château de Camon (tél. 05.61.68.14.05), maison d'hôtes de charme, 7 chambres 500-1000 F, table d'hôtes sur réservation ♦ **Restaurants :** La Tartine (tél. 05.61.68.28.28), La Table du Prieur (tél. 05.61.68.21.40), La Bergerie (tél. 05.61.68.83.00) ♦ **Mairie** (tél. 05.61.68.12.07).

MIREPOIX
09500 (Ariège)

L a petite ville de Mirepoix est sur la route qui va de Carcassonne à Lourdes. Son histoire remonte aux Celtes, mais c'est au Moyen Âge, après la destruction de la cité par une inondation, que la ville abandonna les bords de l'Hers et fut rebâtie en des lieux plus sûrs, sur le modèle des villes modernes : axes perpendiculaires divisant le quadrilatère en vingt-huit îlots ou "moulons". La beauté de Mirepoix se réclame surtout de l'époque fastueuse de son évêché, les plus belles maisons datent des XIVe et XVe siècles. Après le traité de Brétigny, des bandes de routiers dévastant le pays, des remparts seront édifiés (1364) pour assurer à la ville une meilleure protection. De nos jours, il ne reste comme témoin que la porte d'Aval. La place est entièrement entourée de galeries de bois. Les couverts reposent sur de solides poteaux carrés en cœur de chêne. Sur le "grand couvert" furent édifiés la maison de Justice du Seigneur, devenue maison des Consuls, et l'Hôtel de Ville (1692). La cathédrale gothique fait, à juste titre, la fierté des habitants. Le porche et le clocher (fin XVe, début XVIe siècle) sont dus à Philippe de Lévis, évêque de Mirepoix. Il fit également construire le palais épiscopal.

♦ 3578 habitants, 308 m d'altitude ♦ **Accès :** à 34 km N-E de Foix par N 20, D 12 et D 119 ♦ **A voir :** le musée du Vélo à la mairie ♦ **Foires, festivités :** marché le lundi et le jeudi matin ; Foire à la brocante et Salon de la carte postale à la Pentecôte ; Semaine médiévale 2e quinzaine de juillet ; Festival de marionnettes début août ♦ **Hôtels :** à Saint-Félix-de-Tournegat (12 km N-O) Domaine de Montagnac (tél. 05.61.68.72.75), maison d'hôtes de charme, 8 chambres 270-320 F, table d'hôtes ; à Camon (15 km S-E) Château de Camon (tél. 05.61.68.14.05), maison d'hôtes de charme, 7 chambres 500-1000 F, table d'hôtes ♦ **Restaurant :** Le Colombage (tél. 05.61.68.17.70) ♦ **Mairie** (tél. 05.61.68.10.47) - **S. I.** (tél. 05.61.68.83.76)

SAINT-LIZIER
09190 (Ariège)

Situé dans la vallée du Salat, Saint-Lizier apparaît, dominé par l'imposante silhouette du Palais des Évêques (XIVe s.), face aux pics enneigés des Pyrénées. C'était autrefois la capitale religieuse du Couserans et la cité a conservé deux églises, témoin de son importance passée. A l'extérieur des remparts, la magnifique cathédrale Saint-Lizier construite entre le XIIe et le XVe siècle, qui présente un très beau portail de brique, à colonnes de marbre, un clocher octogonal et à l'intérieur une riche décoration (fresques XIIe, boiseries, trésor). Le cloître, exceptionnel, date du XIIe siècle. A côté de la cathédrale, il faut visiter l'Hôtel-Dieu et sa pharmacie du XVIIIe siècle. De la terrasse, très belle vue sur la montagne. Vous pénétrerez ensuite à l'intérieur de l'enceinte romaine par la Tour de l'Horloge et vous flânerez dans les pittoresques petites rues bordées de vieilles maisons à colombage et encorbellement aux belles portes cloutées, aux fenêtres cintrées bâties entre le XVe et le XVIIIe siècle (notamment rue Notre-Dame et place des étendes). L'ensemble est d'une grande homogénéité. Il faut également voir l'ancienne cathédrale Notre-Dame-de-la-Sède (XIIe-XVe s.) qui contient de superbes boiseries. Une visite guidée de la cité est organisée par le syndicat d'initiative.

♦ 1661 habitants, 384 m d'altitude ♦ **Accès :** à 44 km O de Foix par D 117 ♦ **A voir :** le musée d'Arts et Traditions populaires (collection Begouen) ♦ **Aux alentours :** le joli village de Montjoie (4 km) ♦ **Foires, festivités :** Festival de musique classique en juillet ♦ **Hôtels :** à Saint-Girons, Hôtel Eychenne (tél. 05.61.66.20.55), très bon restaurant ; à Serres-sur-Arget (38 km E) Le Poulsieu (tél. 05.61.02.77.72), maison d'hôtes de charme, 4 chambres 170-200 F ♦ **S. I.** (tél. 05.61.96.77.77).

BELCASTEL
12390 (Aveyron)

Ancienne étape sur la route du sel et du pèlerinage à Saint-Jacques-de-Compostelle, Belcastel domine fièrement le paysage du haut des tours de son château, dans un site magnifique aux bords de l'Aveyron. Sa forteresse a toute une histoire : construite au XIe siècle, agrandie au XVe siècle, pillée au XIXe, elle fut remarquablement restaurée à la fin des années 70 par l'architecte Fernand Pouillon tombé sous le charme de ses ruines grandioses. Aujourd'hui, Belcastel est un très beau village incrusté dans une nature heureusement préservée, avec de vieilles ruelles caladées, des maisons à galeries de bois, aux murs de schiste et aux toits de lauzes, avec une jolie fontaine, un ancien four à pain et un étroit pont moyenâgeux. Sur l'autre rive, un vieux moulin et une église du XVe siècle qui renferme le monumental tombeau d'Alzias de Saunhac, seigneur de Belcastel. Toutes les maisons sont remarquablement entretenues et les habitants, amoureux de leur village, astiquent soigneusement ses vieilles pierres. Pour ajouter encore aux plaisirs, on peut faire une étape gourmande au Restaurant du Vieux Pont tenu par les sœurs Fagegaltier, qui savent merveilleusement utiliser tous les bons produits de la région. Et puis, si le cœur vous en dit, pourquoi ne pas prolonger le séjour puisqu'elles proposent aussi quelques jolies chambres, juste en face !

♦ 80 habitants, 450 m d'altitude ♦ **Accès :** à 20 km O de Rodez par D 994 et D 285 ♦ **Foires, festivités :** Feux de la Saint-Jean en juin, Fête votive l'avant-dernier dimanche de juillet ♦ **Hôtel :** Hôtel du Vieux Pont (tél. 05.65.64.52.29), 7 chambres 350-390 F environ ♦ **Restaurants :** Restaurant du Vieux Pont (tél. 05.65.64.52.29), très bon restaurant ; Restaurant Couderc (tél. 05.65.64.52.26) ♦ **S.I.** (tél. 05.65.64.46.11).

CONQUES
12320 Saint-Cyprien-sur-Dourdou (Aveyron)

Au IXᵉ siècle, l'abbaye est comme oubliée dans sa vallée. Les pèlerins en route pour Compostelle boudent cette étape. Aussi l'abbé décide-t-il d'un moyen pour ramener les foules pieuses : il fait enlever les reliques de sainte Foy, petite vierge révérée à Agen. Dès lors, Conques devient un lieu de pèlerinage. Hors le splendide trésor d'orfèvrerie religieuse, il faut absolument voir l'église romane des XIᵉ et XIIᵉ siècles, dont le tympan est un chef-d'œuvre (magnifiques vitraux restaurés par Soulages). Les ruelles du village sont bordées de maisons aux toits de lauzes. Dans un coin, le château des seigneurs d'Humières (XVIᵉ siècle), la "porte de Vinzelle", une très pittoresque maison de torchis à pans de bois et la rue Charlemagne, rude à gravir. De la chapelle Saint-Roch, on découvre Conques dans sa splendeur retrouvée, grâce à un élan de restauration entrepris en 1974. Hélas, en 1991 le maire a entrepris la construction d'un bâtiment au pied des remparts du village. Ira-t-il au bout de ce projet qui dénaturerait un des plus beaux villages de France ?

♦ 360 habitants, 250 m d'altitude ♦ **Accès :** à 38 km N de Rodez par D 901 ♦ **A voir :** le trésor de l'église Sainte-Foy ; le musée du Dr Joseph Fou ♦ **Aux alentours :** Rodez et sa superbe cathédrale ♦ **Foires, festivités :** marché à Saint-Cyprien (7 km S) le dimanche matin ; nombreux concerts en juillet et août ♦ **Hôtel :** Hostellerie de Sainte-Foy (tél. 05.65.69.84.03) 18 chambres 350-800 F, 1 suite 850 F ♦ **Mairie** (tél. 05.65.69.85.11) - **S. I.** (tél. 05.65.72.85.00).

LA COUVERTOIRADE
12230 (Aveyron)

Sur le haut plateau du Larzac surgit soudain la masse fortifiée de La Couvertoirade. Cette étonnante silhouette découpée sur les étendues austères du paysage évoque irrésistiblement la vision des ksours bâtis en Orient par les seigneurs croisés. La petite cité, d'abord dépendance du prieuré de l'abbaye de Nant, doit son prestige passé à l'installation des Templiers au XIIᵉ siècle, qui seront ses seigneurs temporels et spirituels jusqu'à la suppression de l'Ordre. Ils seront alors remplacés par les Chevaliers de Malte. On aborde la visite de La Couvertoirade par la tour carrée au nord. A l'intérieur des superbes remparts flanqués de sept tours, on voit, regroupés autour du château, l'église et le cimetière des Templiers. Le clocher est d'allure massive, avec huit ouvertures en son étage supérieur. A l'intérieur, la croix de Malte orne les clefs de voûte, rappelant la longue présence des Hospitaliers. Quelques très belles demeures ont été construites au XVIIIᵉ siècle lors de l'apogée démographique et économique du village. Les habitants de La Couvertoirade, conscients de vivre dans un lieu à haut intérêt touristique, se sont mis à développer l'artisanat, à vendre les produits de leurs fermes. On pourra prolonger l'agréable souvenir d'une visite en achetant des fromages de brebis, des confitures, ou encore les gourmandises cuisinées à partir de volailles grasses.

◆ 151 habitants, 800 m d'altitude ◆ **Accès :** à 41 km S-E de Millau par N 9 et D 185 ◆ **A voir :** le musée d'Histoire ◆ **Aux alentours :** Sainte-Eulalie-de-Cernon (21 km N-O) ◆ **Foires, festivités :** marché le dimanche et le mercredi matin en saison ◆ **Hôtel :** à Saint-Jean-du-Bruel (19 km N), Hôtel du Midi Papillon (tél. 05.65.62.26.04), hôtel de charme, 19 chambres 95-191 F, restaurant ◆ **Restaurants :** Auberge de La Couvertoirade (tél. 05.65.62.21.43), Le Médiéval (tél. 05.65.62.27.01) ◆ **Mairie** (tél. 05.65.62.25.81).

ESTAING
12190 (Aveyron)

L'histoire d'Estaing est celle d'une famille. Le premier dont on doit parler est Dieudonné ; pour avoir sauvé la vie du roi Philippe Auguste à la bataille de Bouvines, il reçut le droit de porter sur ses armes les fleurs de lys royales. Le plus attachant est l'amiral comte Charles d'Estaing ; connu pour ses nombreuses expéditions aux Indes, en Amérique, aux Antilles, l'amiral terminera cependant sa destinée sur l'échafaud. Le château d'Estaing a été bâti principalement aux XVe et XVIe siècles. C'est un ensemble de constructions de matériaux disparates : schiste, grès rouge, calcaire, galets du Lot. Imbriquées les unes aux autres, elles se pressent autour du donjon qui s'élève au-dessus d'une belle terrasse à balustres de pierre. Le village se situe au confluent de la Caussanne qui descend des monts d'Aubrac, et du Lot, non loin de ses gorges sauvages. En face du château se trouve l'église. Elle abrite les reliques de saint Fleuret, patron d'Estaing et évêque de Rodez, qui fut responsable de la construction de l'admirable clocher. Dans la vieille ville, plusieurs hôtels particuliers à voir, témoins de l'époque prospère. Ils sont bâtis de schistes, et ont d'étonnants toits de lauzes en écailles de poisson. Château, église, village, vieux pont aux arches harmonieuses, plan d'eau formé par un barrage du Lot en aval, tout le site est classé. De là, on pourra aussi aller visiter Entraygues et Espalion, autres beaux villages, tout proches.

◆ 666 habitants, 300 m d'altitude ◆ **Accès :** à 39 km N-E de Rodez par D 988 et D 920 ◆ **Aux alentours :** la chapelle de l'Ouradou ; les églises romanes de Vinnac (4 km S-E) et de Sebrazac (7 km S par D 556) ◆ **Foires, festivités :** Fête de Saint-Fleuret le 1er dimanche de juillet ◆ **Hôtel :** Aux Armes d'Estaing (tél. 05.65.44.70.02) ◆ **Mairie** (tél. 05.65.44.70.32) - **S. I.** (tél. 05.65.44.03.22).

NAJAC
12270 (Aveyron)

Raimond IV, comte de Toulouse, achète la seigneurie de Najac à la fin du XIe siècle. La guerre de Cent Ans épargne relativement le Rouergue, mais, après la défaite de Poitiers, Najac subira l'occupation anglaise jusqu'en 1368. Le bourg n'existe que par son château, perché sur une colline rocheuse, enserré par une boucle de l'Aveyron ; il est défendu par d'épaisses murailles et un système fortifié flanqué de grosses tours rondes. De là, la vue est stupéfiante : plongée sur l'Aveyron, les toits d'ardoises du bourg et l'édifice gothique de l'église, construite sur ordre des Inquisiteurs sur une arête rocheuse. La plupart des maisons du bourg datent du XVIe siècle ; une très belle maison du XIVe possède d'élégantes fenêtres à colonnettes. On peut admirer deux superbes fontaines, particulièrement celle de la rue du Bourguet, avec sa vasque de granit monolithique. Et puis, le bourg s'étire, jusqu'au faubourg, les colombages se font plus humbles...

♦ 800 habitants, 300 à 400 m d'altitude ♦ **Accès :** à 83 km S de Figeac par D 922 et D 39 ♦ **Aux alentours :** les gorges de l'Aveyron ; la vallée du Lot ♦ **Foires, festivités :** marché le dimanche matin en juillet et août ; Fête de la Saint-Barthélemy en août ♦ **Hôtels :** à La Fouillade, Oustal del Barry (tél. 05.65.29.74.32), hôtel de charme, 21 chambres 300-450 F, restaurant ; Hôtel Longcol (tél. 05.65.29.63.36), hôtel de charme, 15 chambres 550-750 F, restaurant ♦ **Mairie** (tél. 05.65.29.71.34) - **S. I.** (tél. 05.65.29.72.05).

SAINT-CÔME-D'OLT
12500 (Aveyron)

Site classé, le bourg de Saint-Côme est situé à un carrefour de routes qui relient Espalion à l'Aubrac, Saint-Geniez et Mende. Autant dire, en plein passage des grandes transhumances vers les plateaux aveyronnais et lozérien. C'est une belle petite ville fortifiée, dont le passé a dû être très florissant, à en voir les demeures des XVe et XVIe siècles dont d'orgueilleux pignons dominent les étroites ruelles moyenâgeuses. Le tour de ville est circulaire, ancien emplacement des fossés. De vieilles portes à l'entrée des rues engagent à pénétrer le cœur de la ville. Le plus ancien monument de Saint-Côme est la chapelle de la Bouysse, bijou roman du Xe siècle. Le château date de la Renaissance, comme l'église, au très rare clocher, en "vrille", évoquant la montée d'une flamme vers le ciel. Le portail conserve ses vantaux sculptés. Près de l'église, on peut admirer un hôtel du XIIIe siècle : ce fut l'ancienne demeure des seigneurs de Calmont et de Castelnau. Les environs de la ville sont riants ; Saint-Côme est bordé au nord par de verdoyants coteaux, au midi par la masse basaltique de Roquelaure et le pic de Vernus.

♦ 1208 habitants, 365 m d'altitude ♦ **Accès :** à 32 km N-E de Rodez par D 920 - Espalion et D 6 ♦ **Aux alentours :** la vallée du Lot ; la petite cité d'Espalion (3 km O) ; l'église romane de Perse ; Roquelaure (2 km S) ; les villages de Flaujac et Saulieux ♦ **Foires, festivités :** marché fermier le dimanche du 1er juillet au 15 septembre ; Fête du village le 4e dimanche d'août ♦ **Hôtel :** à Saint-Saturnin-de-Lenne (30 km S-E), Château de Saint-Saturnin (tél. 05.65.70.36.00), hôtel de charme, 12 chambres 600-900 F, restaurant ♦ **Restaurant :** à Espalion (6 km O), Le Méjane (tél. 05.65.48.22.37) ♦ **S. I.** (tél. 05.65.48.24.46).

SAINT-LÉONS
12780 (Aveyron)

Au cœur de la douce vallée de la Muze, dans une région restée intacte, le minuscule village de Saint-Léons étage ses maisons sur les pentes d'un coteau qui descend jusqu'à la rivière. Le village s'est créé autour d'un monastère qui dépendait autrefois de l'abbaye de Saint-Victor de Marseille. Il ne reste, hélas, que quelques vestiges du monastère mais l'on peut en retrouver des éléments (encadrement de porte, partie de chapiteau) incorporés dans les murs de certaines maisons. Il faut admirer le château du XVe siècle couronnant majestueusement le bourg, que l'on peut visiter et qui offre quelques jolies chambres d'hôtes. C'est l'un des rares châteaux de l'Aveyron encore habité et ouvert toute l'année. On peut également emprunter le sentier botanique (1,5 km) sur la colline face au village, cela permet une ravissante promenade d'où l'on jouit d'une vue superbe sur Saint-Léons. Mais n'oublions pas la gloire locale du village, l'entomologiste Jean-Henri Fabre, enfant du pays, auquel les villageois ont élevé une statue et consacré un petit musée. Comme il est doux de "muzarder" sur les bords de la Muze !

♦ 290 habitants, 740 m d'altitude ♦ **Accès :** à 53 km S-E de Rodez par D 911 et D 529 ♦ **A voir :** le musée J.-H. Fabre (ouvert juillet-août-septembre et sur rendez-vous - tél. 05.65.58.80.54) ♦ **Aux alentours :** les très beaux villages de Saint-Beauzély (exposition d'instruments aratoires et reconstitution d'une salle de classe XIXe au château), Montjaux (25 km S sur les pittoresques D 30 et D 993) et de Castelnau-Pégayrols (17 km S sur la superbe route des gorges de la Muze) ♦ **Foires, festivités :** Fête du village le 3e dimanche d'août ; Fête de la musique en juin ♦ **Hôtel :** Château de Saint-Léons (tél. 05.65.61.84.85), maison d'hôtes de charme, 3 chambres 330-400 F, table d'hôtes ♦ **Mairie** (tél. 05.65.61.86.03).

SAINT-SATURNIN-DE-LENNE
12560 (Aveyron)

Entouré d'une magnifique nature vierge de toute construction moderne, Saint-Saturnin est posé bien sagement à la limite nord du Causse de Séverac. C'est un petit village surgi du passé, avec une placette adorable bordée de commerces à la mode d'autrefois, et des maisons paisibles encore habitées par des agriculteurs. Un château du XVIIᵉ siècle et une superbe ferme fortifiée (qui mériteraient d'être classés) montrent que Saint-Saturnin était au cœur d'une riche région agricole et avait un seigneur. Le village abrite aussi un trésor : une église romane qui dépendait autrefois de l'évêché de Conques ; elle est bâtie en forme de croix latine et comporte une coupole et des fenêtres à chapiteaux sculptés ; le clocher a été rajouté à une époque ultérieure. Un seul point noir à l'horizon, la municipalité envisage la création d'une porcherie industrielle ! Nous espérons que ce projet sera abandonné pour ne pas dénaturer un environnement exceptionnel. En attendant, pourquoi ne pas profiter un peu plus longtemps de la tranquillité de ce lieu secret, en faisant une halte bienvenue au Château de Saint-Saturnin, demeure d'autrefois pourvue de tout le confort d'aujourd'hui, transformée en ravissant hôtel de charme.

♦ 384 habitants, 610 m d'altitude ♦ **Accès :** à 46 km E de Rodez par N 88 et D 45 ♦ **Aux alentours :** Lestang (1 km S) et ses grottes où l'on affine le bleu des Causses ; Galinières (11 km E) ♦ **Foires, festivités :** foire-marché aux fleurs le dernier samedi de mai, Fête d'été le 17 juillet ♦ **Hôtel :** Château de Saint-Saturnin (tél. 05.65.70.36.00), hôtel de charme, 12 chambres 600-900 F, restaurant ♦ **Mairie** (tél. 05.65.70.41.69).

SAINTE-EULALIE-D'OLT
12130 Saint-Geniez-d'Olt (Aveyron)

Le Lot, que l'on nommait autrefois "Olt", serpente difficilement entre les monts d'Aubrac et les contreforts du causse de Sauveterre. Et puis soudain sa vallée s'élargit, formant un joli bassin de verdure. Sainte-Eulalie s'y niche, à l'abri des collines boisées de chênes et de châtaigniers. La petite ville occupe la rive droite du Lot. Son ère de prospérité s'est prolongée jusqu'au XVIIIe siècle, ses habitants faisant fortune avec la fabrication du drap. Le témoin de cette industrie reste le vieux moulin à roue verticale qui servait à produire la poudre nécessaire aux tanneurs. Il a été restauré, fort bien, par son propriétaire, en 1980. Le château de Curières de Castelnau, du XVe siècle, occupe le cœur du village. Il fut édifié à l'emplacement de la grande écurie de l'ancien château. L'église est un chef-d'œuvre d'art roman et gothique. Avec son déambulatoire et ses trois absidioles, elle est une copie réduite parfaite de l'abbatiale de Conques. La promenade dans les vieilles rues très fleuries est délicieuse, évocatrice d'un passé heureux, qui se serait endormi dans le présent sans le dynamisme des habitants : Sainte-Eulalie est devenue "station verte de vacances". Souhaitons-lui longue vie.

♦ 315 habitants, 420 m d'altitude ♦ **Accès :** à 40 km N-E de Rodez par D 920 - Bozouls et D 988 ♦ **Aux alentours :** Saint-Geniez-d'Olt ; l'Aubrac ; le lac de Cabanac ♦ **Foires, festivités :** marché aux fleurs en mai ; Fête de la Sainte-Épine le 2e dimanche de juillet ; vente aux enchères le 1er novembre ♦ **Hôtel :** à Saint-Saturnin-de-Lenne (12 km S-E), Château de Saint-Saturnin (tél. 05.65.70.36.00), hôtel de charme, 12 chambres 600-900 F, restaurant ♦ **Mairie** (tél. 05.65.47.44.59).

SAUVETERRE-DE-ROUERGUE
12800 (Aveyron)

Magnifique village admirablement préservé, niché au cœur du Ségala, Sauveterre-de-Rouergue vaut vraiment le détour : ancienne bastide royale du XIIIe siècle, elle a conservé son plan en damier, sa grande place entourée d'arcades, ses maisons moyenâgeuses, des vestiges de remparts et son étonnante église-donjon. Créée par le sénéchal de Rouergue Guillaume de Mâcon en 1281, c'était une "Terre sauve", un lieu de liberté pour ses habitants. Rivale de sa voisine Naucelle dès le Moyen Âge, elle domina toute la région et devint une cité riche et prospère. Artisans et riches bourgeois construisirent les belles habitations que l'on peut encore admirer aujourd'hui : maisons moyenâgeuses à colombages ou aux murs crépis surmontant les couverts, demeures plus nobles en pierre cachant des jardins secrets. Il faut admirer notamment, place des Couverts, la très belle maison Dalmas-Rességuier du XVIIe siècle où est installée la mairie. De nombreux détails architecturaux montrent la richesse et l'imagination des bâtisseurs de cette époque : cadrans solaires, sculptures incrustées dans les murs de pierre, cornières. Tout l'ensemble du village a été admirablement restauré. Une visite à ne pas manquer, et à prolonger, si vous le souhaitez, dans la délicieuse Auberge Le Sénéchal.

♦ 380 habitants, 466 m d'altitude ♦ **Accès :** à 32 km S-O de Rodez ♦ **A voir :** le musée de l'Oustal Rouergat ♦ **Foires, festivités :** Journées artisanales à la Pentecôte ; Fête de la Saint-Christophe fin juillet ; Fête de la Lumière en août ; Fête de la châtaigne et du cidre doux à la Toussaint ♦ **Hôtel :** Le Sénéchal (tél. 05.65.71.29.00), hôtel de charme, 8 chambres 450-550 F, 3 suites 650-950 F, très bon restaurant ♦ **Mairie** (tél. 05.65.47.05.32) - **O.T.** (tél. 05.65.72.02.52).

VILLENEUVE D'AVEYRON
12260 (Aveyron)

S ituée à la limite du Rouergue et du Quercy, la sauveté de Villeneuve fut fondée au XIᵉ siècle autour d'un monastère bénédictin. Agrandie en bastide au XIIIᵉ siècle par Raimond VII, comte de Toulouse, elle a conservé de cette époque une place à arcades bordée de maisons des XIVᵉ et XVᵉ siècles, dont la belle Maison du Prieur, des portes fortifiées, la Porte Haute et la tour Savignac, et des vestiges de remparts. Il faut flâner le long des rues pavées pour voir les demeures en belles pierres blondes du Causse, coiffées de tuiles canal dont certaines ont conservé des fenêtres à meneaux et des portes cintrées. Il faut surtout visiter l'église du Saint-Sépulcre bâtie au XIᵉ siècle sur un plan en rosace, puis remaniée et agrandie au XIVᵉ siècle ; son clocher roman de forme octogonale a également été surélevé à cette époque-là. Jouxtant l'église, la tour Savignac faisait autrefois partie des remparts. Villeneuve est un village bien vivant et animé, surtout le jour du pittoresque marché aux bestiaux mensuel.

♦ 1650 habitants, 420 m d'altitude ♦ **Accès :** à 10 km N de Villefranche-de-Rouergue ; à 26 km S de Figeac ♦ **Aux alentours :** Villefranche-de-Rouergue, l'église fortifiée du village de Sainte-Croix (7 km O), les grottes de Foissac (10 km N) ♦ **Foires, festivités :** marché le dimanche matin, marché-foire aux bestiaux le premier lundi du mois ; Fête du village le 2ᵉ dimanche de septembre ♦ **Hôtels :** à Farrou (7 km S) Le Relais de Farou (tél. 05.65.45.18.11), chambres 300-400 F environ, très bon restaurant ; à Villefranche-de-Rouergue, L'Univers (tél. 05.65.45.15.63) chambres 200-350 F environ, restaurant ♦ **Mairie** (tél. 05.65.81.60.38) - **S.I.** (tél. 05.65.81.79.61).

RIEUX-VOLVESTRE
31310 (Haute-Garonne)

Dans la région du Volvestre, Rieux se plaît dans la douce boucle de l'Arize, que deux ponts franchissent, l'un depuis le XVe siècle, l'autre bâti au XVIIIe siècle, en même temps que le palais épiscopal. En 1317, le pape Jean XXII crée l'évêché de Rieux. Au vieux sanctuaire du XIIe siècle est greffée la nef d'une nouvelle cathédrale. A cet ensemble sera ajouté le chœur des évêques orné de stalles. La tour-clocher est considérée comme un chef-d'œuvre du style toulousain. Octogonale, à trois étages ajourés, elle s'élance, gracieuse, signalant comme un phare la présence de la cathédrale loin au-delà de la vallée. A voir, le reliquaire de saint Cizi, héros des chansons de geste. Aujourd'hui, heureusement, demeurent les merveilles architecturales : maisons où la brique et le bois se joignent, porches de briques roses ornés de têtes d'homme en pierre, lourdes portes de chêne qui gardent les entrées des anciens hôtels particuliers, et, aux balcons, des guirlandes de fer forgé.

♦ 1750 habitants, 218 m d'altitude ♦ **Accès :** à 45 km S-O de Toulouse par N 117 et D 627 ♦ **A voir :** le musée d'Histoire locale ♦ **Aux alentours :** le site préhistorique de Mas-d'Azil ♦ **Foires, festivités :** Fête du Papogay (tir à l'arc) le 1er dimanche de mai ; marché nocturne de produits fermiers et artisanaux mi-juillet ; Fête de Saint-Cizi le 3e week-end d'août ♦ **Hôtels :** à Martres-Tolosane (18 km S-O), Hôtel Castet (tél. 05.61.98.80.20) 12 chambres 190-270 F ; à Sauveterre-de-Comminges (50 km S-O) Hostellerie des 7 Molles (tél. 05.61.88.30.87), hôtel de charme, 16 chambres 600-760 F, 3 suites 900-1100 F, très bon restaurant ♦ **Mairie** (tél. 05.61.87.61.17) - **S. I.** (tél. 05.61.87.63.33).

SAINT-BERTRAND-DE-COMMINGES
31510 Barbazan (Haute-Garonne)

Dressé sur son piédestal rocheux, le bloc de la cathédrale et de la ville se détache sur le fond des proches Pyrénées. Le site a toujours été consacré à la divinité. En 72 av. J.-C., Pompée en fait une ville. Au IVe siècle apparaît le christianisme : une première basilique est édifiée près de la chapelle Saint-Julien-du-Plan. Ce ne sera qu'au XIe siècle, à l'arrivée de Bertrand de L'Isle comme évêque de Comminges que la ville prendra un nouvel essor. Sous un toit unique, le "vaisseau cathédral" abrite trois églises d'époques et de styles différents : l'église romane (XIIe siècle) bâtie par saint Bertrand, l'église gothique (XIVe siècle) édifiée par l'évêque Bertrand de Goth et l'église Renaissance de l'évêque Jean de Mauléon. Le cloître s'ouvre au sud, trois galeries sur quatre sont romanes, celle du nord est gothique. Dans la ville haute, les maisons se pressent autour du centre religieux : demeures nobles, vieilles demeures à colombage, humbles maisonnettes médiévales blotties derrière les remparts, leur barbacane et les solides portes d'entrée. L'évêché supprimé à la Révolution, la ville haute entre dans une somnolence qu'elle ne quittera plus, tandis qu'en bas, les constructions gagnent la plaine.

♦ 215 habitants, 430 m d'altitude ♦ **Accès :** à 60 km S-E de Tarbes par N 117, N 125 et D 26 ♦ **A voir :** le musée de Comminges et la galerie des trophées ; le trésor de l'église Sainte-Marie ♦ **Aux alentours :** les grottes préhistoriques de Gargas (6 km N-O) ; la villa gallo-romaine de Montmaurin ♦ **Foires, festivités :** Festival de Comminges de juin à septembre (concerts de musique classique) ♦ **Hôtel :** à Sauveterre-de-Comminges (8 km E) Hostellerie des 7 Molles (tél.05. 61.88.30.87), hôtel de charme, 16 chambres 600-760 F, 3 suites 900-1100 F, très bon restaurant ♦ **Mairie** (tél. 05.61.88.33.12) - **S. I.** (tél. 05.61.95.44.44).

SAINT-FÉLIX-LAURAGAIS
31540 (Haute-Garonne)

Un conseil : découvrez le village à partir de la route qui monte de la plaine de Revel. Il se découpe en ombre chinoise, barré par l'énorme masse de la façade du château, ce qui reste de ses remparts, un très beau clocher occitan, et ses moulins. Il en reste six, hélas désarmés ; l'on dit que le bruit de leurs ailes faisait taire le vent d'autan, pourtant si fort... Saint-Félix eut le curieux privilège d'abriter le premier concile cathare (1167). Deux siècles plus tard naquit ici Guillaume de Nogaret, le conseiller de Philippe le Bel, célèbre pour ses démêlés avec le pape Boniface VIII. Autre enfant du pays, et bien plus proche de nous, le musicien Déodat de Séverac, dont la belle maison est sur la place centrale. Le village est beau, peu abîmé ; les maisons à colombage se restaurent, artisans potiers, peintres, doreurs sur bois ont choisi d'y vivre. Le couvert, sur la place, a de très vieux piliers de bois. Un charmant bistrot, "Le Cocagne", fait un clin d'œil au fastueux passé des temps du pastel. On quitte la place par une petite rue où s'élève l'imposante collégiale, jouxtée par la belle maison de la Commanderie. Entrez : les orgues, du XVIIIe siècle, sont en cours de réfection ; la dimension de l'église témoigne de l'époque où les chanoines tenaient chapitre à Saint-Félix, qui était alors si vivant. Au bout de la rue, franchie une porte des anciens remparts, on reprendra la route vers Toulouse, à moins que l'on ne prenne le temps d'une halte à la jolie "Auberge du Poids Public".

♦ 259 habitants, 322 m d'altitude ♦ **Accès :** à 42 km S-E de Toulouse par D 2
♦ **Aux alentours :** les villages de Saint-Julia (5 km N) et de Montgey (11 km N-E) ;
le château de Montmaur (13 km S-O) ♦ **Hôtel :** Auberge du Poids Public (tél. 05.61.83.00.20),
hôtel de charme, 13 chambres 250-300 F, restaurant ♦ **Mairie** (tél. 05.61.83.01.71).

BASSOUES
32320 Montesquieu (Gers)

L'histoire de Bassoues commence à la fondation d'un monastère bénédictin (1020), sur les lieux d'un miracle que la mémoire collective nous transmet : Fris, neveu de Charles Martel, avait été atteint d'une flèche lors de la poursuite des guerriers d'Abd er-Rhaman. Son cheval l'amena au pied des coteaux de Bassoues, où il expira, et fut enseveli par ses compagnons. La tombe, longtemps ignorée, fut découverte par un paysan. Le chevalier, casqué et cuirassé, ses armes au côté, fut mis dans un sarcophage de grès, et transporté dans l'église construite en son honneur. A 300 mètres au levant, on voit la basilique restaurée où dort enfin en paix le chevalier chrétien. En 1279, l'archevêque d'Auch accorde à Bassoues charte et coutumes. La bastide gasconne est classique : place carrée, halle couverte que traverse la rue centrale. L'enceinte fortifiée a quatre tours d'angle, et s'appuie sur le château, hélas défiguré par de nombreux remaniements. L'église, édifiée à la même époque, fut restaurée aux XVIe et XIXe siècles. La plus spectaculaire image de Bassoues est son donjon, d'une architecture militaire imposante. La tour, appelée "masse", domine de sa hauteur la bastide et la protège de son flanc et de ses murs.

♦ 503 habitants ♦ **Accès :** à 35 km O d'Auch par D 943 ♦ **A voir :** l'exposition "Naissance et évolution des villages gascons" ♦ **Aux alentours :** les villages de Montesquiou et Marciac ♦ **Foires, festivités :** marché le dimanche matin ; Foire des moissons avec repas gascon le 2e dimanche d'août ♦ **Hôtel :** à Miélan (25 km S) La Tannerie (tél. 05.62.67.62.62), maison d'hôtes de charme, 3 chambres 290 F, table d'hôtes ♦ **Mairie** (tél. 05.62.70.90.47) - **S. I.** (tél. 05.62.70.97.34).

FOURCÈS
32250 (Gers)

Située dans la vallée de l'Auzoue, Fourcès fut d'abord bâtie autour d'un château au donjon de bois, sur la "motte vieille". Parfaite bastide ronde, elle fut constituée autour des quelque vingt maisons rescapées de la démolition de 1488. La porte Ouest est intacte, dans l'ancienne tour du Pourtau, aujourd'hui tour de l'Horloge. Au sud de la tour, en haut du mur d'enceinte, se détache une tête d'homme en pierre : le chevalier qui veillera sur la cité jusqu'à la fin des temps, dit la légende. Le château actuel aurait été construit sous le règne de Louis XII et de François Ier, sur l'emplacement de l'ancienne place forte, démantelée par Edouard III Plantagenêt. Hors l'enceinte, l'église a conservé son clocher d'origine, carré, hélas flanqué d'une flèche pointue rajoutée en 1870. Le moulin fortifié ne garde qu'une très belle salle de meules. Fourcès fait actuellement de gros efforts de restauration.

♦ 326 habitants ♦ **Accès :** à 64 km N-O d'Auch par N 124, D 930 - Condom, D 15 et D 29 ♦ **A voir :** le musée des Vieux Outils ♦ **Foires, festivités :** marché aux fleurs le dernier week-end d'avril ; Festival "Bandas y Penas" à Condom le 2e dimanche de mai ♦ **Hôtel :** à Condom, Hôtel des Trois Lys (tél. 05.62.28.33.33), hôtel de charme, 10 chambres 280-550 F, restaurant ♦ **Mairie** (tél. 05.62.29.40.13).

LARRESSINGLE
32100 (Gers)

À un saut de puce de Condom, par une route qui traverse coteaux et vignobles, on atteint Larressingle, ancienne propriété des abbayes d'Agen et de Condom aux XIIe et XIIIe siècles. C'est un merveilleux petit bourg fortifié du XIIIe siècle, aux murs d'enceinte à courtines et créneaux pratiquement intacts, entrecoupés de tours. On pénètre dans le village par une majestueuse porte fortifiée précédée de l'ancien pont-levis aujourd'hui fixe. Sur la place, le château-donjon, (résidence des évêques de Condom jusqu'au XVIe s.) et l'église, étonnante avec ses deux chœurs et sa nef romane tronquée. Quelques maisons en pierre ocre ont conservé des fenêtres à meneaux, des portes arquées et de jolis toits de tuiles brunes. Larressingle est serti dans un écrin de verdure : gazons, fleurs et même un palmier témoignent de la douceur de vivre dans ce charmant village.

♦ 138 habitants ♦ **Accès :** à 4 km O de Condom par D 15 ♦ **Foires, festivités :** marché le mercredi matin à Condom ♦ **Hôtel :** à Condom, Hôtel des Trois Lys (tél. 05.62.28.33.33), hôtel de charme, 10 chambres 280-550 F ♦ **Mairie** (tél. 05.62.28.26.25).

MONTRÉAL-DU-GERS
32250 (Gers)

Un oppidum celtibère fut élevé à l'emplacement de cette très belle bastide, qui reçut sa charte en 1255, ce qui la classe parmi les plus anciennes. Nous sommes sur les coteaux de la Ténarèze, en plein pays Armagnac. Montréal, qui avait traversé sans trop de mal les pires moments de son histoire, fut malheureusement détruite à la Révolution. Des remparts, il ne reste qu'une porte fortifiée et l'église de Saint-Genens, au très beau portail roman, surmonté d'un chrisme des VIIᵉ et VIIIᵉ siècles. Une longue rue descend vers le centre, bordée de façades à colombage ; tout à côté d'elle, un pigeonnier. Les environs immédiats de Montréal-du-Gers témoignent aussi de l'importance de son histoire. A commencer, bien sûr, par la villa gallo-romaine de Séviac. Puis l'église gothique de Luzanet, le château de Balarin (XIIIᵉ-XIVᵉ siècles) ; de nombreux points de défense datant de la guerre de Cent Ans : Labarrère, la tour de Luzan font face aux forteresses des Armagnacs : Lamothe, Lagraulet, Lauraet. Prenez vraiment le temps d'une longue promenade. Succombez à la tentation de l'armagnac, mais ne manquez pas, surtout, la merveilleuse "croustade", pâtisserie gasconne unique en son genre : un rare délice...

♦ 1236 habitants, 106 m d'altitude ♦ **Accès :** à 59 km N-O d'Auch par D 930 - Condom et D 15 ♦ **Aux alentours :** l'abbaye de Flaran (XIIᵉ siècle) ♦ **Foires, festivités :** marché le vendredi matin ; foires médiévales en juillet et août ; foire à la brocante en août ; Course landaise le 2ᵉ dimanche d'août ; foire annuelle le lundi avant Noël ♦ **Hôtel :** à Condom (15 km E), Hôtel des Trois Lys (tél. 05.62.28.33.33), hôtel de charme, 10 chambres 280-550 F ♦ **Restaurants :** Chez Simone (tél. 05.62.29.44.40) ; La Gare (tél. 05.62.29.43.37) ♦ **Mairie** (tél. 05.62.29.43.10) - **S. I.** (tél. 05.62.29.42.85).

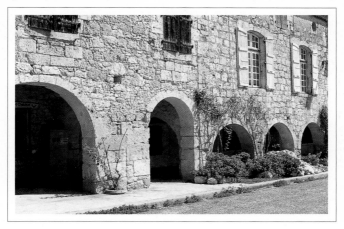

SAINT-CLAR-DE-LOMAGNE
32380 (Gers)

Au cœur de la Lomagne, dominant coteaux et vallons, voici Saint-Clar. Le village se divise en deux parties : la partie la plus ancienne autour du château et de l'église (XIIe-XIVe siècles en cours de restauration) avec ses petites maisons à colombage et ses ruelles tortueuses et la partie plus "récente", la bastide neuve fondée en 1289 par contrat entre le roi d'Angleterre, duc d'Aquitaine, et l'évêché de Lectoure. Sur la place à cornières, une magnifique halle du XIIIe siècle, bâtie sur des piliers de bois s'appuie à la mairie décorée d'un délicat clocher. Elle est encadrée de couverts qui offrent fraîcheur et repos en été. Le long des rues étroites à angles droits, vous pourrez admirer les maisons anciennes bien rénovées avec leurs murs en belle pierre de la région. A deux pas, une terrasse-jardin offre une superbe vue d'ensemble sur la vallée de l'Arrats. Saint-Clar est aussi le pays de l'ail blanc que l'on vend le jeudi sous la halle en été.

♦ 975 habitants, 95 m d'altitude ♦ **Accès :** à 36 km E de Condom par D 7 - Lectoure et D 953 ♦ **Foires, festivités :** marché le jeudi matin ♦ **Hôtels :** à Solomiac (17 km S-E) Auberge d'Enrose (tél. 05.62.65.01.42), hôtel de charme, 6 chambres 300 F, 1 suite 400-450 F, restaurant ; à Tournecoupe (6 km S) En Bigorre (tél. 05.62.66.42.47), maison d'hôtes de charme, 5 chambres 190 F, table d'hôtes le soir ; à Pessoulens (12 km S-E) Le Pigeonnier (tél. 05.62.66.49.25), maison d'hôtes de charme, 2 chambres 245 F ; à Lectoure (15 km N-O) Le Vieux Pradoulin (tél. 05.62.68.71.24) 3 chambres 210-230 F ♦ **S. I.** (tél. 05.62.66.40.45).

AUTOIRE
46400 (Lot)

Voici un village de caractère quercynois, si beau, si neuf que l'on a peine à croire qu'il nous précède ici depuis au moins huit siècles. Au hasard des ruelles empruntées, on découvre, ébloui, une fontaine entourée de maisons à colombage, plus loin, les encorbellements de vieilles demeures blanches à toits de tuiles brunes ; ailleurs une, deux, trois gentilhommières plus jolies les unes que les autres, toutes pimpantes et flanquées de tourelles. De l'église, on passe à une terrasse dont la vue plonge sur le moulin de Limargue et sur le cirque rocheux qui abrite Autoire au sud-ouest. Les vicomtes de Turenne prirent soin de leurs cités vassales et durant la guerre de Cent Ans, Saint-Céré comme Autoire eurent peu à souffrir, bien protégées par les puissants remparts de Saint-Laurent. Autoire aujourd'hui poursuit sa vie paisible, au cœur d'une magnifique région où tout est à voir : du haut, pour ses châteaux, jusqu'en bas, pour son cirque, et plus bas encore, pour les grottes de Presque et le gouffre de Padirac avec sa mystérieuse rivière souterraine.

♦ 233 habitants, 300 m d'altitude ♦ **Accès :** à 55 km S de Tulle par D 940 - Saint-Céré et D 38 ♦ **Aux alentours :** le gouffre de Padirac, les grottes de Presque, Rocamadour ♦ **Hôtel :** à Saint-Céré (8 km E), Hôtel Ric (tél. 05.65.38.04.08) hôtel de charme, 6 chambres 300-350 F, restaurant ♦ **Mairie** (tél. 05.65.38.05.26).

CARDAILLAC
46100 Figeac (Lot)

L e village est fermement ancré sur son éperon rocheux en Haut-Quercy. Le nom de Cardaillac sonne clair, un peu "gascon" ; c'est que nous sommes à la porte sud du Ségala. Nombreux sont les seigneurs de Cardaillac qui ont fait parler d'eux au cours des temps : Guillaume V, fondateur de l'abbaye de Leyme, Jean, évêque de Rodez au XIVe siècle, Marques, qui défendit son Quercy pendant la guerre de Cent Ans. L'"aujourd'hui" de Cardaillac, c'est l'orgueil de son site, paysage de bois entrecoupés de vallons secrets ; c'est son fort, véritable ville miniature, à trois tours, celles des Barons et de l'Horloge, massives, carrées, celle de Sagnes, ronde, un peu isolée des autres. Franchie la porte qui donne accès au plateau, on se trouve en plein Moyen Âge. Des venelles à caniveau central serpentent entre les maisons ocre, bâties de grès. Elles ont des noms évocateurs, rue du Sénéchal, de la Magnanerie, de la Bataillerie. Beaucoup de détails d'architecture subsistent, ogives, enseignes sculptées. On tombe sur une maison en terrasse, défiant le vide, qui a été bien restaurée. D'autres, plus humbles, s'appuient les unes aux autres dans le silence des ruelles. Mais, heureusement, se dessine un regain d'intérêt pour la tradition, de vieux métiers revivent, des artisans créent. Un petit village d'autrefois, avec son épicerie-tabac-journaux et son restaurant "Chez Marcel" qui offre quelques chambres au charme désuet.

♦ 501 habitants ♦ **Accès :** à 9 km N de Figeac par N 140 et D 15 ♦ **A voir :** le "Musée éclaté" sur la vie d'autrefois ♦ **Aux alentours :** Rocamadour, le gouffre de Padirac ♦ **Foires, festivités :** Foire du Renouveau en mai ; Fête des Traditions en juillet ; Grande Fête votive en août ; Foire de la Saint-Martin en novembre ♦ **Hôtel :** Chez Marcel (tél. 05.65.40.11.16), hôtel de charme, 6 chambres 140 F, restaurant ♦ **Mairie** (tél. 05.65.40.14.32).

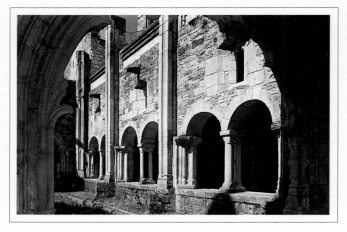

CARENNAC
46110 Vayrac (Lot)

La petite cité moyenâgeuse n'a conservé de ses remparts qu'une tour du XVᵉ siècle et une porte fortifiée. Le village, fait de toits compliqués aux tuiles brunes, de terrasses en surplomb et de balcons fleuris, forme un ensemble de charme autour du prieuré-doyenné où vécut Fénelon, de 1681 à 1695. L'abbaye borde la Dordogne dont elle est protégée par un grand mur, ouvert d'une porte en ogive. Franchie la porte, on trouve l'église, de pur art roman. Son tympan représente les Apôtres aux pieds du Christ et, à l'intérieur, on admirera une émouvante Mise au Tombeau, du XVIᵉ siècle. Le cloître mi-roman, mi-gothique, a été bien restauré, il forme un carré harmonieux avec les bâtiments conventuels. Fénelon a, dit-on, écrit ici son "Télémaque". Une petite île sur la Dordogne a été baptisée "île de Calypso", en son souvenir. Nul doute qu'après la visite de Carennac, nous trouvions plus de beauté à la petite ode composée à sa gloire par le grand Fénelon :

> "En quelque climat que j'erre,
> Plus qu'en tout autre lieu,
> Cet heureux coin de la terre
> Me plaît et rit à mes yeux."

♦ 375 habitants, 114 m d'altitude ♦ **Accès :** à 50 km S-E de Brive-la-Gaillarde par D 38 et D 20 ♦ **Aux alentours :** le gouffre de Padirac (8 km S) ; Rocamadour ; les grottes de Lacave ; le château de Castelnau-Bretenoux ♦ **Foires, festivités :** Festival de musique en été ; Fête patronale avec brocante les dimanche et lundi après le 15 août ♦ **Hôtel :** à Martel (17 km O) Relais Sainte-Anne (tél. 05.63.37.40.56), hôtel de charme, 10 chambres 220-700 F ♦ **S. I.** (tél. 05.65.10.97.01).

LACAPELLE-MARIVAL
46120 (Lot)

Lacapelle-Marival est situé dans un paysage qui a déjà un parfum méridional. Collines douces, bois et prés mêlés, environs paysans imprégnés de traditions gourmandes, et de qualité de vie. La couleur du grès des constructions est spécifique à la région. Un peu bigarré, du jaune à l'ocre, avec de petits cristaux de quartz qui font des clins d'œil au soleil. La petite ville se découvre sur une place ombragée de platanes. On y voit le château massif, carré, surmonté d'un toit à quatre pans, d'un chemin de ronde à mâchicoulis flanqué d'échauguettes. Ce fut le fief des Cardaillac, puissants seigneurs du Quercy. Après avoir contourné l'église face à la forteresse, on tombe sur les restes des remparts dont une porte monumentale débouche sur le quartier médiéval. Place resserrée, belle halle aux tuiles romanes, hautes maisons à armatures en ogive. En haut, un couvent édifié au XVIIIe siècle, bordé d'une vaste terrasse, domine le panorama de Lacapelle. L'endroit est très vivant, animé tout au long de l'année de festivités religieuses et païennes. L'enceinte du château est utilisée pour l'exposition "Marivalcis", qui regroupe sculptures, peintures, tapisseries, poteries et céramiques d'artistes, nombreux à avoir élu ce coin charmant pour enrichir leur inspiration.

♦ 1300 habitants, 400 m d'altitude ♦ **Accès :** à 21 km N-O de Figeac par N 140 et D 940 ♦ **Aux alentours :** l'église romane du Bourg (3 km S), l'église (XIIIe siècle) de Rudelle (5 km O) ; le château d'Aynac (11 km N-O) ♦ **Foires, festivités :** marché le mardi soir et le dimanche matin ; expositions d'art au château en août ♦ **Hôtels :** à Cardaillac (12 km S-E) Chez Marcel (tél. 05.65.40.11.16), hôtel de charme, 6 chambres 140 F, restaurant ; à Gramat (17 km O) Moulin de Fresquet (tél. 05.65.38.70.60), maison d'hôtes de charme, 5 chambres 250-360 F, table d'hôtes ♦ **S. I.** (tél. 05.65.40.81.11).

LOUBRESSAC
46130 Bretenoux (Lot)

Le château, l'église et le village de Loubressac apparaissent cramponnés à un promontoire vertigineux, qui surplombe les vallées de la Dordogne, de la Cère et de la Bave. C'est en 1211 que le baron de Castelnau accorde sa première charte au village. Vers le XVe siècle, les Auvergnats et les Limousins repeuplent Loubressac qui avait été ruiné par la guerre de Cent Ans. Aujourd'hui, son meilleur atout est la beauté de ses pierres ocre, son extraordinaire panorama, d'où l'on voit le château de Montal, les tours de Saint-Laurent et Saint-Céré, le puissant château de Castelnau... et le paysage agreste qui s'étend à ses pieds, tout blanc au printemps des fruitiers en fleurs. On rentre par une porte fortifiée, on passe devant la belle maison des Gardes (XVe siècle), dont le porche a des pans de bois ; on arrive à l'église Saint-Jean-Baptiste, commencée au XIIIe siècle, achevée en 1520. Son portail représente le Christ en Majesté. A l'intérieur, la nef est en ogive, avec quatre chapelles. La montée continue vers le château, manoir du XVe siècle, remanié au XVIIe. Le donjon d'entrée est majestueux. En face du château se dresse la maison de l'Intendant, du XVe siècle. Passants, de cette jolie vallée, ne manquez pas de lever les yeux vers un nid d'aigle qui de loin cache sa beauté.

♦ 452 habitants, 320 m d'altitude ♦ **Accès :** à 65 km S-E de Brive par N 20, N 140, D 673 et D 38 ♦ **Aux alentours :** les châteaux de Montal (XVIe siècle) et de Castelnau (5 km N) ♦ **Foires, festivités :** Fête de la Saint-Jean fin juin ; brocante le 4e dimanche d'août ♦ **Hôtel :** à Saint-Céré (8 km E), Hôtel Ric (tél. 05.65.38.04.08) 6 chambres 300-350 F, restaurant ♦ **Restaurant :** Lou Cantou (tél. 05.65.38.20.58) ♦ **S. I.** (tél. 05.65.38.18.30).

MARTEL
46600 (Lot)

Fondée au XIIᵉ siècle, juste à côté de l'église édifiée par Charles Martel après sa victoire contre les Arabes en 732, la cité prit le nom de Martel puis fut choisie par les vicomtes de Turenne comme capitale. Elle eut à résister aux assauts anglais, ce qu'elle fit courageusement, bien abritée derrière ses remparts, mais elle dut se soumettre après le traité de Brétigny en 1360. La fin du XIIIᵉ siècle et le XIVᵉ siècle seront des périodes prospères pour Martel : constructions civiles et militaires fleurissent, massives et élégantes, édifiées dans la belle pierre blanche du causse. Aujourd'hui encore, on peut contempler toutes ces merveilles ; vous admirerez la tour de Tournemire, seul vestige des anciens remparts, l'église gothique Saint-Maur avec sa tour-clocher de 48 mètres formant donjon, et la place des Consuls avec ses halles du XVIIIᵉ siècle et ses jolies maisons. Il faut voir aussi le très bel Hôtel de la Raymondie (actuel Hôtel de Ville) qui date de 1330, avec son beffroi crénelé et sa jolie cour intérieure, la maison Fabri et toutes les pittoresques maisons de la rue de Tournemire. La promenade dans ce délicieux village vous laissera une douce impression de paix et de sérénité.

♦ 1515 habitants, 216 m d'altitude ♦ **Accès :** à 30 km S de Brive-la-Gaillarde par N 20 et N 140 ♦ **A voir :** le musée de la Raymondie ♦ **Foires, festivités :** marché les mercredi et samedi matin ; Foire de la laine et brocante le 23 juillet ; Foire aux chiens le 1ᵉʳ dimanche d'août ♦ **Hôtels :** Relais Sainte-Anne (tél. 05.63.37.40.56), hôtel de charme, 10 chambres 220-700 F ♦ **Restaurants :** Le Quercy (tél. 05.65.37.30.30) ; Ferme-Auberge des Landes (tél. 05.65.37.30.69) ♦ **Mairie - S. I.** (tél. 05.65.37.30.03).

SAINT-CÉRÉ
46400 (Lot)

L'imposant ensemble de Saint-Laurent dresse ses tours et ses remparts au carrefour du Limousin, de l'Auvergne et du Quercy. Au VIe siècle, à ce même emplacement, avait été érigé le château de Saint-Serenus. La petite ville qui se blottit dans la vallée de la Bave, à deux kilomètres, lui doit son nom, Saint-Céré. C'est au XIIIe siècle que les habitants obtiennent leurs franchises des comtes de Turenne, leurs suzerains. Saint-Céré s'enrichit vite, grâce à l'administration habile de ses consuls et au génie commercial de la cité. Dans la vieille ville, on peut admirer maints beaux hôtels des XVe, XVIe et XVIIe siècles. Ils sont coiffés de jolies tuiles brunes, certains ont conservé leurs façades à pans de bois à encorbellement. La place du "Mercadial", place du marché, a elle aussi gardé tout son cachet : elle est entourée de maisons à colombage. A l'angle de la "maison de Jean de Séguier", du XVe siècle, on verra le "taoulié", un banc de pierre qui servait d'étalage aux pêcheurs. La flânerie dans la vieille ville promet de bien jolies découvertes. L'église Sainte-Spérie, gothique, a été restaurée au XVIIIe siècle. Sur la place, se trouve l'Hôtel de Puymule (XVe siècle) flanqué d'une tour ronde. A voir aussi, l'Hôtel Ambert, et derrière le presbytère, un bel ensemble de maisons des XVe et XVIe siècles.

♦ 3872 habitants, 152 m d'altitude ♦ **Accès :** à 55 km S-E de Brive-la-Gaillarde par D 38, D 20 et D 940 ♦ **A voir :** l'Atelier-musée Jean Lurçat ♦ **Aux alentours :** les châteaux de Montal et de Castelnau ; le village de Sousceyrac ♦ **Foires, festivités :** marché les mardi et samedi matin ; foires les 1er et 3e mercredis du mois ; Festival de musique et d'art lyrique en juillet-août ; Fête de Saint-Céré le 3e week-end de septembre ♦ **Hôtel :** (à 2 km S) Hôtel Ric (tél. 05.65.38.04.08), hôtel de charme, 6 chambres 300-350 F, restaurant ♦ **S. I.** (tél. 05.65.38.11.85).

SAINT-CIRQ-LAPOPIE
46330 Cabrerets (Lot)

" Situé au détour de ces falaises qui, dans la vallée du Lot, jalonnent les catacombes de la préhistoire", le village de Saint-Cirq a quelque chose de magique, et figure tout le mystère médiéval. Il est en majeure partie classé monument historique. Saint-Cirq s'étend le long d'une rue principale, rue Pelissaria (des pelletiers) à son commencement, elle devient Peyroleria (des chaudronniers) ensuite. Elle est coupée de venelles pittoresques, très fleuries, de "carriérous" ou d'escaliers de maisons. Toutes les places sont merveilleuses. En dessous du Carol, on aperçoit le mirador de la maison du peintre Henri Martin, et une très belle maison à tour-pigeonnier (XIIIᵉ siècle), "l'auberge des mariniers". Du château de la Gardette, fait de deux corps de bâtiments flanqués d'une échauguette et réunis par une tour, on domine le Lot, dans de délicieux jardins. Du Sombral, perché sur le rocher de Lapopie, on domine tout le village. Un des plus beaux villages de France.

♦ 185 habitants, 320 m d'altitude ♦ **Accès :** à 33 km E de Cahors par D 653 et D 662 ♦ **A voir :** le musée Rignault (sculptures des XVᵉ et XVIᵉ siècles) ♦ **Aux alentours :** promenades en bateau sur le Lot à Bouziès (5 km) ; le château de Cénevières (7 km) ; les grottes préhistoriques du Pech-Merle (12 km) ; le musée en plein air du Quercy, Domaine de Cuzalès (12 km) ; la vallée du Lot ♦ **Foires, festivités :** marché le mercredi en été ♦ **Hôtels :** Hôtel de la Pelissaria (tél. 05.65.31.25.14), hôtel de charme, 10 chambres 410-610 F, restaurant ; Auberge du Sombral (tél. 05.65.31.26.08), hôtel de charme, 8 chambres 300-400 F, restaurant ♦ **Mairie** (tél. 05.65.31.24.14) - **O. T.** (tél. 05.65.31.29.06).

ARREAU
65240 (Hautes-Pyrénées)

Site alluvionnaire et donc fertile, la vallée d'Aure fut occupée aux époques les plus reculées. Les villas romaines sont à l'origine de la plupart des villages de la vallée. Le sol et le sous-sol, riches en fer, en cuivre, en argent et en or, furent exploités par les Romains. Arreau se présente comme une petite ville plutôt qu'un village, très groupée, coiffée d'ardoises. L'église Saint-Exupère date du XIIIe siècle. Son portail à colonnettes, fait de marbre des Pyrénées, témoigne de l'art roman : tout près d'Arreau sont les carrières de marbre rouge, veiné de jaune ou de gris. La vie est centrée sur l'eau torrentueuse qui court partout, comme une rue le long des maisons d'architecture montagnarde, avec leurs galeries de bois qui marquent les étages. La maison du Lys, construite au XVIe siècle, s'élève en encorbellement au-dessus d'un rez-de-chaussée de pierre. Ses colombages sont une véritable œuvre d'art. La mairie, avec des colombages elle aussi, abrite à l'étage une belle halle au couvert en anse de panier.

♦ 900 habitants, 700 m d'altitude ♦ **Accès :** à 27 km S de Lannemezan par D 929 ♦ **A voir :** le musée de l'An mille et exposition "Les Cagots" ♦ **Aux alentours :** Sarrancolin, ses carrières de marbre et son église du XIIIe siècle ♦ **Foires, festivités :** marché le jeudi matin ; Fête d'Arreau et feux de la Saint-Jean en juin ♦ **Hôtels :** Hôtel d'Angleterre (tél. 05.62.98.63.30) ; à Pinas (28 km N) Domaine de Jean-Pierre (tél. 05.62.98.15.08), maison d'hôtes de charme, 3 chambres 200-240 F ♦ **Mairie** (tél. 05.62.98.62.26) - **S. I.** (tél. 05.62.98.63.15).

SAINT-SAVIN
65400 (Hautes-Pyrénées)

Saint-Savin se situe dans une magnifique vallée, à 3 kilomètres au sud d'Argelès. On atteint le village par une petite route de montagne qui permet d'admirer les merveilles des Pyrénées. Le site fut occupé dès l'époque gallo-romaine, et un premier monastère édifié pour recueillir le corps de saint Savin. Les comtes de Bigorre l'enrichirent et donnèrent toute la vallée aux moines au Xᵉ siècle. Aujourd'hui la place principale du village a gardé en grande partie son aspect moyenâgeux avec ses couverts reposant sur des piliers de bois. L'imposante église (XIᵉ-XIIᵉ s.) fut fortifiée au XIVᵉ siècle (à l'intérieur bénitier roman, très beau Christ en bois polychrome, orgue du XVIᵉ s.) ; elle rappelle l'important rôle religieux de Saint-Savin. De la terrasse qui borde la place, on découvre un panorama grandiose sur toute la vallée d'Argelès et les petits hameaux environnants.

♦ 316 habitants, 580 m d'altitude ♦ **Accès :** à 35 km S de Tarbes par N 21- Argelès-Gazost et D 101 ♦ **Aux alentours :** la chapelle de Piétat, le petit village d'Uz ♦ **Foires, festivités :** marché le mardi matin à Argelès-Gazost (2,5 km) ♦ **Hôtel :** Le Viscos (tél. 05.62.97.02.28), 16 chambres 230-260 F environ, très bon restaurant ♦ **Mairie** (tél. 05.62.97.02.29).

CASTELNAU-DE-MONTMIRAIL
81140 (Tarn)

Castelnau-de-Montmirail est un petit chef-d'œuvre médiéval, cerné de remparts, dominant la vallée de la Vère. Comme son nom l'indique, le village fait partie des castelnaux, agglomérations construites par des seigneurs dans la dépendance de leur château, et fut construit vers 1222. Des six portes ouvertes dans les remparts, il n'en reste que trois aujourd'hui ; quant au château érigé au XIIIe siècle il fut détruit pendant la Révolution. Cependant, la promenade à l'intérieur de l'enceinte est charmante. La pittoresque place de la Mairie est bordée de maisons aux façades variées, pierre de taille, pans de bois, briques, appuyées sur des couverts de pierre ou de bois ; l'Hôtel de Ville et la Maison Bozat remontent au XVIIe siècle. L'église, profondément remaniée, date essentiellement des XVe et XVIe siècles. Tout autour les petites rues sont animées et le village est vraiment charmant et accueillant.

♦ 910 habitants, 289 m d'altitude ♦ **Accès :** à 35 km O d'Albi par N 88, Gaillac et D 964 ♦ **A voir :** le musée "Les Verriers de Grésigne" (en été) ♦ **Aux alentours :** Albi, sa vieille ville, sa superbe cathédrale et son musée Toulouse-Lautrec ♦ **Foires, festivités :** marché le dimanche matin ; Foire au miel et produits du terroir le 15 août ♦ **Hôtel :** Chez Mme Salvador (tél. 05.63.33.17.44), maison d'hôtes de charme, 6 chambres 160-180 F, 1 suite 330 F ♦ **Mairie** (tél. 05.63.33.10.18) - **S. I.** (tél. 05.63.33.15.11).

CORDES
81170 (Tarn)

En 1222, le comte de Toulouse Raimond VII choisit le roc de Mordagne pour bâtir Cordes, bastide de défense campée sur son piton, dominant la plaine. C'est un siècle plus tard que s'érigea la bastide que nous pouvons voir aujourd'hui, magnifique architecture italienne, pur joyau de la Renaissance. Résidence de chasse des seigneurs du Languedoc, Cordes connut un temps fastueux de fêtes et de culture. La cité fut épargnée par les guerres de Religion et, plus tard, par la Révolution. La chasse est partout présente dans le souvenir : maison du Grand Veneur, du Grand Fauconnier, du Grand Écuyer... Larges façades, fenêtres à ogives et colonnettes groupées par deux ou trois, étages ouverts en galeries. Les tours qui ornaient les maisons nobles ont malheureusement été rasées ; il n'en subsiste que de beaux escaliers à vis, tronqués au ras des toits. Cordes doit être parcourue à pied, au long de ses rues pavées : Grand'Rue, rues Chaude, Barry, Bourysset, Fourmiguier. Les maisons populaires de brique ou de torchis forment un ensemble très pittoresque. Seule fausse note, un bâtiment moderne enlaidit la vision d'ensemble de ce merveilleux village.

♦ 961 habitants, 291 m d'altitude ♦ **Accès :** à 25 km N d'Albi par D 600 ♦ **A voir :** le musée archéologique Charles-Portal ; le musée de la Broderie ♦ **Aux alentours :** la commanderie des Templiers à Vaour (18 km O) ; le village de Penne (24 km O) ♦ **Foires, festivités :** marché le samedi matin ; Fête du Grand Fauconnier en juillet ; Fêtes de la Bonne Vie le 3e ou 4e dimanche de septembre ♦ **Hôtels :** Le Vieux Cordes (tél. 05.63.56.00.12), restaurant ; Le Grand Écuyer (tél. 05.63.56.01.03), restaurant gastronomique ; Hôtel de la Cité (tél. 05.63.56.03.53), restaurant ♦ **S. I.** (tél. 05.63.56.00.52).

LAUTREC
81440 (Tarn)

Albi, sa splendeur architecturale et son beau musée, fait naturellement partie des "must" de tout visiteur de la région. Un peu excentré des routes principales qui y mènent se trouve Lautrec. L'ancienne place forte doit son nom à ses vicomtes, les lointains ancêtres de Toulouse-Lautrec, le génial peintre qui a donné une gloire de plus à sa ville. De tous côtés le panorama est splendide. Le village n'est pas à une grande altitude, mais situé de telle sorte qu'il plonge sur toute la plaine de Castres, face à la ligne de la Montagne Noire. Des restes de murailles entourent encore la ville. On y pénètre par une porte étroite ; à l'angle de la place, deux magnifiques maisons à colombage, dont les toits se frôlent, laissent à peine passer la rue dallée de La Caussade, qui descend à la porte fortifiée du même nom. Elle date du XIIIᵉ siècle, seule rescapée des remparts qui en comptaient huit auparavant. La place centrale est entourée de gracieuses maisons en encorbellement du XIVᵉ siècle, sur piliers de bois. Un grand porche donne accès à la place des Marronniers, et à la petite rue de l'église, belle collégiale dédiée à saint Rémy. Du calvaire, juché en haut du village, on peut embrasser la vue sur les monts de Lacaune, la Montagne Noire et la riante plaine castraise.

♦ 1540 habitants, 250 m d'altitude ♦ **Accès :** à 30 km S d'Albi par N 112, Réalmont et D 92 ♦ **A voir :** le musée archéologique (en été) ♦ **Aux alentours :** les châteaux de Puech Assaut, Braconnac, Montaquet ♦ **Foires, festivités :** marché le vendredi matin (vente d'ail de juillet à avril) ; Fête des arts le dernier week-end de mai ; Fête de l'ail le 1ᵉʳ vendredi d'août ; Foire aux chiens le 3ᵉ ou 4ᵉ week-end d'août ♦ **Hôtels :** Château de Montcuquet (tél. 05.63.75.90.07), maison d'hôtes de charme, 3 chambres 270-300 F, table d'hôtes ; Chez M. et Mme Audouy (tél. 05.63.75.95.11), maison d'hôtes de charme 3 chambres 250 F, 1 suite 350 F ♦ **Restaurant :** Les Marronniers (tél. 05.63.75.90.08) ♦ **Mairie** (tél. 05.63.75.90.04) - **S. I.** (tél. 05.63.75.97.14).

PUYCELSI
81140 (Tarn)

Émergeant de la forêt de la Grésigne, entre Gaillac et Caussade, le bourg est dressé en position de forteresse sur une roche plate, et domine la vallée de la Vère. Il ne reste du château que les salles basses, dont une a servi de collecteur de pluies. La chapelle Saint-Roch fut construite par les habitants, après la peste de 1705. Les remparts suivent la table de roc, pour s'arrêter à l'à-pic de 85 mètres qui les rend inutiles. Le château des capitaines-gouverneurs est flanqué de deux tours, leurs fenêtres géminées laissent passer des armes à feu par leurs orifices. La place du Fus rappelle qu'ici l'on fabriquait rouets et fuseaux. Une rue très pentue amène à la belle maison des Gardes et à la porte de l'Irissou. Le chemin de ronde tourne jusqu'à la tour de la Prison. La place de la Mairie est l'endroit le plus séduisant du village. La maison commune, restée telle qu'au XVIᵉ siècle, a été fort bien restaurée. En face, la maison "Féral" présente une belle façade du XVIᵉ siècle. L'endroit mérite de revivre... Il reste d'admirables maisons bien ruinées, qui réclament un maître.

♦ 442 habitants, 299 m d'altitude ♦ **Accès :** à 22 km N-O de Gaillac par D 964 et D 8
♦ **Aux alentours :** la forêt de Grésigne ♦ **Foires, festivités :** Fête du village le 3ᵉ
dimanche d'août ♦ **Hôtels :** à Larroque (2 km), Meilhouret (tél. 05.63.33.11.18), maison
d'hôtes de charme, 2 chambres 240-260 F, table d'hôtes sur demande ; à Castelnau-de-Montmirail (10 km S-E) Chez Mme Salvador (tél. 05.63.33.17.44), maison d'hôtes
de charme, 6 chambres 160-180 F, 1 suite 300 F ♦ **Mairie** (tél. 05.63.33.11.14) -
S. I. (tél. 05.63.33.19.25).

AUVILLAR
82340 (Tarn-et-Garonne)

“Alta Villa” au temps des Gallo-Romains, Auvillar descendit de sa colline pour essaimer au bord de la Garonne et, plus tard, l'installation d'un port fit sa fortune. Au XIIIᵉ siècle, les habitants se séparent des comtes de Toulouse, et seront les premiers à accueillir un monastère dominicain (1275). La guerre de Cent Ans n'épargne pas la cité, pas plus qu'en 1562 et 1574, les huguenots : la ville, la tour Saint-Pierre et le château sont détruits. Dans le bourg d'en haut, rue Obscure, on admire la tourelle de briques polygonales, et de belles maisons à pans de bois. L'église Saint-Pierre a été restaurée au XIXᵉ siècle dans son style initial (XIVᵉ siècle). La place de la Halle a des cornières en plein cintre et anses de panier. En son milieu, une très jolie halle aux grains, ronde, à colonnades toscanes. Rue des Nobles, la maison de Bertrand de Goth, futur Clément V. De la promenade du château, le panorama sur la Garonne et le port est grandiose. Au port, il faut voir l'église Sainte-Catherine (monogramme du Christ de l'époque carolingienne).

♦ 1014 habitants ♦ **Accès :** à 30 km S-E d'Agen par N 113 - Valence-d'Agen et D 11 ♦ **A voir :** le musée de la Poterie ♦ **Foires, festivités :** Fête bachique de la Saint-Noé en juin ; Fête de la Saint-Pierre le 1ᵉʳ dimanche de juillet ; Foire à la brocante le week-end proche du 14 juillet ♦ **Hôtel :** Hôtel de l'Horloge (tél. 05.63.39.57.55) ♦ **Mairie** (tél. 05.63.39.57.33).

BRUNIQUEL
82800 (Tarn-et-Garonne)

L'histoire de Bruniquel commence avec Bertrand de Bruniquel, son seigneur. Au XVIᵉ siècle, la ville est une des premières à se libérer du joug catholique. Bientôt "place de sécurité", c'est l'une des quinze églises protestantes du Haut-Languedoc. Les jalons du passé de la cité sont nombreux : la fontaine des Malades, l'église, hélas remaniée, reconstruite avec les pierres mêmes du temple protestant, après la révocation de l'édit de Nantes. La promenade du Ravelin part de l'église, vers le Rocas. Les remparts ont été démantelés après la paix de Montpellier en 1622. La place du Rocas s'étend au pied du mur Vieilh, et communique vers la campagne par la porte basse. La rue droite traverse la cité, et presque toutes les rues convergent vers la place du Mazel. Du château, il ne reste que l'ancien donjon, de construction romane. Le castel Biel figure un autre temps, avec sa galerie Renaissance et sa tour octogone. Le château Jeune (fin XVᵉ) est né d'un partage familial. Dans le village, un peu partout, les maisons conservent la mémoire du Moyen Âge : arcades et étals de pierre d'une boutique, fenêtre géminée d'une maison de notable. Séduits par l'authenticité de Bruniquel, nombreux sont les artistes qui y séjournèrent.

♦ 530 habitants, 300 m d'altitude ♦ **Accès :** à 28 km E de Montauban par D 115 ♦ **A voir :** le musée Historique, Maison Payrol ♦ **Aux alentours :** le très beau village médiéval de Penne (6 km) ; la forêt de Grésigne ♦ **Foires, festivités :** Foire aux fleurs en mai ; Fête de Bruniquel et foire à la brocante en août ♦ **Hôtel :** à Larroque (7 km S), Meilhouret (tél. 05.63.33.11.18), maison d'hôtes de charme, 2 chambres 240-260 F, table d'hôtes sur demande ♦ **Mairie** (tél. 05.63.67.24.91).

LAUZERTE
82110 (Tarn-et-Garonne)

Entre les vallées du Lendou et de la Barguelonne, au milieu d'un paysage vallonné, voici Lauzerte, la "Tolède quercynoise". C'est une bastide construite en 1176 par Raimond V, comte de Toulouse, mais elle n'en a pas la forme classique car elle a dû se plier aux configurations étroites du terrain. Malgré ses remparts et sa position perchée, Lauzerte connut l'occupation anglaise et eut à souffrir des guerres de Religion. Aujourd'hui, on peut admirer la place centrale avec son magnifique pavage (hélas bizarrement soulevé à un coin) ; elle est bordée de couverts et de vieilles maisons en pierre blanche aux toits de tuiles brunes. Mais la plus belle est peut-être la petite maison à colombage, toute fleurie, "coincée" entre les autres, plus massives. Une halte au charmant café, puis on continue la visite en admirant au passage les fenêtres gothiques et Renaissance, les jolies portes. On oubliera bien vite quelques laideurs de notre époque, en contrebas, pour ne retenir de ce délicieux village que la douceur de la promenade.

♦ 1697 habitants, 224 m d'altitude ♦ **Accès :** à 23 km N de Moissac par D 957
♦ **Aux alentours :** la région du Quercy blanc ; le village de Montcuq (13 km N)
♦ **Foires, festivités :** marché fermier le samedi matin ; nombreux concerts en été ;
foire à la brocante le 15 août ♦ **Hôtel :** à Lascabanes-Montcuq, La Petite Auberge
(tél. 05.65.31.82.51), maison d'hôtes de charme, 5 chambres 300-400 F,
1 suite 580 F, table d'hôtes ♦ **Restaurant :** Le Luzerta (tél. 05.63.94.64.43) ♦ **Mairie**
(tél. 05.63.94.65.14) - **S. I.** (tél. 05.63.94.61.94).

SAINT-ANTONIN-NOBLE-VAL
82140 (Tarn-et-Garonne)

Noble-Val, situé dans un cirque à la sortie des gorges sauvages de l'Aveyron, est dominé par une impressionnante falaise, le roc d'Anglars. On franchit un pont de trois arches, qui conduit à la ville médiévale, lacis de ruelles tortueuses et pittoresques. Saint-Antonin a eu à souffrir de terribles inondations. Cela explique les époques et styles divers des vieilles demeures : une maison ayant été construite à la place d'une autre, on passe, dans la même rue, du XIIe au XVIIIe siècle. Lors de l'édit de Nantes, la cité s'était constituée en république protestante et les troupes royales vinrent l'assiéger. A la révocation de l'édit de Nantes, Saint-Antonin aura à subir les dragonnades. La visite de la ville médiévale est bien guidée. Son joyau est l'Hôtel de Ville, du XIIe siècle, dont la façade est portée par trois arcades à arc brisé, la quatrième supportant la tour. Sur la même place, plusieurs autres belles demeures, du XIIe au XIVe siècle. La halle, ravissante, date seulement du XIXe siècle.

♦ 1867 habitants, 129 m d'altitude ♦ **Accès :** à 41 km E de Montauban par N 20, D 926 et D 5 ♦ **A voir :** le musée de Préhistoire, d'Archéologie et d'Ethnographie ♦ **Aux alentours :** les villages de Penne, Montricoux, Caylus ; l'abbaye de Beaulieu ; les grottes du Bosc ♦ **Foires, festivités :** marché le dimanche matin ; Soirées musicales en été ; Fête des moissons en juillet ; Fête des battages en août ; Fête du village le 15 août ♦ **Hôtel :** Hôtel Viollet-le-Duc (tél. 05.63.68.21.00), restaurant ♦ **Restaurant :** La Bergerie (tél. 05.63.30.60.58) ♦ **Mairie** (tél. 05.63.30.60.23) - **S. I.** (tél. 05.63.30.63.47).

L a région Nord-Picardie est riche de contrastes : paysages de plateaux, de vallées verdoyantes, de forêts, de rivières, d'étangs et de marais, champs à perte de vue, beauté sauvage de la baie de Somme et du parc naturel régional du Marquenterre. Les villages sont très différents selon les régions : de briques et d'ardoises au nord-est, ils ont des maisons basses, blanchies à la chaux avec des portes et des fenêtres gaiement colorées en Artois et sur la côte, puis ils deviennent presque normands au sud-ouest.

Malgré les guerres que cette région eut à subir au cours des siècles, de nombreux témoignages du passé ont subsisté : les cathédrales d'Amiens, de Beauvais, joyaux de l'art gothique, ou le château de Pierrefonds de Viollet-le-Duc, chef-d'œuvre du gothique flamboyant. Vous serez émerveillés par la beauté tranquille de la région Nord-Picardie où la nature, l'art et l'histoire se mêlent si agréablement.

MONTREUIL–SUR–MER
62170 (Pas-de-Calais)

Ceinturée de remparts, la petite cité de Montreuil surplombe la vallée de la Canche. Le bourg était autrefois un port de mer. C'est en l'an 900 que le comte de Ponthieu éleva la première citadelle ; cinq siècles plus tard, la ville fut assiégée et rasée par les troupes de Charles Quint (1532). L'actuelle citadelle date de 1550, elle mêle des vestiges de tours du XIIIᵉ siècle à des éléments fortifiés des XVIᵉ et XVIIᵉ siècles, parmi lesquels certains sont dus à Vauban. Aujourd'hui, le tour des remparts constitue une agréable promenade longue de trois kilomètres environ. Il faut se balader le long des rues pavées, la Cavée Saint-Firmin, la rue du Clape-en-Bas sont très pittoresques avec leurs petites maisons blanchies à la chaux, aux vieux toits de tuiles. Il faut aussi aller voir l'église Saint-Saulve, ancienne abbatiale des Bénédictins, datant du XIᵉ siècle, remaniée au XIIIᵉ et au XVIᵉ siècle. A l'intérieur, très belles toiles du XVIIIᵉ siècle. Un peu plus loin, sur la place, vous pourrez admirer la chapelle de l'Hôtel-Dieu de style flamboyant. Ce sont les rues et le ciel du Nord aux lumières changeantes qui séduisirent de nombreux peintres de la fin du siècle dernier ; ils forment la fameuse "école de Montreuil", illustrée par Thaulow, Cazin, Gorre...

♦ 2676 habitants, 45 m d'altitude ♦ **Accès :** à 45 km N d'Abbeville par N 1 ♦ **A voir :** le musée Roger Rodière ♦ **Aux alentours :** la vallée de la Course ; le village de Montcravel, l'abbaye de Valloires ♦ **Foires, festivités :** marché le samedi matin ; Foire à la brocante le 14 juillet ; "Interbourgs Quilles" fin septembre ; Foire d'hiver fin novembre ♦ **Hôtel :** à 15 km S, l'Abbaye de Valloires (tél. 03.22.29.62.33), maison d'hôtes de charme, 6 chambres 360-420 F ♦ **Restaurants :** Château de Montreuil (tél. 03.21.81.53.04), restaurant gastronomique ; Les Hauts de Montreuil (tél. 03.21.81.95.92) ; à 2,5 km, Auberge La Grenouillère (tél. 03.21.06.07.22) ♦ **S. I.** (tél. 03.21.06.04.27).

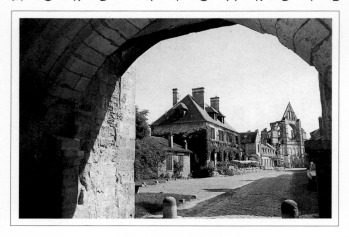

LONGPONT
02600 Villers–Cotterets (Aisne)

C'est à l'endroit où la voie romaine Meaux-Soissons traversait la rivière "Savière" que fut édifié le village, dans un paysage de marais en bordure de la forêt de Retz. Un lieu célèbre depuis 1131 quand saint Bernard vint y fonder un monastère. L'église abbatiale sera consacrée en 1227 en présence de Saint Louis et de Blanche de Castille. L'abbaye sera prospère et cette richesse ne manquera pas d'attirer les pillards : Longpont verra ainsi se succéder Anglais, Bourguignons, protestants... Pour leur faire face, les moines avaient construit une enceinte dont il reste la porte, du XIVe siècle, et ses quatre tourelles. L'abbaye et ses terres seront vendues à la Révolution. Aujourd'hui, de l'immense église il ne reste que la façade principale se dressant, tel un décor de théâtre, derrière lequel vous découvrirez quelques piliers au milieu de la verdure. Vous verrez aussi les bâtiments conventuels : le chauffoir (XIIIe siècle), l'aile ouest remaniée au XVIIIe siècle avec le vaste hall et le cellier (devenu salle d'accueil), ainsi qu'une partie du cloître, le reste étant occupé par l'église paroissiale. Quant au village, malgré une destruction quasi totale en 1918, il conserve beaucoup de charme grâce à une très habile restauration.

◆ 298 habitants, 85 m d'altitude ◆ **Accès :** à 20 km S de Soissons par N 2 et D 2 ◆ **Aux alentours :** la forêt de Retz ; le château de Villers-Cotterêts ; le château de Montgobert et son musée du Bois et de l'Outil ; le château fort de Pierrefonds ◆ **Hôtel :** Hôtel de l'Abbaye (tél. 03.23.96.02.44), hôtel de charme, 12 chambres 175-320 F, restaurant ◆ **Mairie** (tél. 03.23.96.01.97).

GERBEROY
60380 (Oise)

Perché sur une butte du pays de Bray, Gerberoy est le pays des roses, mais aussi des glycines, des clématites, des marguerites qui débordent de vieux murs, envahissent les ruelles et occupent les pavés. Sur cette hauteur, à la frontière du royaume de France et du duché de Normandie, Normands et Anglais croisèrent et recroisèrent le fer avec les Français. Guillaume le Conquérant y affronta même son fils, en 1079, quand Robert Courteheuse eut des vues sur la Normandie. Le village fut encore mis à mal par Jean sans Terre, les Bourguignons, les Ligueurs, avant que la peste et l'incendie ne le dévastent au XVIe et au XVIIe siècle. Classé parmi les plus beaux villages de France, Gerberoy est très photogénique avec ses remparts, ses jardins qui s'étagent en terrasses sur l'emplacement de l'ancien château (bâti en 922), ses rues pavées, sa halle ancienne, la petite collégiale Saint-Pierre et le puits communal restauré. Avec encore, dans la Grande Rue, le logis qui aurait accueilli, en 1592, Henri IV blessé à Aumale, et cette maison normande au bois bleu qui a fait de la figuration dans de nombreux films.

◆ 136 habitants, 185 m d'altitude ◆ **Accès :** à 63 km E de Rouen par N 31 et D 930 ◆ **A voir :** le musée municipal ; la Maison Bleue ; la Galerie de Gerberoy ◆ **Aux alentours :** Saint-Germer-de-Fly (route 915 direction Gisors) ◆ **Foires, festivités :** Fête des Roses le 3e dimanche de juin ◆ **Hôtel :** pas d'hôtel confortable dans le village et les environs ◆ **Restaurant :** Hostellerie du Vieux Logis (tél. 03.44.82.71.66) ◆ **Mairie** (tél. 03.44.82.45.23) - **S. I.** (tél. 03.44.82.32.13).

Un clocher pointu, quelques maisons à colombage autour d'une place, des vaches sous les pommiers et de verts pâturages. Telle est la Normandie côté terre. Côté mer, c'est une petite plage encaissée dans la falaise, avec des barques de pêcheurs, bordée de villas baroques construites au début du siècle dernier quand la capitale découvrit les bains de mer. En Normandie, les clichés ont la vie dure, mais ils sont si charmants !

Quelques ruines viennent troubler cette paisible apparence. La Normandie a connu bien des batailles, bien des conquêtes depuis les fiers Northmen, pillards vikings, déjà appelés Normands, qui ont construit à l'aube du premier millénaire le plus puissant des duchés. Forteresses, châteaux, abbayes témoignent d'un passé aussi prestigieux qu'agité. Les villageois s'en souviennent, qui les racontent volontiers autour d'un verre de cidre, à moins qu'ils ne vous content une des légendes qui peuplent cette si douce région.

BEAUMONT–EN–AUGE
14950 (Calvados)

Dans le pays d'Auge, c'est du promontoire de Beaumont-en-Auge, village haut perché, que la vallée de la Touques se laisse le mieux découvrir. Au loin, on entrevoit Canapville et ses vieilles demeures. Plus près, l'église de Saint-Étienne-La-Thuie dresse son fin clocher. Un beau panorama que l'on contemple en compagnie de Pierre-Simon Laplace, astronome, mathématicien et physicien, dont la statue se dresse près de sa maison natale. L'école militaire où il fit ses études est en face. Une grande bâtisse, qui fut auparavant un collège royal (fondé par Louis XV), et plus tôt encore, un prieuré bénédictin construit en 1060 par Robert Bertran, vicomte de Beaumont. De son riche passé, Beaumont garde de belles demeures du XIXe siècle aux façades de pierre et de brique, aux balcons finement décorés, qui viennent rompre l'alignement des maisons à colombage plus anciennes. Les trois rues montent rapidement vers la place et l'église, qui a gardé sa tour centrale d'origine.

♦ 397 habitants ♦ **Accès :** à 37 km N-E de Caen par N 175 et D 275 ♦ **A voir :** le musée Laplace (à la mairie, peintures et astronomie) ♦ **Aux alentours :** à Saint-Hymer (8 km S-E), l'église du XIVe siècle et les vestiges romans du prieuré ♦ **Hôtels :** à Saint-Aubin-Lebizay (14 km S-O) Cour l'Épée (tél. 02.31.65.09.45), maison d'hôtes de charme, 3 chambres 260-320 F ; à Saint-Philibert-des-Champs (20 km S-E) La Ferme des Poiriers Roses (tél. 02.31.64.72.14), maison d'hôtes de charme, 6 chambres, 1 suite 300-500 F ♦ **Restaurant :** Auberge de l'Abbaye (tél. 02.31.64.82.31) ♦ **Mairie** (tél. 02.31.64.85.41).

BEUVRON-EN-AUGE
14430 (Calvados)

C'est le plus augeron des villages, une véritable carte postale, avec ses maisons à pans de bois, sa place centrale ornée de halles, sa petite rivière et ses manoirs disséminés dans la campagne ; c'est presque trop beau pour être vrai... Le village possède de lointaines origines et il a été un fief de la famille d'Harcourt jusqu'à la Révolution, mais le Beuvron d'aujourd'hui est beaucoup plus neuf : les halles ont été construites voilà une petite trentaine d'années avec des vieux bois, et tout un programme de restauration des façades a été soigneusement mené. Beuvron-en-Auge affiche fièrement tout un jeu de colombages – verticaux, obliques, croisés, comblés au torchis, parés de tuilots ou de briques – sur ses maisons des siècles passés... et prend aussi le soin d'ajouter, outre les fleurs, des échoppes d'artisans et de brocanteurs. Le tour de Beuvron-en-Auge effectué, allez donc vous perdre dans la campagne. Après être passé devant le manoir de la Hogue, vous monterez, par un petit chemin, à la chapelle Saint-Michel-de-Clermont.

♦ 272 habitants ♦ **Accès :** à 30 km E de Caen par N 175 et D 49 ♦ **Aux alentours :** le manoir de Crèvecœur-en-Auge, le haras de Victot-Pontfol ♦ **Foires, festivités :** Foire aux géraniums en mai, Fête du cidre en novembre ♦ **Hôtels :** Auberge de la Boule d'Or (tél. 02.31.79.78.78), hôtel de charme, 3 chambres 230 F ; Chez Mme Hamelin (tél. 02.31.39.00.62), maison d'hôtes de charme, 2 chambres 230 F ♦ **Restaurants :** Le Pavé d'Auge (tél. 02.31.79.26.71) ; La Boule d'Or ; La Forge ; crêperie La Galère ♦ **Mairie** (tél. 02.31.79.23.31).

HONFLEUR
14600 (Calvados)

Port de commerce maritime et fluvial situé à l'embouchure de la Seine, Honfleur est resté en son cœur un vrai village. Commencez la promenade par le Vieux Bassin avec ses bateaux de pêche, et admirez les maisons du quai Sainte-Catherine qui se coiffent et même s'habillent d'ardoises. La Lieutenance reste le seul vestige des fortifications détruites par Louis XIV pour permettre l'agrandissement de la cité. Continuez la flânerie par les petites rues aux noms pittoresques, bordées de vieilles maisons des XVᵉ et XVIᵉ siècles ou de nobles demeures d'armateurs en pierre de taille, visitez les Greniers à sel créés par Colbert et le Manoir vigneron qui abrite le musée d'Art populaire. N'oubliez pas les deux églises de Honfleur : Sainte-Catherine à nef double, construite entièrement en bois aux XVᵉ et XVIᵉ siècles, et Saint-Étienne au clocher recouvert d'essences de châtaignier, qui accueille le musée de la Marine. Vous ne pourrez que succomber au charme délicieux de cette cité, ville natale du peintre Eugène Boudin qui a su immortaliser avec tant de bonheur ses ciels changeants.

♦ 8000 habitants ♦ **Accès :** à 76 km O de Rouen par N 175 et D 180 ♦ **A voir :** le musée Eugène Boudin ; le musée d'Art populaire ; le musée de la Marine ♦ **Aux alentours :** la Côte de Grâce (1 km) et sa chapelle, important lieu de pèlerinage des marins ; le château et la route du Mont-Joli ♦ **Foires, festivités :** marché fermier le samedi matin ; Fête des marins le dimanche de Pentecôte, Bénédiction de la mer et Pèlerinage des Marins à N.-D.-de-Grâce le lundi de Pentecôte ; Salon des artistes honfleurais et Festival de musique en juillet-août ♦ **Hôtel :** Hôtel L'Écrin (tél. 02.31.14.43.45), hôtel de charme, 21 chambres 370-900 F ♦ **Restaurants :** La Lieutenance (tél. 02.31.89.07.52), Le P'tit Mareyeur (tél. 02.31.98.84.23) et des restaurants gastronomiques : L'Assiette Gourmande (tél. 02.31.89.24.88), La Ferme Saint-Siméon (tél. 02.31.89.23.61) ♦ **S. I.** (tél. 02.31.89.23.30).

HOULGATE
14510 (Calvados)

Entre Seine et Orne, nichée dans le petit vallon du Drochon, Houlgate, "le chemin du trou", appartient au chapelet des plages chics qui s'égrènent le long de la côte normande. En 1854, à la belle époque de la découverte des bains de mer, Houlgate a attiré la plus sérieuse des clientèles du monde des affaires. C'est l'époque de la construction des grandes villas, de l'édification du Grand Hôtel (1870) ; sa rotonde d'angle couronnée d'un dôme couvert faisait l'admiration générale. Sa plage de sable très fin attira des touristes célèbres, le prince Napoléon, l'impératrice Alexandra Fédorovna de Russie, le roi de Naples. Camille Saint-Saëns y écouta la mer, comme Claude Debussy. Et Zola vint y passer des vacances très bourgeoises. Houlgate conserve toujours le charme de cette époque, avec sa digue-promenade, ses parcs fleuris et ses maisons typiques de l'architecture du XIXe siècle.

♦ 1784 habitants ♦ **Accès :** à 27 km N-E de Caen par D 513 ♦ **Aux alentours :** la falaise des Vaches Noires ♦ **Foires, festivités :** marché fermier le jeudi matin ♦ **Hôtels :** à Gonneville-sur-Mer (3 km) Château de Dramard (tél. 02.31.24.63.41 / 02.31.91.05.15), maison d'hôtes de charme 1 chambre 600 F, 3 suites 700-800 F, table d'hôtes ; à Bavent (11 km S-O), Hostellerie du Moulin du Pré (tél. 02.31.78.83.68), hôtel de charme, 10 chambres 210-330 F, restaurant ♦ **Mairie** (tél. 02.31.91.06.28) - **S. I.** (tél. 02.31.91.33.09).

LE BEC-HELLOUIN
27800 Brionne (Eure)

Entre Seine et Risle s'étend le plateau du Roumois. Il y a plus de neuf siècles, le chevalier Herluin de Brionne, qui avait fondé une petite communauté religieuse dans le voisinage, décida de s'installer dans ce vallon baigné par la petite rivière, Le Bec. La première église abbatiale fut consacrée en 1041. Plusieurs fois détruite et reconstruite, l'abbaye fut ruinée sous la Révolution et l'Empire. L'église abbatiale fut transformée en carrière de pierre et le reste des bâtiments en dépôt de remonte pour la cavalerie. C'est sur une intervention de Mendès France que les militaires quittèrent Le Bec, laissant la place aux moines qui, depuis septembre 1948, restaurent l'abbaye. On peut aujourd'hui faire le tour des sévères bâtiments conventuels, flâner dans le parc et admirer la bibliothèque dans l'ancien réfectoire mauriste du XVIIIe siècle, ensemble dominé par la puissante tour Saint-Nicolas (XVe siècle), seul vestige de la grande église abbatiale. Le village aux maisons à colombage et pans de bois sagement restaurées et repeintes, aux fenêtres et balcons abondamment fleuris, se masse autour de son église paroissiale et de sa place gazonnée.

♦ 439 habitants, 140 m d'altitude ♦ **Accès :** à 45 km N-E de Lisieux par N 13, N 138 et D 130 ♦ **A voir :** le musée automobile ♦ **Aux alentours :** le château féodal d'Harcourt (12 km S-E) ; le château du Livet-sur-Authan ♦ **Hôtel :** Auberge de l'Abbaye (tél. 02.32.44.86.02), hôtel de charme, 10 chambres 380-420 F, restaurant ♦ **Mairie** (tél. 02.32.44.86.40).

LYONS-LA-FORÊT
27480 (Eure)

Près de Rouen, entourant Lyons-la-Forêt, s'étend, sur dix mille hectares, la plus belle hêtraie de France. Le village s'édifia naturellement autour des remparts dont quelques éléments de murailles apparaissent encore. Sur la place, la halle, superbe construction du XVIIe siècle avec un toit immense, abrite toujours le marché. Tout autour, les maisons anciennes aux linteaux incroyablement bombés accueillent de nombreux antiquaires. Au fil des rues, vous pourrez admirer la sergenterie et le prieuré, le couvent des Cordeliers, reconverti en manufactures d'indiennes sous la Révolution, et le couvent des Bénédictins devenu école. Dans la rue de l'Enfer, la demeure de Maurice Ravel qui venait chercher ici calme et inspiration ! Dans le vieux quartier du Bout-du-Bas, se trouve la belle église Saint-Denis aux murs décorés d'un damier de grès et de silex.

♦ 702 habitants, 95 m d'altitude ♦ **Accès :** à 36 km E de Rouen par N 31 et D 321 ♦ **Aux alentours :** la forêt de Lyons ; l'abbaye de Mortemer ; le château de Vascœuil ; le château de Fleury-la-Forêt ♦ **Foires, festivités :** marché les jeudi, samedi et dimanche matin ; Journées artisanales à la Pentecôte ; Grand Feu de la Saint-Jean le dernier samedi de juin ; Foire de la Saint-Denys début octobre ♦ **Hôtels :** La Licorne (tél. 02.32.49.62.02) 32 chambres 400-500 F, 6 suites 550-750 F environ, restaurant ; à Amfreville-sous-les-Monts (25 km S-O) Le Moulin de Connelles (tél. 02.32.59.53.33), hôtel de charme, 7 chambres 500-600 F, 6 suites 800 F, restaurant ; à Saint-Denis-le-Fervent (25 km S-E) Le Four à Pain (tél. 02.32.55.14.45), maison d'hôtes de charme, 2 chambres 180-230 F ♦ **S. I.** (tél. 02.32.49.31.65).

AUDERVILLE
50440 (Manche)

L e Finistère normand, ultime promontoire, fut jadis une falaise. Les maisons basses d'Auderville, faites de moellons de grès et de granit, couvertes d'épaisses ardoises de schiste, se blottissent les unes contre les autres pour échapper à l'emprise du vent. Même l'église, à la puissante ossature de granit, ne s'élève que d'un logement à claire-voie abritant les cloches. Des cloches qui, prétendent les vieux, se mettent d'elles-mêmes en branle pour sonner l'alarme lors des grandes tempêtes. Au bout de la route, après avoir traversé un paysage de champs entourés de murets, on atteint le petit port de Goury, station de sauvetage, à double cale de lancement, pour répondre à toutes les éventualités. Car nous sommes juste en face du terrible raz Blanchard. La croix Vendémiaire, plantée face à la mer, rappelle la disparition en juin 1912 de l'un des premiers sous-marins français. Auderville abrite sans doute l'un des plus grands cimetières marins de France. Nombre des charpentes des maisons les plus anciennes furent faites avec les mâts, retaillés à l'épinette, des bateaux rejetés sur les grèves après les naufrages. Derrière l'église d'Auderville, un chemin mène au hameau de Roche qui doit son appellation à Gargantua.

◆ 218 habitants ◆ **Accès :** à 28 km N-O de Cherbourg par D 901 ◆ **Hôtel :** à Saint-Germain-de-Tournebu (40 km S-E) Château de la Brisette (tél. 02.33.41.11.78), maison d'hôtes de charme, 3 chambres 450-550 F, table d'hôtes ◆ **Restaurant :** à 1 km N , Auberge de Goury (tél. 02.33.52.77.01) ◆ **Mairie** (tél. 02.33.52.85.92).

BARFLEUR
50760 (Manche)

À la pointe nord-est de la presqu'île du Cotentin, Barfleur est la plus petite commune du département de la Manche. Pas plus de sept cents habitants y occupent un peu moins d'une centaine d'hectares. Port romain, puis viking, avant d'être le premier havre normand au temps de Guillaume le Conquérant, Barfleur n'est plus qu'un petit village marin. Mais s'il a perdu ses ambitions défensives de l'époque normande, à la suite d'une riposte sanglante d'Édouard III d'Angleterre, il reste un petit port terriblement photogénique, qui attire chaque année de nombreux peintres. Les maisons, sagement rangées le long du quai et de la rue principale, construites dans le granit gris du pays, couvertes de schiste, ont comme particularité d'être ornées de curieuses crêtes de toit dentelées, terminées sur les pignons et les lucarnes par des éléments en terre cuite en forme d'animaux ou de personnages stylisés. La grande rue conduit à l'église Saint-Nicolas (XVIIe–XIXe siècles) ; juchée sur un éperon rocheux, entourée d'un petit cimetière marin, elle domine la mer. Vous pourrez aussi, avant de repartir, aller boire un verre au charmant café de France, sur le port.

♦ 630 habitants ♦ **Accès :** à 27 km E de Cherbourg par D 901 ♦ **Aux alentours :** le phare de la pointe de Barfleur (4 km N par D 10) ♦ **Hôtels :** Hôtel Le Conquérant (tél. 02.33.54.00.82), hôtel de charme, 16 chambres 200-360 F, crêperie ; à Sainte-Geneviève (2 km) ; La Févrerie (tél. 02.33.54.33.53), maison d'hôtes de charme, 3 chambres 200-320 F ; à Montfarville (1 km) Le Manoir (tél. 02.33.23.14.21), maison d'hôtes de charme, 2 chambres 230-280 F ♦ **Mairie** (tél. 02.33.54.04.49) - **S. I.** (tél. 02.33.54.02.48).

GENÊTS
50530 (Manche)

Jamais de la côte du Cotentin, le Mont-Saint-Michel n'apparaît aussi proche. Il est vrai que deux lieues seulement séparent le village de l'abbaye. Ces deux lieues-là étaient empruntées à pied, aux XVe et XVIe siècles, par des milliers d'enfants qui se rendaient au Mont lors du pèlerinage des pastoureaux. Après une ultime étape dans l'église romane de Genêts, ils passaient au pied de Tombelaine, avant de marcher tout droit sur le Mont. A cette époque, Genêts était un port très actif. Édifié autour d'un prieuré aujourd'hui disparu, Genêts est fait de petites maisons aux murs de grès et de schiste, aux encadrements de portes et de fenêtres en granit taillé, aux toits d'ardoises ; l'ensemble, d'une grande harmonie, d'une sobriété rare, est desservi par un réseau de petites rues qui viennent déboucher dans les voies plus importantes menant au port, désormais ensablé et recouvert d'une vaste pelouse d'herbue.

♦ 524 habitants ♦ **Accès :** à 10 km O d'Avranches par D 911 ♦ **Aux alentours :** le Mont-Saint-Michel (8 km S à pied en suivant le guide du bec d'Andaine) ♦ **Hôtel :** à Ducey (20 km S-E), Auberge de la Sélune (tél. 02.33.48.53.62), hôtel de charme, 19 chambres 270-295 F, restaurant ♦ **S. I.** (tél. 02.33.70.86.46).

LE MONT-SAINT-MICHEL
50116 (Manche)

L'origine de l'abbaye remonte au VIIIᵉ siècle lorsque l'archange saint Michel apparut en songe à l'évêque d'Avranches Aubert et lui ordonna de construire un sanctuaire sur le Mont Tombe. Elle ne cessa ensuite d'être agrandie, fortifiée et embellie jusqu'au XVIᵉ siècle. Aujourd'hui, la "Merveille de l'Occident" apparaît superbement restaurée dans toute sa majesté. On découvre d'abord la Grand-Rue bordée de boutiques de souvenirs, mais surtout les superbes maisons de granit gris s'agrippant au rocher qui cachent de petites cours et de ravissants jardins ; puis, par les remparts, on arrive au "vrai" Mont-Saint-Michel : l'abbaye, Merveille du XIIIᵉ siècle qui s'étage sur trois niveaux : le magnifique et élégant cloître et le réfectoire (3ᵉ étage), la salle des hôtes et la salle des chevaliers (2ᵉ étage), le cellier et l'aumônerie (1ᵉʳ étage). Un classement tardif comme monument historique par décret de Napoléon III a sauvé le Mont. Aujourd'hui, il doit faire face à un autre péril, l'ensablement. Essayez de visiter le Mont-Saint-Michel tôt le matin, tard le soir ou, mieux encore, hors saison, lorsque, abandonné par les foules de touristes, il retrouve le calme et tout son charme.

♦ 80 habitants ♦ **Accès :** à 131 km S-O de Caen par N 175, D 43 et D 75 ♦ **A voir :** le Musée de la mer, le Musée historial du Mont, le Logis Tiphaine (maison de Du Guesclin, XIVᵉ s.), le Musée historique ♦ **Foires, festivités :** Fêtes religieuses et folkloriques en mai pour la Saint-Michel de printemps ; Festival de musique en juillet-août ; Fête de l'archange saint Michel le dimanche le plus proche du 29 septembre ♦ **Hôtels :** Hôtel Saint-Pierre (tél. 02.33.60.14.03), chambres 500-800 F environ, restaurant ; Les Terrasses Poulard (tél. 02.33.60.14.09), chambres 400-950 F environ ♦ **Restaurant :** La Mère Poulard (tél. 02.33.60.14.01) ♦ **S. I.** (tél. 02.33.60.14.30).

EXMES
61310 (Orne)

Sur sa butte, Exmes semble monter la garde. Il est vrai qu'au temps des rois de Neustrie, cette cité était une petite capitale, résidence d'un gouverneur, et qu'au Moyen Âge, le seigneur d'Exmes, dont le château fortifié était perché sur un promontoire, tenait toute la région sous sa coupe. Aujourd'hui, le village se souvient de son passé glorieux. L'église Saint-André, bel édifice à trois nefs du XIe siècle, et chœur du XVe, possède le riche mobilier de l'abbaye bénédictine disparue. Tout proche d'Exmes, le Haras du Pin, avec ses bâtiments de Mansart et ses jardins de Le Nôtre fondé par Colbert en 1665, est un véritable "Versailles du cheval" ; 82 étalons y vivent "royalement". Toute la campagne environnante se consacre à l'élevage du cheval. Quelques manoirs apparaissent ici et là, comme le manoir d'Argentelles, avec ses quatre tourelles d'angle et sa tour escalier qui se reflète dans un plan d'eau voisin.

♦ 343 habitants, 310 m d'altitude ♦ **Accès :** à 17 km E d'Argentan par N 26 et D 14 ♦ **Aux alentours :** le manoir d'Argentelles ; le château d'O ; le Haras du Pin ♦ **Foires, festivités :** brocante en mai ♦ **Hôtel :** à Crouttes (25 km N) Le Prieuré Saint-Michel (tél. 02.33.39.15.15), maison d'hôtes de charme, 2 chambres 400-500 F, table d'hôtes le soir en été ♦ **Mairie** (tél. 02.33.39.95.56).

MOUTIERS-AU-PERCHE
61110 (Orne)

Entre les forêts de Saussay et de Logny, dans le vallon de la Corbionne, se niche le village de Moutiers-au-Perche où saint Lhomer, venant de Chartres, construisit un monastère qui prospéra sous le règne de saint Benoît. Mais les invasions normandes lui furent fatales et seule la tour du prieuré témoigne de ce passé. L'essentiel du village semble avoir voulu monter à l'assaut de la colline située au nord, à la recherche du soleil, dans un jeu de maisons étagées, aux murs de pierre recouverts d'enduits de sable et de chaux, avec les premiers appareillages de brique autour des fenêtres et des portes. En haut de la rue principale, qui se termine en raidillon sur un beau panorama de la Corbionne, l'église se distingue par son clocher qui porte un dôme en ardoises. A l'intérieur, les piliers sont décorés de curieux retables en pierre peinte. Au-delà commence le royaume des chênes et des hêtres qui, avec le pin sylvestre, peuplent les forêts du Perche, forêts déjà protégées par Colbert.

♦ 510 habitants ♦ **Accès :** à 66 km E d'Alençon, par N 12, D 912, D 8 et D 918
♦ **Aux alentours :** à Mortagne-au-Perche, le musée Alain et le musée Percheron
♦ **Hôtels :** à Villeray (18 km S), Moulin de Villeray (tél. 02.33.73.30.22), hôtel de charme, 16 chambres 390-950 F, 2 suites 850-1250 F, très bon restaurant ♦ **Mairie** (tél. 02.33.73.91.45).

SAINT-CÉNERI-LE-GEREI
61250 (Orne)

D ans la région des Alpes mancelles, à l'intérieur d'une boucle de la Sarthe, Saint-Céneri-le-Gerei s'est logé sur une petite crête. L'humble village, composé de maisons toutes simples, faites de moellons d'un grès gris rosé et recouvertes de petites tuiles ocre, s'organise autour de l'église romane, perchée sur un promontoire granitique, au clocher à baies géminées et à toiture en batière. A l'intérieur, des fresques du XIVe siècle, très belles, ont été malheureusement mal restaurées. A l'entrée du village, on peut encore apercevoir quelques traces du château fortifié, construit à l'époque du duché de Normandie, qui barrait l'éperon rocheux. En empruntant le petit pont de pierre qui enjambe la Sarthe, les promeneurs peuvent se rendre à la chapelle de Saint-Céneri où l'ermite Céneri, d'origine italienne, décida de s'installer en 669, pour y fonder un oratoire, puis un monastère qui fut incendié par les envahisseurs normands.

♦ 152 habitants, 104 m d'altitude ♦ **Accès :** à 14 km S-O d'Alençon par D 1 et D 101 ♦ **Aux alentours :** à Alençon, le musée des Beaux-Arts et de la Dentelle ; la forêt d'Écouves ; Saint-Léonard-des-Bois ; le château de Fresnay-sur-Sarthe ♦ **Foires, festivités :** exposition de peinture à la Pentecôte ♦ **Hôtels :** à Champfleur (18 km E) Garencière (tél. 02.33.31.75.84), maison d'hôtes de charme, 5 chambres 150-250 F, table d'hôtes ; à Saint-Paterne (17 km N-E) Château de Saint-Paterne (tél. 02.33.27.54.71), maison d'hôtes de charme, 3 chambres et 3 suites 450-750 F, table d'hôtes le soir ♦ **Mairie** (tél. 02.33.26.60.00).

LA BOUILLE
76530 (Seine-Maritime)

Au siècle dernier, aux beaux jours et les dimanches, La Bouille était prise d'assaut par les Rouennais venus par le fleuve pour y déjeuner dans les bonnes auberges. Le village s'étire le long de la Seine, sous la falaise. Les vieilles ruelles étroites, bordées de maisons à colombage, entourent l'église et le grenier à sel. Les plus belles demeures font face au fleuve. L'une d'elles abrita Hector Malot, l'auteur de "Sans famille", quand il n'était que le fils du maire de La Bouille. La place centrale, ouverte elle aussi sur la Seine, s'appelle la place du Bateau. Elle rappelle que La Bouille fut un port où passait tout le trafic de marchandises vers la Basse-Normandie et la Bretagne. Au XVIᵉ siècle, le bateau de La Bouille était un coche d'eau, tiré par des chevaux depuis le chemin de halage, qui effectuait le voyage entre La Bouille et Rouen en quatre heures !

♦ 866 habitants ♦ **Accès :** à 20 km S-O de Rouen par D 3 ♦ **Aux alentours :** le château de Robert-le-Diable à Moulineaux ; le château d'Hautot-sur-Seine ♦ **Foires, festivités :** marché le mercredi matin ; "Foire à tout" le 14 juillet ♦ **Hôtels :** à La Saussaye (19 km S) Le Manoir des Saules (tél. 02.35.87.25.65), hôtel de charme, 4 chambres 450-650 F, 2 suites 850-1150 F, restaurant ; au Landin (14 km N-O) Château du Landin (tél. 02.32.42.15.09), maison d'hôtes de charme, 6 chambres 450 F, table d'hôtes le soir ♦ **Restaurants :** Les Gastronomes (tél. 02.35.18.02.07) ; La Maison Blanche (tél. 02.35.18.01.90) ; La Poste (tél. 02.35.18.03.90) ♦ **Mairie** (tél. 02.35.18.01.48).

CLÈRES
76690 (Seine-Maritime)

A Clères, près de Rouen, les maisons de briques rouges semblent faire une haie d'honneur à la Clérette, une petite rivière qui fait chanter de nombreuses fontaines taillées dans la craie blanche du pays. Des petits ponts en passerelles, on aboutit à la place centrale où trône une ancienne halle à pans de bois du XVIIIᵉ siècle. Son château, construit sur les ruines d'un ancien château fort, constamment remanié au cours des siècles, arbore finalement un décor gothique. Au début du siècle, Jean Delacour, naturaliste, décida d'acclimater de nombreuses espèces animales dans son parc normand. Aujourd'hui, on y rencontre des kangourous, des antilopes, des paons et quelques autres mammifères exotiques. Clères s'enorgueillit aussi d'un superbe musée de l'automobile.

♦ 1254 habitants, 130 m d'altitude ♦ **Accès :** à 25 km N de Rouen par N 15 et D 155 ♦ **A voir :** le musée de l'Automobile (tél. 02.35.33.23.02) ♦ **Aux alentours :** les chapelles des hameaux du Tôt et de Cordelleville ; le château de Fontaine-le-Bourg ; la ferme Raimbourg (3 km) ; le musée des Sapeurs-Pompiers à Montville (7 km) ♦ **Foires, festivités :** marché le vendredi après-midi ; Fête de Saint-Vaast le 2ᵉ dimanche de juillet ♦ **Hôtel :** à Croix-Mare (30 km O), Auberge du Val au Cesne (tél. 02.35.56.63.06), hôtel de charme, 5 chambres 350 F, restaurant ♦ **Mairie** (tél. 02.35.33.23.31).

ÉTRETAT
76790 (Seine-Maritime)

A la fin du siècle dernier, oubliant son passé de simple bourgade de pêcheurs, Étretat recevait le Tout-Paris : Maupassant s'installait à La Guillette, Offenbach tenait salon à la villa Orphée, Hermine Lecomte du Noüy se croyait dans un décor d'opéra-comique. Maurice Leblanc avait placé le repaire d'Arsène Lupin dans l'Aiguille d'Étretat, rebaptisée "l'Aiguille Creuse". Étretat et ses falaises restent aujourd'hui l'un des sites les plus visités de la Normandie. Entre ses deux portes naturelles, la porte d'aval à l'arche naturelle ponctuée de son aiguille, et la porte d'amont avec, à son sommet, la Chapelle Notre-Dame-de-la-Garde et le monument dédié à Nungesser et Coli, le village d'Étretat s'est agrandi de part et d'autre du casino. Sa vieille halle normande, surmontée d'un fin clocheton, fait office de cœur stratégique à partir duquel les nombreux touristes s'égaillent pour admirer les villas à tourelles, ou pour se balader le long de la digue-promenade dédiée à Claude Monet.

♦ 1577 habitants ♦ **Accès** : à 28 km N du Havre par D 940 ♦ **A voir** : le musée Nungesser et Coli (souvenirs des deux aviateurs) ♦ **Aux alentours** : le château de Cuverville ; la côte d'Albâtre ♦ **Foires, festivités** : Bénédiction de la mer à l'Ascension ; Fêtes Normandes début mai ♦ **Hôtel** : Le Donjon (tél. 02.35.27.08.23) 8 chambres 600-800 F environ ♦ **Mairie** (tél. 02.35.27.01.23) - **S. I.** (tél. 02.35.27.05.21).

JUMIÈGES
76480 (Seine-Maritime)

Ici, la Seine forme sa seconde boucle en aval de Rouen, encerclant presque Jumièges. Jumièges, ce sont avant tout des ruines, celles de la plus puissante des abbayes normandes, fondée en 654 par saint Philibert, saccagée et incendiée en 851 par Oskar le Viking, relevée puis achevée sous Guillaume le Conquérant qui revint d'Angleterre pour sa consécration en 1067. La Révolution mit fin à son rayonnement. Mais Notre-Dame-de-Jumièges, mutilée, est encore plus spectaculaire avec ses arcs romans, au milieu de l'herbe et des arbres. Le village semble se blottir contre son abbaye, avec sa petite place, sa mairie, ses quelques maisons bourgeoises et son bureau de poste qui ressemble à un petit manoir de carte postale ! Les moines avaient fort sagement fait construire l'église un peu à l'écart, au XIIe siècle, en hauteur pour qu'elle ne fût pas arasée, mais elle ne fut jamais terminée.

♦ 1644 habitants ♦ **Accès :** à 27,5 km E de Rouen par D 982 et D 143 ♦ **Aux alentours :** le Manoir d'Agnès Sorel à Mesnil-sous-Jumièges ♦ **Hôtel :** au Landin (15 km S) Château du Landin (tél. 02.32.42.15.09), maison d'hôtes de charme, 6 chambres 450 F, table d'hôtes le soir ♦ **Restaurants :** Auberge des Ruines (tél. 02.35.37.20.45) ; Restaurant du Bac (tél. 02.35.37.24.16) ♦ **Mairie** (tél. 02.35.37.24.15).

RY
76116 (Seine-Maritime)

Un simple fait divers, les mésaventures conjugales de l'officier de santé Eugène Delamare et de son épouse Delphine, née Couturier, a fait la gloire de Ry, petit village proche de Rouen, niché dans la petite vallée du Crevon. Cela aurait pu n'émouvoir que les seuls habitants de ce petit village paisible, mais Gustave Flaubert écrivit "Madame Bovary" et Ry devint célèbre. C'est donc à une rêverie littéraire que nous invite ce petit village-rue avec son auberge, sa mairie aux trois colonnes ioniques, ses maisons à colombage. L'église du XIIe siècle a un joli porche Renaissance en bois sculpté et une tour-lanterne à corniche. Il faut aussi prendre la direction du pavillon de chasse du château de la Huchette, près du hameau de Villers, où Emma avait ses rendez-vous galants avec Rodolphe.

♦ 600 habitants, 130 m d'altitude ♦ **Accès :** à 20 km E de Rouen par N 31 - Martainville et D 13 ♦ **A voir :** le musée d'Automates, galerie Bovary (500 automates dans un ancien pressoir du XVIIIe siècle) ♦ **Aux alentours :** la forêt de Lyons (abbaye de Mortemer et château de Fleury-la-Forêt) ; le château de Vascœuil ♦ **Foires, festivités :** marché le samedi matin ♦ **Hôtel :** à Amfreville-sous-les-Monts (30 km S) Le Moulin de Connelles (tél. 02.32.59.53.33), hôtel de charme, 7 chambres 500-600 F, 6 suites 800 F ♦ **Mairie** (tél. 02.35.23.60.61) - **S. I.** (tél. 02.35.23.40.74).

VARENGEVILLE–SUR–MER
76119 (Seine-Maritime)

Près de Dieppe, Varengeville, enfoui sous une verdure débordante, est perché sur une falaise, à une petite centaine de mètres au-dessus de la mer. Varengeville ressemble à un jardin, avec ses chemins creux bordés de talus fleuris, avec ses petites maisons basses entourées d'une végétation au désordre très ordonné, avec ses somptueux parcs comme ceux de la famille Mallet et de la princesse Sturdza, où l'on pratique l'art de la botanique. La plus belle des allées conduit au manoir de Jean Ango (XVIᵉ siècle), armateur dieppois, qui a découvert le site de New York aux côtés de Jean Verrazano avant d'être le banquier de François Iᵉʳ. Sa résidence secondaire allie le traditionnel normand de l'époque à la première Renaissance italienne. L'église du XIIIᵉ siècle aurait été, selon une légende, maintenue au bord de la falaise par la volonté de saint Valéry. Dans le fameux cimetière qui l'entoure, repose le peintre Georges Braque (dont un vitrail décore l'église).

♦ 1048 habitants, 80 m d'altitude ♦ **Accès :** à 8 km O de Dieppe par D 75 ♦ **A voir :** les jardins de Mme Mallet ♦ **Aux alentours :** le phare d'Ailly ; le château de Miromesnil ; les jardins de la princesse de Sturdza à Sainte-Marguerite-sur-Mer ♦ **Foires, festivités :** concert le samedi avant le 14 juillet ♦ **Hôtel :** Hôtel de la Terrasse (tél. 02.35.85.12.54), hôtel de charme, 22 chambres 240-310 F, restaurant ♦ **Mairie** (tél. 02.35.85.12.46) - **S. I.** (tél. 02.35.84.71.06 en été).

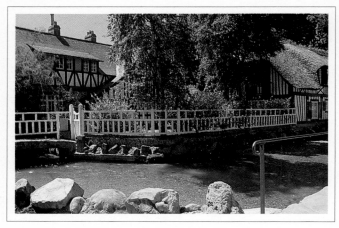

VEULES-LES-ROSES
76980 (Seine-Maritime)

Longtemps bourg de pêcheurs et de tisserands, Veules, sur la Côte d'Albâtre, est devenue une station balnéaire au siècle dernier grâce à Anaïs Aubert, sociétaire de la Comédie-Française, qui y entraîna ses amis. Le littérateur Paul Meurice y reçut Victor Hugo, la station était lancée. Les peintres, les musiciens, compositeurs et acteurs qui la fréquentèrent ajoutèrent "les Roses" à son nom, tandis que les villas fleurissaient sur ses pentes. Veules, c'est aussi "le plus petit fleuve de France", qui prend sa source en bordure du plateau cauchois pour emprunter le chemin des Champs-Élysées. C'est lui qu'il faut prendre comme guide, plutôt que de se rendre sur la plage, aujourd'hui encadrée de pavillons modernes. Il vous conduira derrière l'église au solide clocher carré ou sous le beau calvaire en grès, décoré de petits personnages du jardin Saint-Nicolas.

♦ 760 habitants ♦ **Accès :** à 24 km O de Dieppe par D 925 ou D 75 et D 68 ♦ **Aux alentours :** l'église de Blosseville (3 km S, clocher XIIe siècle, beaux vitraux Renaissance) ; le hameau de Mesnil-Durdent (7 km S) ; Saint-Valéry-en-Caux ♦ **Foires, festivités :** marché le mercredi matin en juillet et août ; Foire aux chevaux en septembre ♦ **Hôtel :** à Varengeville (20 km E) Hôtel de la Terrasse (tél. 02.35.85.12.54), hôtel de charme, 22 chambres 240-310 F, restaurant ♦ **Restaurants :** Les Galets (tél. 02.35.97.61.33), restaurant gastronomique ; Auberge du Dun (tél. 02.35.83.05.84) à 3 km E ♦ **Mairie** (tél. 02.35.97.64.11) - **S. I.** (tél. 02.35.97.63.05).

VILLEQUIER
76490 (Seine-Maritime)

L à où la Seine dessine son méandre le plus large, à mi-chemin entre Rouen et la mer, s'effectuait le changement entre les pilotes de Seine, les "margats", et ceux de l'estuaire, les "perroquets". C'est là, le 4 septembre 1843, que Charles Vacquerie et sa jeune épouse Léopoldine, fille de Victor Hugo, se noyèrent en Seine. A l'entrée du village, face à l'endroit du naufrage, se dresse la statue de Victor Hugo affligé. Tournant le dos à la route départementale, s'ouvrant sur le fleuve, la belle demeure de la famille Vacquerie est devenue musée Victor-Hugo. Toutes les demeures, en pierre, en brique, en silex, du village font de même, donnant au quai en bord de Seine le rôle de rue principale. Charles et Léopoldine reposent dans le petit cimetière qui entoure l'église, au-dessus du village. En entrant à l'intérieur du sanctuaire, on découvre une belle nef couverte d'un lambris en berceau et ornée de têtes d'animaux fantastiques.

◆ 769 habitants, 115 m d'altitude ◆ **Accès :** à 41 km N-O de Rouen par D 982 et D 81 ◆ **A voir :** le musée Victor-Hugo ; la Maison Blanche (xve siècle) ◆ **Aux alentours :** la chapelle de Barre-y-Va ; le château d'Ételan ; le parc de Brotonne ◆ **Hôtels :** Auberge du Grand Sapin (tél. 02.35.56.78.73) 5 chambres 250-300 F environ, restaurant ; à Caudebec-en-Caux (à 5 km N-E), Le Manoir de Rétival (tél. 02.35.96.11.22) 7 chambres 350-650 F environ, restaurant gastronomique ◆ **S. I.** (tél. 02.35.56.78.25).

YPORT
76111 (Seine-Maritime)

Encaissé dans cette muraille de craie que le pays de Caux dresse face à la mer, sur la Côte d'Albâtre, Yport prend des allures de modèle réduit qui séduisirent de nombreux peintres, des impressionnistes aux fauves. Sur la plage, des galets. Ils ont envahi le village, on les retrouve dans les murs des maisons et de l'église au clocher-porche, flanquée de tourelles, construite par les pêcheurs d'Yport pour affirmer leur indépendance au village voisin de Criquebeuf-en-Caux. Sur la plage, on prend le soleil à l'abri de la pointe Chicart qui coupe les vents d'ouest ; et au jusant, on y vient chercher étrilles et bouquets entre les rochers tapissés de varech. On ramasse aussi les galets, comme jadis, quand c'était un petit métier. Au bois de Hogue, on raconte qu'une dame séduisait tous les voyageurs qui passaient sur ses terres, puis les jetait à la mer.

♦ 1141 habitants ♦ **Accès :** à 8 km S-O de Fécamp par D 940 et D 211 ♦ **Aux alentours :** Fécamp et ses musées ♦ **Foires, festivités :** marché le mercredi matin ; Embrasement des falaises et feux d'artifice le 14 août ; Bénédiction de la mer le 15 août ♦ **Hôtel :** à Saint-Léonard (4 km E), Auberge de la Rouge (tél. 02.35.28.07.59), 8 chambres 280 F environ, restaurant ♦ **Restaurants :** à Fécamp (8 km), Le Viking (tél. 02.35.29.22.92) ; Le Maritime (tél. 02.35.28. 21.71) ; La Marine (tél. 02.35.28.15.94) ; Martin (tél. 02.35.28.23.82) ♦ **Mairie** (tél. 02.35.27.30.24) - **O. T.** (tél. 02.35.29.77.31).

Ce pays, fait de terre et d'eau, comporte des paysages variés, recouverts de la même douce lumière dorée. Plages de sable fin des bords de l'océan, large plaine du Poitou, humide et étonnant Marais poitevin (classé parc naturel régional), collines vallonnées couvertes de vignes et de blés de la Charente, tout dans cette région respire la paix et la douceur de vivre.

Au fil des ans, les hommes ont marqué ce paysage de leur empreinte : églises et abbayes romanes, forteresses féodales, villages fortifiés et châteaux Renaissance jalonnent les chemins.

Terre tranquille, elle a su préserver son authenticité et son art de vivre. Il faut partir à la découverte de la région Poitou-Charentes, de son passé et des trésors toujours vivants que constituent ses villages.

AUBETERRE-SUR-DRONNE
16390 Saint-Séverin (Charente)

Il y a mille raisons pour visiter Aubeterre. On y découvre le charme d'un village ancien avec ses ruelles en pente, pavées de galets, parsemées de jardins fleuris. Certaines maisons aux façades de craie blanche sont ornées de galeries en bois ou de balcons débordant de fleurs. Le village domine la verdoyante vallée de la Dronne et descend jusqu'à la rivière, enfouie dans la verdure. Au centre du bourg, sur la place, une statue veille sur les citoyens : c'est Ludovic Trarieux, natif d'Aubeterre et fondateur de la Ligue des Droits de l'Homme. Tout en haut du village, la ravissante église Saint-Jacques conserve une très belle façade romane. Mais le véritable joyau, c'est l'église monolithe Saint-Jean, datant du XIIe siècle : située tout en bas du bourg, elle est entièrement creusée dans le roc et haute de plus de vingt mètres. Elle abrite une crypte du VIe siècle. Aubeterre est resté un village vivant et animé. La promenade y est délicieuse et charmante. On y trouve des galeries d'art, de jolies boutiques, un salon de thé et, sur les bords de la Dronne, une belle plage de sable blanc pour des baignades en rivière. C'est déjà la douceur de vivre du Sud.

◆ 390 habitants ◆ **Accès :** à 50 km O de Périgueux par D 710 - Ribérac et D 20
◆ **Aux alentours :** les villages de Bonnes (5km S) et de Lusignac (15 km N-E)
◆ **Foires, festivités :** marché "vert" le dimanche matin ◆ **Hôtel :** à Petit-Bersac (7 km E), Le Mas de Montet (tél. 05.53.90.08.71) 14 chambres 475-650 F, restaurant
◆ **Restaurants :** Auberge du Château (tél. 05.45.98.50.46), Crêperie de la Source (tél. 05.45.98.61.78) ◆ **Mairie - S. I.** (tél. 05.45.98.50.33).

TUSSON
16140 (Charente)

Le site de Tusson fut occupé en des temps très anciens mais le village lui-même s'est constitué autour de l'abbaye construite au XIIᵉ siècle puis fortifiée pendant la guerre de Cent Ans. Au Moyen Âge, Tusson est un important lieu culturel, spirituel et économique. A la fin du XVIIIᵉ siècle, le village se consacre essentiellement à l'agriculture et ses foires sont réputées dans toute la région ; Tusson est riche et prospère, et ses habitants font construire de belles maisons qui s'ajoutent aux demeures Renaissance. Mais l'activité déclinera lentement et, au XIXᵉ siècle avec la disparition de la vigne due au phylloxéra, le bourg se dépeuplera inexorablement. Aujourd'hui, grâce à l'énergie de nombreux bénévoles, notamment le Club Marpen, Tusson retrouve son visage d'autrefois et l'on peut voir au cours de la visite les vestiges de l'abbaye (XIIᵉ-XVᵉ s.), l'église du XIIIᵉ siècle, les vieilles maisons restaurées. On peut également admirer le Logis de Marguerite d'Angoulême (XVIᵉ s.) en cours de réhabilitation. Le village est sauvé, le site est protégé, tout cela constitue un merveilleux exemple d'architecture charentaise.

♦ 360 habitants, 100 m d'altitude ♦ **Accès :** à 35 km N d'Angoulême par N 10, Mansle, D 361 et D 61 ♦ **A voir :** le musée des Arts et Traditions populaires ♦ **Aux alentours :** les villages de Nanteuil-en-Vallée (22 km N-E) et d'Empuré (11 km N) ♦ **Hôtel :** à Oyer (22 km N-E), La Grande Métairie (tél. 05.45.31.15.67), maison d'hôtes de charme, 1 chambre et 1 suite 180-220 F ♦ **Restaurant :** Café du Commerce (tél. 05.45.30.30.92) ♦ **Mairie** (tél. 05.45.31.70.49).

VILLEBOIS-LAVALETTE
16320 (Charente)

Niché sur une hauteur, le château puissamment fortifié de Villebois-Lavalette domine et protège le village. Son histoire se rattache à celle des Lusignan, qui édifièrent une première forteresse au XIIᵉ siècle. Démantelée par la suite, il n'en subsiste que les ouvrages défensifs et la chapelle. Le corps central fut remplacé par l'édifice actuel datant du XVIIᵉ siècle. De nombreux hôtes illustres y séjournèrent, mais c'est le duc d'Épernon, mignon d'Henri II et propriétaire du château, qui laissa le plus vif souvenir à Villebois-Lavalette. Contrepoint populaire à l'édifice seigneurial, les très belles halles furent également construites au XVIIᵉ siècle et accueillent, aujourd'hui encore, le marché du village. C'est de là que part la rue principale, typique de l'architecture charentaise avec ses petites maisons en moellons taillés dans le calcaire, et couvertes de tuiles creuses. Le style Renaissance y domine, donnant à Villebois-Lavalette une élégance harmonieuse, son architecture étant influencée par le Périgord tout proche.

♦ 770 habitants, 149 m d'altitude ♦ **Accès :** à 28 km S-E d'Angoulême par D 939 et D 16 ♦ **Aux alentours :** le château de la Mercerie (4 km N-O) ; les villages de Gardes-le-Pontaroux (5 km N-E, église romane), de La Rochebeaucourt (8 km E, église du XIIIᵉ siècle), de Charras (15 km N-E, église romane fortifiée au XIVᵉ siècle, château du XVIIᵉ siècle), de Lusignac (26 km S) ♦ **Foires, festivités :** marché le samedi matin ; Fête historique le 30 juillet ; Fête du patrimoine les 17 et 18 septembre ♦ **Hôtel :** à Vieux-Mareuil (19 km S-E), Château de Vieux-Mareuil (tél. 05.53.60.77.15), hôtel de charme, 14 chambres 400-1000 F, restaurant ♦ **Mairie** (tél 05.45.64.90.04) - **S. I.** (tél. 05.45.64.71.58).

ÎLE-DE-RÉ
17630 (Charente-Maritime)

Désormais reliée au continent par un pont à péage, l'Île de Ré a conservé, malgré tout, son caractère insulaire et tout son charme. Longue de 30 kilomètres, "l'île blanche" est le paradis des amoureux de la nature. Le village de La Flotte est charmant avec son petit port de pêche, ses rues piétonnes, ses maisons blanches aux volets verts fleuries de roses trémières et de belles-de-nuit, et les accueillantes terrasses de ses cafés. Allez visiter l'église Sainte-Catherine (XVIe-XVIIIe siècles), puis partez à la découverte des autres villages et beautés de l'île : le magnifique fort de La Prée, les vestiges de l'abbaye des Chateliers (XIIe s.), Saint-Martin, la capitale de l'île magnifiquement fortifiée par Vauban, Ars avec ses pittoresques ruelles et son célèbre clocher, Les Portes, son petit bois de Trousse-Chemise et sa réserve ornithologique, sans oublier les marais salants et le phare des Baleines. Le vélo est idéal pour visiter l'île, des circuits sont organisés et vous pourrez ainsi profiter en toute tranquillité des beautés et des parfums de la nature.

♦ 6000 habitants ♦ **Accès :** par pont-viaduc à partir de La Rochelle ♦ **A voir :** l'écomusée du Platin ♦ **Foires, festivités :** marché tous les matins en été ; braderie le dernier jeudi de juillet et août ; concerts en été ♦ **Hôtels :** à Saint-Clément, Hôtel Le Chat Botté (tél. 05.46.29.42.09), hôtel de charme, 19 chambres 300-600 F ; à La Flotte, Le Clos Bel Ébat (tél. 05.46.09.61.49), maison d'hôtes de charme, 1 suite 500 F (2 nuits minimum et à la semaine en été) ♦ **Restaurants :** Le Richelieu (tél. 05.46.09.60.70) ; L'Écailler (tél. 05.46.09.56.40) ; Le Bistrot de Bernard (tél. 05.46.09.12.07) ; Auberge de la Rivière (tél. 05.46.29.54.55) ; Le Chasse-Marée (tél. 05.46.29.52.03) ; La Bouvette (tél. 05.46.09.29.87) ♦ **Mairie** (La Flotte, tél. 05.46.09.60.13) - **S. I.** (La Flotte, tél. 05.46.09.60.38).

MORNAC–SUR–SEUDRE
17113 (Charente–Maritime)

Repaire de naufrageurs, avant d'être village fortifié affrontant avec succès la guerre de Cent Ans puis les guerres de Religion, Mornac est aujourd'hui un joli bourg charentais planté sur les marais de la Seudre. Ses habitants ont vécu tout d'abord de la pêche et du sel, et ce n'est qu'au cours du XIXe siècle qu'ils découvriront l'élevage des huîtres de Marennes. Le long des chenaux on rencontre les petites cabanes colorées des ostréiculteurs. A la tombée du jour, on ne peut détacher son regard de ce paysage à la lumière magique. Depuis le port, les ruelles étroites et pittoresques partent rejoindre le cœur du village. Les vieilles maisons basses en pierre blanche et aux petits volets verts et bleus s'alignent maladroitement, leurs murs ont oublié de se tenir droit ! On visite l'église fortifiée du XIIe siècle (remaniée au XVe), et l'on passe devant de nombreuses boutiques d'artisans, ainsi que devant la grande halle qui abrite encore le marché et la foire aux huîtres du 15 août.

♦ 641 habitants ♦ **Accès :** à 10 km N de Royan par D 733 et D 140 ♦ **Foires, festivités :** marché le mercredi matin ; "Fêtes romanes" en avril ; Messe des marins le 15 août ; Foire aux huîtres en saison ♦ **Hôtel :** à Vaux-sur-Mer (8 km S) Résidence de Rohan (tél. 05.46.39.00.75), hôtel de charme, 41 chambres 300-700 F ♦ **Restaurants :** La Gratienne (tél. 05.46.22.73.90) ; La Colombière (tél. 05.46.22.62.22) ♦ **S. I.** (tél. 05.46.22.61.68).

SAINT-SAUVANT
17610 (Charente-Maritime)

A mi-chemin entre Saintes et Cognac, Saint-Sauvant est un tout petit village, "monté sur un talon de galoche". La "galoche", c'est un piton rocheux émergeant de la verdoyante vallée du Coran. Typiquement charentais, il nous séduit avec ses maisons basses aux volets clairs et ses toits couverts de tuiles canal. Ici, les teintes sont douces, rehaussées par la vivacité des fleurs. Dès les beaux jours, les roses trémières bordent les ruelles et les impasses. Le village s'articule autour d'une artère qui s'enlace le long de la butte avant d'aller rejoindre le sommet et son église fortifiée du XIIe siècle. Ce bel exemple du riche patrimoine de la Saintonge romane nous rappelle qu'au Moyen Âge, les pèlerins en route pour Saint-Jacques-de-Compostelle préféraient éviter Saintes pour s'arrêter ici. Autre témoignage, la tour sarrasine (également du XIIe s.) qui surveillait la voie romaine reliant Saintes à Lyon. Le village a su garder confidentiels son authenticité et son charme.

♦ 501 habitants ♦ **Accès :** à 17 km O de Cognac par N 141 et D 233 ♦ **A voir :** la Poterie (à la sortie du village sur N 141) ♦ **Aux alentours :** Cognac (Château François Ier, visite des chais) ; Saintes (arènes romaines, crypte de Saint-Eutrope, cathédrale Saint-Pierre, Abbaye aux Dames) ; Saint-Bris-des-Bois (6 km, abbaye de Fontdouce) ♦ **Foires, festivités :** Festival du Val-de-Charente en juin ; Festival de musique ancienne à Saintes en juillet ; Foire à la brocante le dernier dimanche d'octobre ♦ **Hôtel :** à Dompierre-sur-Charente (6 km S-E), Le Logis (tél. 05.46.91.02.05), maison d'hôtes de charme, 4 chambres 470 F ♦ **Restaurants :** Café Le Saint-Sylvain ; à 6 km sur les bords de la Charente, Auberge du Relais d'Orlac (tél. 05.46.91.00.77) ♦ **Mairie** (tél. 05.46.91.50.10).

TALMONT-SUR-GIRONDE
17120 (Charente-Maritime)

Talmont est posé comme une perle rare sur une presqu'île dominant l'estuaire de la Gironde. Le lieu est surtout connu pour la magnifique église Sainte-Radegonde. Ce sont des moines bénédictins qui, à la fin du XIIe siècle, la bâtirent en à-pic au-dessus des flots. À marée basse, on peut descendre au pied de la falaise et admirer encore mieux le style roman saintongeais de l'édifice. On passe devant un petit cimetière marin avant de retrouver le village et ses ruelles entretenues avec amour, qui offrent, à la belle saison, des trottoirs fleuris de roses trémières, la fleur emblème de la région. Les petites maisons sont blanches avec des volets bleus ou roses. La place de la mairie, avec son immense tilleul bientôt centenaire, est un vrai plaisir. Les boutiques sont là elles aussi car Talmont attire de nombreux visiteurs. Il faut également découvrir le petit port et se promener sur les remparts le long de la falaise pour profiter de la jolie vue sur la baie et sur le village.

♦ 83 habitants ♦ **Accès :** à 16 km S-E de Royan par D 25 ♦ **A voir :** le musée "Les Amis de Talmont" ♦ **Aux alentours :** les grottes de Meschers-sur-Gironde (5 km N-O) ♦ **Foires, festivités :** Foire à la brocante le 3e jeudi de juillet ; Frairie le 2e dimanche d'août ♦ **Hôtel :** à Vaux-sur-Mer (18 km N-O) Résidence de Rohan (tél. 05.46.39.00.75), hôtel de charme, 41 chambres 300-700 F ♦ **Mairie** (tél. 05.46.90.43.87).

COULON
79510 (Deux-Sèvres)

Au cœur de la Venise verte, Coulon est un très pittoresque village de pêcheurs et de paysans, traversé par la Sèvre. Le long du quai, de nombreuses barques sont amarrées et constituent des touches colorées que l'on retrouve sur les volets peints des petites maisons. Les noms des rues du village rappellent le Moyen Âge et les activités des habitants : "rue du Port-aux-Moules", "rue du Four", "place du Pêchoir"... Au hasard de sa marche, le promeneur s'arrêtera pour admirer quelques beaux édifices, comme la maison Renaissance des seigneurs de Coulon et l'église, avec son puissant clocher roman attaché à une délicate nef gothique. Mais il lui faudra aussi emprunter une "plate" pour naviguer le long de la Sèvre et sur les nombreux canaux couverts de lentilles d'eau. Véritables routes du Marais poitevin, ils sont le fruit des efforts constants d'une population désireuse de domestiquer l'eau, qui gorgeait les terres et les rendait inutilisables. Une pratique très ancienne, initiée au XIe siècle par les moines de l'abbaye de Maillezais.

♦ 1914 habitants ♦ **Accès :** à 10 km O de Niort par D 9 et D 1 ♦ **A voir :** la Maison des Marais mouillés ♦ **Aux alentours :** promenades en barque dans le marais ; les villages de Magné et de la Garette ♦ **Foires, festivités :** marché les vendredi et dimanche matin ; Soirées musicales en juillet ; nombreux concours de pêche à la ligne ♦ **Hôtel :** Au Marais (tél. 05.49.35.90.43), hôtel de charme, 18 chambres 250-600 F, restaurant ♦ **Restaurant :** Le Central (tél. 05.49.35.90.20) ♦ **Mairie** (tél. 05.49.35.90.26) - **S. I.** (tél. 05.49.35.99.29).

ANGLES–SUR–L'ANGLIN
86260 (Vienne)

Angles-sur-l'Anglin occupe un promontoire rocheux. La ville haute s'organise autour d'une belle place moyenâgeuse ; à proximité, une église romane et des pans de mur de la forteresse édifiée au XIIᵉ siècle par les comtes de Lusignan. Celle-ci est située à l'aplomb de la falaise et fut démantelée au cours des siècles par les habitants des alentours. Les maisons de la ville haute présentent souvent une façade Renaissance et des toits à quatre pentes, couverts de tuiles plates ou d'ardoises, rappelant l'architecture de la Touraine toute proche. C'est dans cette partie du village que se trouve la maison natale du cardinal Jean Baluc qui fut emprisonné par Louis XI. De la place, une rue pavée descend vers l'Anglin et son vieux moulin à roue, passe le pont, et rejoint la ville basse située sur la rive opposée. C'est là que trône l'abbatiale Sainte-Croix avec son portail du XIIIᵉ siècle ; tout autour sont rassemblées plusieurs maisons du XVᵉ siècle, encore bien préservées avec leurs escaliers de pierre accolés à la façade.

◆ 465 habitants ◆ **Accès :** à 34 km S-E de Châtellerault par D 14 ◆ **Aux alentours :** de nombreux sentiers de randonnée ◆ **Foires, festivités :** expositions à la chapelle Saint-Pierre en été ; Fête du village le 1ᵉʳ dimanche d'août ◆ **Hôtels :** à Vicq-sur-Gartempe (3,5 km N), La Malle Poste (tél. 05.49.86.21.04), maison d'hôtes de charme, 3 chambres 250-340 F ; à Archigny (23 km O), La Talbardière (tél. 05.49.85.32.51), maison d'hôtes de charme, 3 chambres 255 F ◆ **Mairie** (tél. 05.49.48.61.20).

PROVENCE - ALPES - CÔTE D'AZUR

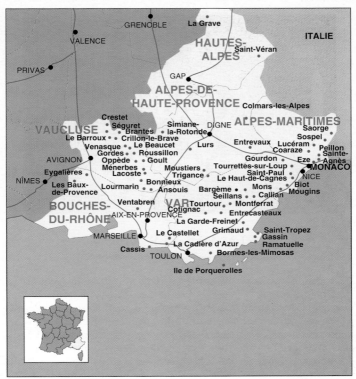

L a Provence est une terre magique. Magie de la lumière qui transfigure chaque paysage, chaque village en tableau merveilleux, magie bleue de la mer Méditerranée, magie folle du vent lorsque le fameux mistral est en furie, magie de l'accent qui anime chaque phrase ! Terre imprégnée d'histoire, elle a gardé de nombreuses richesses de son passé : vestiges de la civilisation romaine, églises et abbayes romanes, monuments et hôtels particuliers des XVIIe et XVIIIe siècles. Vous découvrirez en Provence des villages splendides, villages de plaine ou, le plus souvent, villages perchés sur une colline ou sur un roc presque inaccessible (Peillon, Gourdon) pour assurer la défense des habitants et la surveillance de la vallée. Ils portent en eux toutes les traces de ces civilisations anciennes et toute la joie de vivre de ce lumineux pays.

COLMARS-LES-ALPES
04470 (Alpes-de-Haute-Provence)

Situé à 1250 mètres d'altitude, sur les rives du Haut-Verdon, au milieu d'une nature préservée (le parc du Mercantour est tout proche), ce village fortifié est un lieu de détente et de sport idéal : les sentiers de randonnée sont nombreux et bien balisés, le Verdon fougueux attire les passionnés de kayak, les stations de ski sont à proximité. A l'intérieur des remparts admirablement préservés, on découvre des rues étroites, des placettes avec des fontaines ainsi qu'une église composite, à la fois romane et gothique adossée au mur d'enceinte. Au XVIIe siècle, sur instructions de Vauban, les doubles fortifications de la cité furent améliorées : en aval, le fort de France, en amont, le fort de Savoie gardaient efficacement la cité et la frontière provençale. On peut encore les admirer aujourd'hui et ils donnent à Colmars un aspect imposant et exceptionnel. Enserré dans un écrin de montagnes et baigné d'une lumière éclatante, ce village semble surgi du passé.

♦ 314 habitants, 1250 m d'altitude ♦ **Accès :** à 44 km S de Barcelonnette par D 908 ♦ **A voir :** le fort de Savoie (XVIIe siècle) ♦ **Aux alentours :** le parc national du Mercantour ; nombreux sentiers de randonnée ; train des Pignes (de Digne à Nice) ♦ **Foires, festivités :** marché le mardi et le vendredi matin en été ; expositions dans le fort de Savoie, nombreux concerts ; Fête de la Saint-Jean-Baptiste (du 23 au 25 juin) ; Festival folklorique dernière semaine de juillet ; Procession aux flambeaux le 8 août ; "Oralies de Haute-Provence" en octobre ♦ **Hôtel :** Le Chamois (tél. 04.92.83.43.29) ♦ **Mairie** (tél. 04.92.83.43.21) - **S. I.** (tél. 04.92.83.41.92).

ENTREVAUX
04320 (Alpes-de-Haute-Provence)

Situé sur la rive gauche du Var, Entrevaux offre le spectacle magnifique de ses hautes maisons aux toits de tuiles roses bien abritées derrière les remparts et resserrées au pied d'un imposant roc sur lequel s'agrippe le château. Évêché depuis le Vᵉ siècle, la cité s'appelait Glanate et occupait l'autre rive du Var. Pour fuir les dangers d'inondations et d'invasions, les habitants s'installèrent sur la rive actuelle entre le Xᵉ et le XIVᵉ siècle. C'est au XVIIᵉ siècle que seront construites les fortifications dues à Vauban, la cathédrale et la plupart des maisons que l'on peut encore admirer aujourd'hui. La promenade à l'intérieur des petites rues est très agréable. Vous admirerez les enceintes avec leurs tours et leurs échauguettes, les trois portes fortifiées à pont-levis et surtout, la cathédrale avec son étonnant clocher crénelé du XVIIᵉ siècle qui présente à la fois un caractère militaire et raffiné (à l'intérieur, bel ensemble de retables et de tableaux XVIIᵉ, petit musée dans la sacristie). Puis, il faut avoir le courage de grimper jusqu'au château par le chemin fortifié à neuf rampes, de là-haut, la vue sur la cité et toute la vallée du Haut-Var est grandiose. Il existe aussi un pittoresque moyen de transport pour atteindre Entrevaux : le "Petit Train" qui sillonne la vallée de Nice à Digne.

♦ 785 habitants, 475 m d'altitude ♦ **Accès :** 43 km N-O de Nice par N 202 ♦ **A voir :** le musée de la Moto (à la mairie) ♦ **Aux alentours :** le hameau d'Enriez ; les villages de Castellet-les-Sausses, d'Annot, de Puget-Théniers et de Touët-sur-Var ; les gorges de Daluis ♦ **Foires, festivités :** marché le vendredi matin ; Fête de la Saint-Jean le 24 juin ; Fête médiévale début août ♦ **Hôtels :** Le Relais Saint-Jean (tél. 04.93.05.43.09) ; Hôtel de la Poste (tél. 04.93.05.71.03) ; Hôtel Vauban (tél. 04.93.05.42.40) ♦ **Restaurant :** L'Échauguette (tél. 04.93.05.46.89) ; à Touët-sur-Var, Auberge des Chasseurs ♦ **S. I.** (tél. 04.93.05.46.73).

LURS
04700 (Alpes-de-Haute-Provence)

L e village occupe un site perché au-dessus de la vallée de la Durance. Au Moyen Âge, Lurs était un gros bourg, propriété de l'évêché de Sisteron qui y fonda un séminaire au XVIIIᵉ siècle (sur la route de Forcalquier). Sauvé de l'abandon au début du siècle par Maximilien Vox, un graphiste-imprimeur ami de Jean Giono, le village fut restauré avec authenticité et aujourd'hui il est très beau avec son beffroi à campanile qui enjambe la petite rue d'accès au village, ses maisons à encorbellement, ses portes anciennes, sa place "en balcon" au-dessus du pays de Regain. Un peu plus loin, le château et la "promenade des évêques" bordée d'oratoires, qui mène à la chapelle Notre-Dame-de-Vie. Tous les étés depuis 1955 se tiennent à Lurs les Rencontres Internationales d'Art graphique.

♦ 320 habitants, 623 m d'altitude ♦ **Accès :** à 14 km E de Forcalquier par D 12 et D 462 ♦ **Aux alentours :** le prieuré de Ganagobie, le village de Dauphin ♦ **Foires, festivités :** Fête votive le dernier dimanche de juillet ; pèlerinage à Notre-Dame-des-Anges le lundi de Pentecôte et le 2 août ; "Rencontres internationales de Lurs" (arts graphiques) la dernière semaine d'août ♦ **Hôtel :** à Forcalquier, Auberge Charembeau (tél. 04.92.75.05.69), hôtel de charme, 12 chambres 270-350 F, restaurant ♦ **Restaurant :** La Bello Visto (tél. 04.92.79.95.09) ♦ **Mairie** (tél. 04.92.79.95.24) - **S. I.** (tél. 04.92.79.10.20).

MOUSTIERS-SAINTE-MARIE
04360 (Alpes-de-Haute-Provence)

Ce sont des moines venus de l'abbaye de Lérins qui fondèrent Moustiers au Vᵉ siècle. Le site où est incrusté le village est magnifique : deux à-pics montagneux reliés entre eux par une chaîne en métal (ce serait, d'après la légende, l'exploit du chevalier de Blacas au XIIᵉ siècle) dominent les maisons et la petite église. Les ressources naturelles de cette région permirent la création d'ateliers de faïence dès le XVIIᵉ siècle dont celui de Pierre Clérissy. Les productions de Moustiers sont alors célèbres, mais le déclin arrive au XIXᵉ et les fours ne se rallumeront qu'en 1925 sous l'impulsion de Marcel Provence. Aujourd'hui, le village est merveilleux. On emploie souvent le mot de "crèche" pour caractériser Moustiers. Le charmant désordre des maisons s'organise autour de placettes ombragées ou de rues animées. L'église a un joli clocher roman à trois étages, orné de baies à l'italienne, et un chœur gothique à trois nefs. Vous pourrez vous attarder dans les jolies boutiques d'artisanat ou déjeuner en été sous la treille de la délicieuse terrasse des "Santons" pour profiter de la vue magnifique sur les alentours. Et tout là-haut, au bord du ravin, la chapelle Notre-Dame-de-Beauvoir (XIIᵉ-XVIᵉ) que l'on rejoint par un chemin en calade.

♦ 605 habitants, 630 m d'altitude ♦ **Accès :** à 50 km E de Manosque par D 6 - Riez et D 952 ♦ **A voir :** le musée de la Faïence ♦ **Aux alentours :** le lac de Sainte-Croix ; les gorges du Verdon ; Riez ♦ **Foires, festivités :** marché le vendredi matin ; Fête de la faïence le week-end après Pâques ; Fête de N.-D. de Beauvoir le 8 septembre ♦ **Hôtels :** La Bastide de Moustiers (tél. 04.92.70.47.47), hôtel de charme, 7 chambres 800-1300 F, restaurant ; La Ferme Rose (tél. 04.92.74.69.47), hôtel de charme, 7 chambres 350-380 F, restaurant ♦ **Restaurant :** Les Santons (tél. 04.92.74.66.48) ♦ **S. I.** (tél. 04.92.74.67.84).

SIMIANE-LA-ROTONDE
04150 (Alpes-de-Haute-Provence)

L e village se dresse au sommet d'une butte verdoyante, et ses maisons "partent à l'assaut" de la célèbre rotonde, perchée tout en haut. Cette rotonde du XIIᵉ siècle est un vestige du château fort qui appartenait à la famille des Simiane-Agoult. Une fois votre véhicule garé tout près de l'entrée du village, vous commencerez la visite par le portail de la cité près duquel se trouve la maison de Ponson du Terrail, l'auteur de "Rocambole". Vous grimperez ensuite dans des ruelles étroites bordées de maisons anciennes bien restaurées aux belles portes de bois sculpté. Vous admirerez la halle couverte et l'église Sainte-Victoire, rare exemple de gothique flamboyant provençal. Vous terminerez par la rotonde-donjon dont l'intérieur se divise en deux étages. Visitez Simiane en été lorsque les lavandes sont en fleur, le village est alors dans un véritable écrin violet et il retrouve gaieté et animation.

♦ 435 habitants, 650 m d'altitude ♦ **Accès :** à 24 km N-E d'Apt par D 22 et D 51 ♦ **A voir :** la chapelle Notre-Dame-de-Pitié et les anciens moulins à vent ♦ **Foires, festivités :** marché le mardi à Banon et le samedi à Apt ; Fête du village le 1ᵉʳ mai ; Feux de la Saint-Jean en juin ; Festival de musique ancienne en juillet et août ♦ **Hôtel :** à Forcalquier (4 km E), Auberge Charembeau (tél. 04.92.75.05.60), hôtel de charme, 12 chambres 270-350 F, restaurant ♦ **Restaurants :** Restaurant de la Rotonde (tél. 04.92.75.95.44) ; Chez Mimile (tél. 04.92.75.91.54) ♦ **Mairie** (tél. 04.92.75.91.40) - **S. I.** (tél. 04.92.75.90.14).

LA GRAVE
05320 (Hautes-Alpes)

Face à l'imposant pic de La Meije et de ses glaciers, le village de La Grave s'est implanté au cœur du Massif des Écrins, sur les pentes d'un versant abrupt et ensoleillé. C'est l'une des plus anciennes et des plus importantes stations d'alpinisme français. Le sommet de La Meije (3983 m.) fut vaincu pour la première fois en 1877 par les guides Gaspard père et fils et M. Boileau de Castelnau. La partie ancienne du village est restée authentique, avec d'austères maisons du XVIIᵉ siècle, bâties en pierre, coiffées d'ardoises ou de bardeaux et des ruelles qui grimpent jusqu'à la ravissante église romane, de style lombard. Elle est entourée d'un petit cimetière dans lequel reposent des guides et des victimes de la montagne. En bas, le village "moderne" avec ses grosses maisons abritant hôtels et commerces en bordure de route. Tout est abondamment fleuri en été, gai, animé. Le site est grandiose et, grâce au téléphérique qui monte jusqu'au pied du sommet (3200 m.), on peut admirer le splendide panorama ou descendre les pentes à ski en hiver.

♦ 513 habitants, 1482 m d'altitude, station de sports d'hiver ♦ **Accès :** à 39 km N-O de Briançon par N 91 ♦ **Aux alentours :** l'oratoire du Chazelet ; le Jardin alpin du Lautaret (en été) ; le Parc national des Écrins (tél. 04.92.21.08.49) ♦ **Foires, festivités :** marché le jeudi matin ; Fête de la Saint-Jean le 26 juin ; Fête de la Sainte-Anne le 26 juillet ; Fête des guides et de la montagne le 15 août ; à Villar d'Arène (2 km), Fête du pain semaine du 14 juillet ; Fête de la chasse les 6 et 7 août ♦ **Hôtel :** La Meijette (tél. 04.76.79.90.34) ♦ **Mairie** (tél. 04.76.79.90.29) - **S.I.** (tél. 04.76.79.90.05) - **Bureau des guides** (tél. 04.76.79.94.14 et 04.76.79.90.21 en été) - **École du ski français** (tél. 04.76.79.92.86).

SAINT-VÉRAN
05350 (Hautes-Alpes)

Saint-Véran, le plus haut village du Queyras, est également le plus haut village d'Europe : il est perché entre 1990 et 2040 mètres d'altitude. On pénètre dans le village par le bas, et l'on découvre ses constructions les plus anciennes : des chalets de bois et de belles galeries de greniers à fourrage. Les maisons sont isolées les unes des autres ; cela permettait autrefois d'éviter que les incendies ne se propagent à tout le hameau. L'église présente un très beau porche à colonnes portées par des lions : il est dû à des artistes italiens, dits "lombards". On peut aussi monter jusqu'à la chapelle Notre-Dame-de-Clausis où a lieu chaque année en juillet un pèlerinage franco-italien. Tout autour, la nature est magnifique ! Pendant l'été, le bon ensoleillement favorise l'épanouissement des anémones, de la gentiane, des renoncules. Le village est interdit à la circulation automobile en juillet et en août. Les sentiers de randonnées sont très nombreux et, l'hiver, on peut se livrer à toutes les joies du ski.

♦ 270 habitants, 2040 m d'altitude, station de sports d'hiver. ♦ **Accès :** à 51 km S-E de Briançon par D 902 et D 5 (route du col d'Izoard) ♦ **Aux alentours :** le parc régional du Queyras (tél. 04.92.46.80.46) ; le fort de Château-Queyras ; le village d'Arvieux (jouets en bois) ♦ **Foires, festivités :** pèlerinage de Notre-Dame-de-Clausis en juillet et septembre ♦ **Hôtel :** Les Chalets du Villard (tél. 04.92.45.82.08) ♦ **S. I.** (tél. 04.92.45.82.21/04.92.45.84.52).

BIOT
06410 (Alpes-Maritimes)

Le nom du village se prononce "Biotte" ; il est construit sur une butte toute proche de la mer. Malgré les flots de touristes qui se déversent l'été dans les rues, le village a gardé beaucoup de charme. Au centre du bourg il y a la fameuse place des Arcades, dont les galeries en pleins cintres et en ogives sont principalement occupées par des cafés et des magasins d'antiquités. Lorsqu'on a franchi les deux portes du XVIe siècle – la porte des Migraniers et la porte des Tines –, on peut flâner au cœur de ruelles pentues et contempler les maisons qui sont accolées les unes aux autres. Il faut admirer l'église à trois nefs qui renferme deux retables de Louis Bréa. On peut boire un verre au café de la Poste et aller ensuite visiter le musée Fernand Léger et la verrerie. Plus bas dans le vallon, on peut se promener plus au calme, loin des magasins de potiers et de verres soufflés. Comme pour tous les villages très touristiques de cette région, nous vous conseillons de le visiter en dehors des mois de plein été ou en début de matinée.

♦ 3673 habitants, 65 m d'altitude ♦ **Accès :** à 22 km S-O de Nice par N 98 ♦ **A voir :** le musée Fernand Léger ; le musée d'histoire locale ♦ **Foires, festivités :** marché les mardi et vendredi matin ; "Les Heures musicales" en mai-juin ; groupes folkloriques en juillet ; Fête de la Saint-Julien en août ; Fête des vendanges en septembre ♦ **Hôtels :** à Antibes (14 km S), Le Mas de la Pagane (tél. 04.93.33.33.78), hôtel de charme, 5 chambres 550 F, restaurant ; à Juan-les-Pins (15 km S) La Bergerie (tél. 04.93.67.97.15), maison d'hôtes de charme, 5 chambres 495-900 F ♦ **Restaurants :** Auberge du Jarrier (tél. 04.93.65.11.68) ; Chez Odile (tél. 04.93.65.15.63) ; Le Plat d'Étain (tél. 04.93.65.09.37) ♦ **S. I.** (tél. 04.93.65.05.85).

COARAZE
06390 Contes (Alpes-Maritimes)

Coaraze étage ses maisons à plus de 600 mètres d'altitude dans la haute vallée du Paillon, non loin du parc du Mercantour. Véritable nid d'aigle, le village profite d'un ensoleillement et d'une lumière exceptionnels. Les ruelles pentues, pavées de galets sont agrémentées de maisons médiévales au bel appareillage de pierre ou enduites à la manière italienne, d'escaliers tortueux, d'arcades, de passages couverts. Partout une exubérante végétation anime la beauté simple des murs. On continue la montée jusqu'à l'église du XVIIIe siècle (à l'intérieur, décor baroque et très belle Vierge du XVIIe siècle) et, sur la place on admire les cadrans solaires en céramique dessinés par Cocteau, Goetz, Ponce de Leon. De plusieurs points du village, la vue sur tous les environs est splendide : oliviers, mimosas et au loin la cime de Rocca Seira. Le village a été restauré avec intelligence et authenticité ; il accueille de nombreux artistes et vous pourrez passer un séjour plein de charme à la délicieuse Auberge du Soleil.

♦ 540 habitants, 650 m d'altitude ♦ **Accès :** à 25 km N de Nice par A 8 sortie Nice Est puis D 2204 et D 15 ♦ **A voir :** le musée des Outils et Instruments anciens ♦ **Aux alentours :** la chapelle Notre-Dame-des-Sept-Douleurs, les ruines du village de Roccasparvièra ; le parc national du Mercantour, la vallée des Merveilles ♦ **Foires, festivités :** marché le dimanche matin ; brocante le 1er mai ; Fêtes médiévales le 1er week-end de juin ; Fête de la Saint-Jean en juin ; Fête de l'olivier le 15 août ; Fête de la Sainte-Catherine en novembre ♦ **Hôtel :** Auberge du Soleil (tél. 04.93.79.08.11), hôtel de charme, 8 chambres 330-495 F, 2 suites 495-940 F, restaurant ♦ **Mairie** (tél. 04.93.79.34.80) - **S. I.** (tél. 04.93.79.37.47).

ÈZE
06360 Èze-Village (Alpes-Maritimes)

È ze est un magnifique village perché sur un piton rocheux occupé à l'origine par un oppidum ligure. On y pénètre par une porte fortifiée du XIVᵉ siècle et l'on se promène dans des ruelles étroites bordées de maisons parfaitement rénovées, de boutiques d'artisans et de restaurants. Tout le long de la promenade, par des trouées entre les maisons, on peut apercevoir la mer et les couleurs éblouissantes de la côte. On grimpe ensuite jusqu'au sommet du village couronné par les vestiges de l'ancien château (XIVᵉ siècle) détruit en 1706 sur ordre de Louis XIV, pour admirer le jardin exotique créé en 1949. Il offre un assortiment de belles plantes rares, aloès, agaves, et un sublime panorama sur toute la baie au pied de la falaise, le cap Ferrat, la baie de Villefranche. En redescendant, il faut s'arrêter pour visiter la chapelle des Pénitents Blancs (XIVᵉ siècle) et surtout l'église reconstruite au XVIIIᵉ siècle dans un beau style baroquisant (à l'intérieur, fonts baptismaux du XVᵉ siècle). On peut aussi descendre vers le bord de mer par la corniche inférieure en prenant le sentier fléché que Nietzsche aimait emprunter autrefois. Èze est très touristique en été mais il fait partie des villages incontournables.

♦ 2064 habitants, 427 m d'altitude ♦ **Accès :** à 9 km N-E de Nice par N 7 ♦ **A voir :** la parfumerie Fragonard ♦ **Foires, festivités :** "Fête des Mais", Fête de la musique en juin, Fête de la Saint-Laurent le 10 août ♦ **Hôtels :** à Villefranche (3 km S-O), Hôtel Welcome (tél. 04.93.76.76.93), hôtel de charme, 32 chambres 580-890 F, restaurant ; à Saint-Jean-Cap-Ferrat (5 km S-O), Hôtel Brise Marine (tél. 04.93.76.04.36), hôtel de charme, 15 chambres 640-695 F ♦ **Restaurants :** La Bergerie (tél. 04.93.41.03.67) ; Le Grill du Château (tél. 04.93.41.00.17) ; Le Nid d'Aigle (tél. 04.93.41.19.08) ; Le Troubadour (tél. 04.93.41.19.03) ♦ **S. I.** (tél. 04.93.41.26.00).

GOURDON
06620 (Alpes-Maritimes)

Gourdon est accroché au sommet d'une falaise vertigineuse qui domine les sauvages et splendides gorges du Loup. L'origine du village remonte à la plus haute Antiquité. Il dut subir différents assauts au cours des siècles et, presque entièrement détruit au XVe siècle, il sera reconstruit au XVIe siècle. Aujourd'hui, Gourdon est un village vivant et très animé. Les maisons anciennes, bien restaurées, sont resserrées derrière le château ; bâti au XIIe siècle sur les soubassements d'une forteresse sarrasine du IXe siècle, il fut reconstruit au XVIIe siècle. C'est un imposant bâtiment orné de tours, coiffé de tuiles, qui abrite un musée d'histoire et de peintures naïves. Les jardins qui l'entourent (dessinés par Le Nôtre) permettent de se reposer agréablement. Il faut flâner dans les ruelles bordées de boutiques et d'échoppes d'artisans qui proposent des objets en bois sculpté, en verre, un miel délicieux, des savons parfumés... Il faut s'attarder sur la petite place de l'église d'où la vue sur la vallée et la mer est somptueuse et ne pas oublier de pénétrer dans l'église d'époque romane qui a été plusieurs fois remaniée à la fin du XVIe et au début du XVIIe siècle.

♦ 294 habitants, 758 m d'altitude ♦ **Accès :** à 14 km N-E de Grasse par D 2085 et D 3 ♦ **A voir :** le musée au château (meubles et armes des XVe-XVIIe siècles, peintures naïves contemporaines) ♦ **Aux alentours :** la chapelle Saint-Ambroise (6 km N-O) ; la chapelle Saint-Juste à Pont-du-Loup ♦ **Foires, festivités :** Fête de la Saint-Vincent fin juillet-début août ♦ **Hôtels :** à Vence (13 km E) 2 hôtels de charme : Auberge des Seigneurs et du Lion d'Or (tél. 04.93.58.04.24), 10 chambres 290-354 F, restaurant ; Hôtel La Roseraie (tél. 04.93.58.02.20) 12 chambres 390-550 F, restaurant ♦ **Restaurants :** Le Nid d'Aigle (tél. 04.93.42.74.87) ; L'Auberge de Gourdon (tél. 04.93.09.69.69) ♦ **Mairie** (tél. 04.93.42.54.83).

LE HAUT-DE-CAGNES
06800 Cagnes-sur-Mer (Alpes-Maritimes)

La vieille cité est bâtie dans un merveilleux paysage de collines plantées de cyprès, palmiers, mimosas, figuiers, végétation ébouriffée et parfumée qui forme un véritable écrin au magnifique château construit au XIVe siècle par Rainier Ier Grimaldi. Délaissez la ville moderne et sa foule en bas, pour vous promener dans les rues charmantes, pavées de galets, coupées d'escaliers, ornées de maisons des XVe et XVIIe siècles. Vous admirerez les remparts percés de portes, l'église Saint-Pierre à nefs gothique et baroque (portail de 1762) et vous grimperez jusqu'au château. Construit en 1309, il fut remodelé en 1620 par Henri Grimaldi. D'aspect sévère et féodal à l'extérieur, la forteresse est toute grâce et élégance à l'intérieur : portail de marbre, ravissant patio, galeries à arcades, plafonds peints, la visite est vraiment superbe. Un peu en contrebas de la place du château, la chapelle Notre-Dame de Protection est des XIVe-XVIIe siècles. De nombreux artistes ont séjourné à Cagnes. Renoir passa les douze dernières années de sa vie au domaine des Collettes tout proche, aujourd'hui transformé en musée du souvenir.

♦ 350 habitants dans le vieux village ♦ **Accès :** à 13 km O de Nice par N 7 et D 36 ♦ **A voir :** le château-musée Grimaldi (art moderne méditerranéen) ; le musée de l'Olivier ; la maison de Renoir domaine des Collettes (maison et atelier du peintre) ♦ **Foires, festivités :** Foire à la brocante le dimanche ♦ **Hôtel :** à Saint-Paul-de-Vence (6 km N) Hôtel Le Hameau (tél. 04.93.32.80.24), hôtel de charme, 12 chambres 390-600 F, 3 suites 700 F ♦ **Restaurants :** Entre Cour et Jardin (tél. 04.93.20.72.27) ; Le Picadero (tél. 04.93.73.57.81) ; Josy-Jo (tél. 04.93.20.68.76) ; Restaurant des Peintres (tél. 04.93.20.83.08) ♦ **S. I.** (tél. 04.93.20.61.64).

LUCÉRAM
06440 (Alpes-Maritimes)

Le village médiéval se dresse fièrement sur un rocher calcaire dans un environnement de montagnes et de ravins. Occupé à l'origine par une tribu ligure, le site fut construit à l'époque romaine et se développa grâce à son emplacement privilégié sur la route du sel. Les villageois se constituèrent en république et leurs privilèges furent reconnus par la reine Jeanne en 1349. Des remparts construits par les Templiers au XIVe siècle il ne reste aujourd'hui que des vestiges de murs et une tour. La promenade s'effectue par de petites rues en escaliers parsemées de voûtes et de maisons anciennes, certaines datant du XVe siècle. L'église Sainte-Marguerite, construite à la fin du XVe siècle, a été agrandie et richement décorée au XVIIIe siècle. Elle possède de beaux retables de Louis Bréa et un magnifique trésor (pièces d'orfèvrerie et statue en argent et vermeil des XVe-XVIe siècles). De la terrasse de l'église, superbe vue sur le village et toute la vallée du Paillon.

♦ 1032 habitants, 700-1500 m d'altitude ♦ **Accès :** à 25 km N-E de Nice par D 2204 - L'Escarène et D 2566 ♦ **Aux alentours :** la chapelle Saint-Grat (1 km S) ; la chapelle Notre-Dame-de-Bon-Cœur (2 km N-O) ; la station de ski de Peira-Cava ; le col de Turini ♦ **Foires, festivités :** Carnaval avec "Polenta et fricassée" pour Mardi-Gras ; Pastorale de Noël (messe de minuit avec offrande des bergers) ♦ **Hôtel :** à Sospel (22 km E), Domaine du Paraïs (tél. 04.93.04.15.78), maison d'hôtes de charme, 4 chambres 260-400 F, table d'hôtes le soir ♦ **Mairie** (tél. 04.93.79.51.83).

MOUGINS
06250 (Alpes–Maritimes)

Mougins est situé sur une colline, dans un environnement merveilleusement fleuri mais un peu trop urbanisé. Le village a conservé des vestiges de remparts dont une porte dite Sarrasine du XIVe siècle lorsqu'il appartenait à l'abbaye de Lérins. Vous pourrez parcourir la spirale de ses rues bordées de belles maisons impeccablement restaurées, aux façades garnies de bougainvillées ou de lierre. Des fontaines, des voûtes, des escaliers agrémentent la balade. Vous arriverez sur la place de la mairie pour admirer son bel Hôtel de Ville installé dans l'ancienne chapelle des Pénitents Blancs. Du sommet du village, la vue sur les îles de Lérins est très belle. Mougins est envahi de touristes à la belle saison, mais, si vous le visitez en dehors des périodes de plein été, vous retrouverez tout le charme d'un vieux village de la Côte d'Azur.

♦ 284 habitants dans le vieux village, 260 m d'altitude ♦ **Accès :** à 7 km N de Cannes par N 85 ♦ **A voir :** le musée de la Photographie, le musée de l'Automobile ♦ **Aux alentours :** la chapelle Notre-Dame-de-Vie (2 km S-E) ; Grasse ♦ **Foires, festivités :** "Arts dans la rue" en juillet ♦ **Hôtels :** Le Manoir de l'Étang (tél. 04.93.90.01.07), hôtel de charme, 15 chambres 600-900 F, 2 suites 1300-1500 F, restaurant ♦ **Restaurants :** Le Moulin de Mougins (tél. 04.93.75.78.24) restaurant gastronomique ; Les Muscadins (tél. 04.93.90.00.43) restaurant gastronomique ; Le Bistrot de Mougins (tél. 04.93.75.78.34) restaurant gastronomique ; Feu Follet (tél. 04.93.90.15.78) ♦ **S. I.** (tél. 04.93.75.87.67).

PEILLON
06440 L'Escarène (Alpes-Maritimes)

Saisissant village accroché au sommet d'une falaise et dont les maisons enchevêtrées se confondent avec le rocher qui leur sert d'appui. Le village a gardé sa beauté pure : la même pierre a servi pour la construction des maisons médiévales, le pavage des escaliers et des rues. Partout des passages voûtés enjambent les ruelles permettant d'accéder aux maisons posées les unes sur les autres comme dans un jeu de construction. Et, bien sûr, pas de circulation automobile ! Paix et sérénité garanties. Une végétation désordonnée adoucit l'aspect minéral du village. A voir absolument : la chapelle des Pénitents Blancs avec ses très belles fresques du XVᵉ siècle et, tout en haut du village, l'église Saint-Sauveur du XVIIIᵉ siècle. Village à ne pas manquer !

♦ 1139 habitants, 375 m d'altitude ♦ **Accès :** à 19 km N-E de Nice par D 2204ᴬ - Sospel et D 21 ♦ **Aux alentours :** un sentier de randonnée relie Peillon à Peille (2 heures de marche environ) ; le monastère de Laguet ♦ **Foires, festivités :** Fête du vieux village le 1ᵉʳ dimanche d'août ♦ **Hôtel :** Auberge de la Madone (tél. 04.93.79.91.17), hôtel de charme, 19 chambres 430-780 F, suites 850-1100 F, restaurant ♦ **Mairie** (tél. 04.93.79.91.04).

SAINT-PAUL-DE-VENCE
06570 (Alpes–Maritimes)

Saint-Paul-de-Vence apparaît de loin comme une couronne posée au sommet d'une colline parsemée de cyprès, palmiers, orangers, une véritable vision de rêve ! Le village a conservé ses remparts du Moyen Âge renforcés par François Ier en 1537. On pénètre dans la cité par la porte de Vence, on admire le canon de 1544, puis la jolie fontaine et le lavoir. Dans la rue Grande qui traverse le village de part en part, des ateliers d'artisans, des boutiques de souvenirs occupent les rez-de-chaussée des belles maisons XVIe et XVIIe siècles. On monte jusqu'à l'église XIIe-XIIIe siècles (à l'intérieur, magnifiques chapelles, belles statues et tableaux du XVIIe siècle). Il faut terminer la balade par un tour le long des remparts d'où l'on jouit d'une vue splendide sur les environs. Le village de Saint-Paul fut "découvert" dans les années 20 par des peintres, Modigliani, Soutine qui avaient pris pension dans une petite auberge tranquille, La Colombe d'Or. Aujourd'hui, la Colombe devenue célèbre a vu passer de nombreux artistes, Jacques Prévert, Simone Signoret, Yves Montand, dont elle garde de nombreux souvenirs. Ne quittez surtout pas Saint-Paul sans avoir visité le parc et les salles de la Fondation Maeght situés tout près, sur la colline des Gardettes.

◆ 2526 habitants, 182 m d'altitude ◆ **Accès :** à 20 km N-O de Nice par N 98 et D 36 ◆ **A voir :** le musée municipal ; la Fondation Maeght ◆ **Aux alentours :** Coursegoules et Bézaudun-les-Alpes ◆ **Foires, festivités :** marché les mardi, jeudi, samedi matin ; concerts classiques dans l'église collégiale en août ◆ **Hôtels :** La Colombe d'Or (tél. 04.93.32.80.02) ; Le Hameau (tél. 04.93.32.80.24), hôtel de charme, 12 chambres 390-600 F, 3 suites 700 F ◆ **Restaurants :** La Gousse d'Ail (tél. 04.93.32.50.48) ; Le Saint-Paul (tél. 04.93.32.65.25), restaurant gastronomique ; Les Remparts (tél. 04.93.32.80.64) ◆ **S. I.** (tél. 04.93.32.86.95).

SAINTE-AGNÈS
06500 (Alpes–Maritimes)

Le village littoral le plus haut d'Europe est situé à 780 mètres d'altitude, à proximité de Menton ; on y parvient par les lacets d'une route étroite qui traverse un paysage en terrasses plantées d'oliviers et de mimosas. Cette localité, merveilleusement ensoleillée, offre des maisons anciennes aux toits de tuiles rondes, des ruelles pavées entrecoupées de voûtes et des boutiques d'artisans. Dans l'église Notre–Dame–des–Neiges qui date du XVIᵉ siècle, et qui comporte une nef et des chapelles latérales, on découvre des tableaux religieux, des fonts baptismaux anciens et un tabernacle en bois doré. Au terme de quinze minutes de marche, on peut atteindre les ruines du château au sommet d'une rude paroi de calcaire rose. De là, on admire un panorama magnifique sur la baie de Menton. La légende veut que les premiers habitants de Sainte–Agnès se soient logés dans les grottes de cette falaise où l'on trouvait une chapelle fondée par une princesse romaine convertie au christianisme. Aujourd'hui, le village est bien vivant : des concerts, des expositions, une fête de la lavande et des concours de boules sont organisés dès l'approche de l'été.

♦ 361 habitants, 780 m d'altitude ♦ **Accès :** à 11 km de Menton par D 22 ♦ **A voir :** le fort de la ligne Maginot (musée militaire) ♦ **Aux alentours :** nombreuses promenades pédestres, notamment jusqu'au village de Gorbio ♦ **Foires, festivités :** Fête patronale le 21 janvier ; nombreux concerts et expositions de peinture en été ♦ **Hôtel :** à Roquebrune (8 km) Hôtel Les Deux Frères (tél. 04.93.28.99.00), hôtel de charme, 10 chambres 385-495 F, restaurant ♦ **Restaurants :** Le Logis Sarrasin (tél. 04.93.35.86.69) ; Righi (tél. 04.93.35.79.96) ♦ **Mairie** (tél. 04.93.35.84.58).

SAORGE
06540 (Alpes–Maritimes)

Dans un site grandiose, le village de Saorge s'accroche sur les pentes dominant la vallée de la Roya. Le vieux village se visite à pied et l'on découvre avec ravissement ses ruelles pavées entrecoupées d'escaliers, ses maisons anciennes aux toits de lauzes, ses terrasses d'où la vue, plongeant sur la vallée, est magnifique. L'église Saint-Sauveur, construite au XVe siècle, fut incendiée et restaurée au XVIIIe siècle. Elle a une très belle porte sculptée surmontée d'une ogive à pilastres cannelés. A l'intérieur : fonts baptismaux du XVe siècle, tabernacle en marbre du XVIe siècle, autel et retables du XVIIe siècle, très belle Vierge en bois doré du XVIIIe siècle. A 800 mètres au sud-est, au milieu des oliviers, le couvent des Franciscains est de style italien du XVIIe siècle. Il comporte un petit cloître orné de peintures murales rustiques. Le village est animé et accueillant. Un peu plus loin, il faut visiter l'église de la Madone-del-Poggio, chef-d'œuvre de l'art roman primitif. De style lombard, son clocher de six étages mesure près de trente mètres de hauteur. Dans la nef, on admirera des chapiteaux au décor végétal, des retables et surtout des peintures murales de la fin du XVe siècle, attribuées à Giovanni Baleison. Tout le village de Saorge est classé.

♦ 370 habitants, 500 m d'altitude ♦ **Accès** : à 60 km N-E de Nice par D 2204 - Sospel et N 204 ♦ **Aux alentours** : les chapelles Sainte-Anne (2 km E), Sainte-Croix (2 km N-E), de Paspus (2 km S-O) ; le hameau de Maurion ♦ **Foires, festivités** : Foires en avril et octobre ; Fête de la Saint-Roch en août ; Fête des châtaignes en novembre ♦ **Hôtel** : à Breil-sur-Roya (9 km S), Le Castel du Roy (tél. 04.93.04.43.66) ♦ **Restaurant** : Lou Pountin (tél. 04.93.04.54.90) ♦ **Mairie** (tél. 04.93.04.51.23).

SOSPEL
06380 (Alpes-Maritimes)

Magnifique village situé dans un vallon planté d'oliviers et cerné de montagnes, Sospel étale ses hautes maisons au confluent de la Bévéra et du Merlanson. On a déjà un petit goût d'Italie. Sur la rive droite, la plus anciennement bâtie, on peut admirer la place Saint-Michel avec sa magnifique église et ses demeures médiévales à arcades dont la plus vieille est le palais Ricci. L'église Saint-Michel, bâtie au XIIᵉ siècle, fut reconstruite au XVIIIᵉ dans un style baroque italien. De l'édifice original, il ne subsiste que le clocher ; à l'intérieur on peut admirer deux très beaux retables (dont l'un est attribué à Louis Bréa), des sculptures et des bas-reliefs. Un pont fortifié datant du XIᵉ siècle, le Pont-Vieux, permet de rejoindre la rive gauche. Là, on admire encore la très belle place Saint-Nicolas avec son ancien palais communal, son vieux pavage et sa délicate fontaine. Le village est heureusement resté bien authentique, il n'y a pas eu de rénovations abusives ; les maisons ont gardé leurs couleurs délavées rose, ocre, jaune, leurs volets verts à persiennes, leurs vieux balcons et leur linge flottant aux fenêtres ; les boutiques ont le charme suranné des années d'avant-guerre. Souhaitons que rien ne change !

♦ 2700 habitants, 350 m d'altitude ♦ **Accès :** à 19 km N de Menton par D 2566 ♦ **Foires, festivités :** marché le jeudi matin ; concerts d'orgues dans la cathédrale (toute l'année) ; Marché artisanal d'art le 24 et 25 juillet ; Fête patronale du 13 au 15 août ♦ **Hôtel :** à 3 km, Domaine du Paraïs (tél. 04.93.04.15.78), maison d'hôtes de charme, 4 chambres 260-400 F, table d'hôtes le soir ♦ **Mairie** (tél. 04.93.04.00.19) - **S. I.** (tél. 04.93.04.15.80).

TOURRETTES-SUR-LOUP
06140 Vence (Alpes-Maritimes)

Tourrettes est perché sur un éperon rocheux entre deux profonds ravins, au débouché des gorges du Loup. Il offre l'extraordinaire vision de ses maisons en surplomb à flanc de colline. Le village fut fondé à l'époque médiévale. Fief de la famille de Villeneuve, c'est Antoine de Villeneuve qui fit construire le château en 1437. La visite de Tourrettes commence par la grande place de la Libération, plantée d'arbres, où se dresse l'église Saint-Grégoire-le-Grand (XIIIᵉ-XVIᵉ siècles) qui renferme tableaux et retables. Pour continuer jusqu'au vieux village, on passe sous l'une des deux portes fortifiées, vestiges des anciens remparts et l'on se promène dans la Grand-Rue. Tout le long, des boutiques d'artisans montrent la vitalité de ce joli village, et, là encore, on admire les belles maisons de pierres apparentes, les toits et leurs génoises, les petits escaliers fleuris. Enfin, le château un peu massif comporte un donjon crénelé du XIIIᵉ siècle, reste de la première forteresse, englobé dans un bâtiment du XVᵉ siècle. Tout autour de Tourrettes, on cultive des violettes sur les restanques plantées d'oliviers et au printemps l'aspect est vraiment féerique.

♦ 3459 habitants, 400 m d'altitude ♦ **Accès :** à 26 km N-O de Nice par D 36 - Vence et D 22¹⁰ ♦ **Foires, festivités :** marché le mercredi et le samedi matin ; Fête des violettes en mars ; Fête de Marie-Madeleine en juillet ; marché de Noël en décembre ♦ **Hôtels :** à Vence (5 km E), Auberge des Seigneurs et du Lion d'Or (tél. 04.93.58.04.24), hôtel de charme, 10 chambres 290-354 F, restaurant ; Hôtel La Roseraie (tél. 04.93.58.02.20), hôtel de charme, 12 chambres 390-550 F, restaurant ♦ **Restaurants :** Le Petit Manoir (tél. 04.93.24.19.19) ; Le Médiéval (tél. 04.93.59.31.63), Chantecler (tél. 04.93.59.34.22) ♦ **S. I.** (tél. 04.93.24.18.93).

LES BAUX-DE-PROVENCE
13520 (Bouches-du-Rhône)

Élu comme lieu d'habitation et de refuge dès l'époque néolithique, ce magnifique éperon rocheux constituait une plate-forme inexpugnable sur laquelle, au XIe siècle, une famille féodale construisit une forteresse et, de là, étendit sa domination sur toute la région. Jusqu'au XVe siècle, la vie des Baux et de leurs seigneurs fut troublée par de nombreux épisodes guerriers et sanglants. Au XVIe siècle, la cité connut une courte période de paix, un renouveau grâce au connétable Anne de Montmorency et à la famille de Manville : de nombreux hôtels particuliers furent bâtis, le château restauré. Mais au XVIIe siècle, Louis XIII et Richelieu ordonnèrent la destruction de la forteresse qu'ils considéraient comme un foyer d'insubordination. Aujourd'hui, on peut admirer les ruines du château féodal défiant le vide, flâner sur la charmante place, visiter l'église Saint-Vincent (XIIe siècle) et admirer les maisons anciennes un peu trop bien restaurées. Ce somptueux et incontournable village-musée est très touristique ; il est préférable de le découvrir hors saison, lorsque ses ruelles médiévales et ses magnifiques hôtels Renaissance offrent un aspect fier et solitaire.

♦ 458 habitants, 202 m d'altitude ♦ **Accès :** à 31 km S d'Avignon par D 571 et D 5 ♦ **A voir :** le musée Yves Brayer ; le musée d'Histoire ; le musée de l'Olivier (chapelle Saint-Blaise) ; la Fondation Louis-Jou ♦ **Aux alentours :** le Pavillon de la reine Jeanne, le val d'Enfer ; Saint-Rémy ; l'Abbaye de Montmajour ♦ **Foires, festivités :** Fête de la Saint-Jean le 24 juin ; Messe de minuit avec pastrage à Noël ♦ **Hôtels :** Hôtel La Benvengudo (tél. 04.90.54.32.54), hôtel de charme, 17 chambres 520-670 F, 3 suites 800-930 F, restaurant ; Le Mas d'Aigret (tél. 04.90.54.33.54), hôtel de charme, 16 chambres 450-1000 F, restaurant ♦ **S. I.** (tél. 04.90.54.34.39).

CASSIS
13260 (Bouches-du-Rhône)

Cassis est un ravissant petit port, bordé par la falaise du cap Canaille à l'est, par les superbes calanques à l'ouest, avec comme toile de fond des collines plantées d'oliviers, de figuiers et de vignes qui donnent un vin blanc très réputé. Le quartier du port a été tracé aux XVIIᵉ et XVIIIᵉ siècles, quand les Cassidains ont abandonné le vieux village perché près du château (privé) qui les protégeait. Vous pourrez flâner le long des ruelles bordées de maisons aux crépis colorés, vous attarder sur les bancs des petites places ombragées de platanes ou de mûriers de Chine, visiter l'église, admirer le bel Hôtel de Ville du XVIIᵉ siècle. Ensuite il sera temps d'aller boire un verre au bar de la Marine ! La proximité de Marseille en ayant fait un lieu de promenade très fréquenté les week-ends et en été, nous vous conseillons de visiter ce village hors saison ou le matin, pour apprécier son charme et son éclat lumineux. Manger des oursins au soleil en hiver à la terrasse de "Chez Brun" ou au "Canaille" est un plaisir incomparable.

♦ 3000 habitants dans le vieux village ♦ **Accès :** à 23 km S-E de Marseille par D 559 ♦ **A voir :** le musée d'Arts et Traditions populaires ♦ **Aux alentours :** les calanques de Port-Miou, Port-Pin, En-Vau ; la route des Crêtes ♦ **Foires, festivités :** marché les mercredi et vendredi matin ; brocante le 4ᵉ dimanche de chaque mois ; Printemps du livre ; Fête de la Saint-Pierre le dernier dimanche de juin ; Fête du vin en septembre ♦ **Hôtels :** Le Clos des Arômes (tél. 04.42.01.71.84), hôtel de charme, 8 chambres 295-570 F, restaurant ; Le Jardin d'Émile (tél. 04.42.01.80.55), hôtel de charme, 5 chambres 400-600 F, restaurant ; Les Roches Blanches (tél. 04.42.01.09.30), hôtel de charme, 20 chambres 450-900 F, 5 suites 1150 F, restaurant ♦ **Restaurants :** La Presqu'île (tél. 04.42.01.03.77), Chez Gilbert (tél. 04.42.01.71.36), Nino (tél. 04.42.01.74.32) ♦ **S. I.** (tél. 04.42.01.71.17).

EYGALIÈRES
13810 (Bouches-du-Rhône)

Situé au cœur des Alpilles, dans ce paysage sauvage et lumineux qui évoque la Grèce avec ses vallons plantés de cyprès et d'oliviers, voici Eygalières. Le site fut occupé dès le néolithique. En bas le village "moderne" avec ses maisons du XIXᵉ siècle, sa place ombragée de platanes et son bistrot-tabac ; en haut le village ancien couronné par le vieux donjon, seul vestige de l'ancien château. Pour y parvenir, on emprunte une ravissante rue caladée bordée de maisons presque toutes bien rénovées, certaines fleuries de lauriers-roses, de romarins ou de pytosporums qui embaument l'air. En haut de la colline, on admire les ruines du château, la tour de l'Horloge (XVIIᵉ) et la splendide vue sur le village, la plaine et les Alpilles. L'endroit est magique, on ressent une impression de paix et de sérénité, à l'ombre des grands pins. On peut ensuite visiter l'église Saint-Laurent du XIIᵉ siècle (son clocher est du XIXᵉ s.), la chapelle des Pénitents (XVIIᵉ s.) qui abrite le musée du Vieil Eygalières et, à un kilomètre du village sur la route d'Orgon, la très jolie chapelle Saint-Sixte (XIIᵉ s.).

♦ 1600 habitants, 100 m d'altitude ♦ **Accès :** à 10 km S-E de Saint-Rémy-de-Provence par D 99 et D 74 ♦ **A voir :** le musée du Vieil Eygalières ♦ **Aux alentours :** St-Rémy-de-Provence ♦ **Foires, festivités :** marché le vendredi matin ; Fête de la Saint-Laurent début août ; pèlerinage de Saint-Sixte le mardi de Pâques ♦ **Hôtels :** Auberge Provençale (tél. 04.90.95.91.00), hôtel de charme, 7 chambres 285-500 F, restaurant ; Mas dou Pastré (tél. 04.90.95.92.61), hôtel de charme, 8 chambres 320-550 F ♦ **Restaurants :** Auberge Provençale (tél. 04.90.95.91.00) ; Sous les Micocouliers (tél. 04.90.95.94.53) ♦ **Mairie** (tél. 04.90.95.91.01).

VENTABREN
13122 (Bouches-du-Rhône)

Petit village perché sur sa colline, Ventabren domine toute la plaine d'Aix. Le dédale des ruelles mène aux ruines de l'ancien château (XIIe s.) de la reine Jeanne d'où l'on jouit d'une vue superbe sur les environs, la chaîne de l'Étoile et l'étang de Berre. La pittoresque Grand-Rue en escalier est bordée de maisons anciennes aux murs couverts de vigne vierge ou fleuris de lavandes et de géraniums. Dans l'église, on peut admirer un beau tableau (XVe s.) de l'école d'Avignon représentant la Vierge. On y trouve aussi un moulin à vent, un ancien lavoir, une fontaine et les environs sont parsemés de nombreux vestiges préhistoriques et celto-ligure. Un village pimpant et gai où il fait bon flâner et prendre le temps de vivre.

3707 habitants, 218 m d'altitude ♦ **Accès :** à 15 km O d'Aix-en-Provence par D10 ♦ **A voir :** le musée archéologique ouvert samedi-dimanche 14h-19h ♦ **Aux alentours :** Aix-en-Provence et ses nombreux musées ♦ **Foires, festivités :** marché le mardi matin et le vendredi après-midi ; marché potier fin septembre ; fête de la Saint-Denis le 8 et 9 octobre ; Salon des antiquaires les 11 et 12 novembre ; fête de la Sainte-Barbe les 2 et 3 décembre ; pastorale vivante à Noël ♦ **Hôtel :** Le Mistral (tél. 04.42.28.87.27), maison d'hôtes de charme, 4 chambres 380-480F, table d'hôtes sur demande ♦ **Restaurant :** L'Alizé (tél. 04.42.28.79.33) ♦ **Mairie** (tél. 04.42.28.80.14).

BARGÈME
83840 (Var)

A 1097 mètres d'altitude, au sommet d'un piton rocheux, on découvre Bargème, le plus haut village du Var, dominé par les tours de son château médiéval. On pénètre dans la cité par la porte de Garde qui s'ouvre dans les remparts, puis on découvre les petites rues anciennes, les voûtes, les venelles bordées de maisons souvent fleuries. Dans l'église romane du village, se trouve un très beau retable représentant le martyre de saint Sébastien. Sur l'esplanade du château, la chapelle dédiée à Notre-Dame-des-Sept-Douleurs fut achevée en 1608. Elle rappelle le jour de fâcheuse mémoire, en 1595, où le seigneur du lieu, Antoine de Pontevès, fut égorgé par les villageois au cours d'une messe. Pour préserver le silence et le charme de ce merveilleux village, la municipalité a eu la bonne idée d'interdire la circulation automobile. Pendant l'été, Bargème organise des soirées de musique ancienne. Tout le site est classé.

♦ 86 habitants, 1097 m d'altitude ♦ **Accès :** à 40 km N-E de Draguignan par D 955 - Comps, D 21 et D 37 ♦ **Aux alentours :** les chapelles de Notre-Dame-des-Sept-Douleurs, de Sainte-Pétronille, Saint-Laurent, Saint-Antoine ♦ **Foires, festivités :** Fête de la Saint-Laurent le 2e dimanche d'août ; Concerts de musique ancienne du 14 juillet au 12 août ♦ **Hôtel :** à Trigance (17 km O), Château de Trigance (tél. 04.94.76.91.18), hôtel de charme, 8 chambres 550-900 F, 2 suites 850 F, restaurant ♦ **Mairie** (tél. 04.94.76.81.25).

BORMES-LES-MIMOSAS
83231 (Var)

Bormes-les-Mimosas est un pittoresque village perché, construit au XIIᵉ siècle à la limite de la forêt du Dom, à quelques kilomètres de la mer, dans un merveilleux cadre de collines couvertes de cyprès, d'oliviers et de mimosas, bien sûr. On flâne dans des ruelles dallées, entrecoupées de "cuberts" (passages couverts) et d'escaliers, longées de maisons construites en pierre de Bormes ou crépies de couleurs ensoleillées. Partout la végétation est présente et embaume. On atteint l'église Saint-Trophime du XVIIIᵉ siècle dont la façade est ornée d'un cadran solaire ; à l'intérieur, deux retables et des bustes en bois doré également XVIIIᵉ. Tout en haut de la colline, le vieux château (privé) des XIIᵉ-XVIᵉ siècles appartenait jadis aux seigneurs de Fos. De la terrasse on peut admirer un magnifique panorama sur la baie et les îles. Il faut visiter aussi la chapelle Saint-François-de-Paule, bâtie en 1519 par les habitants pour remercier le saint de les avoir protégés de la peste, et voir l'ancien cimetière enfoui dans la verdure. Ce village est plein de charme hors saison, mais très touristique en été.

♦ 4000 habitants, 104 m d'altitude ♦ **Accès :** à 40 km E de Toulon par A 570 - Hyères, N 98 et D 559 ♦ **A voir :** le musée d'Art et d'Histoire ♦ **Aux alentours :** le fort de Brégançon XVIᵉ siècle (se visite uniquement lors des journées Portes ouvertes des Monuments historiques) ; le sentier littoral du cap Bénat ; la route forestière des Crêtes ♦ **Foires, festivités :** marché les mercredi et samedi matin en été ; Corso du mimosa en février ; Foire aux santons en décembre ♦ **Hôtel :** La Bastide Rose (tél. 04.94.71.35.77), maison d'hôtes de charme, 4 chambres 400-600 F, 1 suite 600-900 F, table d'hôtes ♦ **Restaurants :** Chez Sylvia (tél. 04.94.71.14.10) ; L'Escoundudo (tél. 04.94.71.15.53) ; Le Jardin de Perlefleurs (tél. 04.94.64.99.23) ; La Tonnelle des Délices (tél. 04.94.71.34.84) ♦ **S. I.** (tél. 04.94.71.15.17).

LA CADIÈRE-D'AZUR
83740 (Var)

Bien installé sur le haut d'une colline, La Cadière domine un agréable paysage de vignobles, de bastides, de cyprès et d'oliviers. C'est le pays de l'huile, du vin et de la douceur de vivre. D'abord possession des comtes de Provence, la cité revint dès le Xe siècle à l'abbaye de Saint-Victor de Marseille. De l'enceinte qui la protégeait au Moyen Âge, il ne reste aujourd'hui que trois portes dont la porte Mazarine (1657). Il faut flâner dans les ruelles bordées de maisons aux pierres jointives bien rénovées, de murets et de jardinets débordants de fleurs, glycines, lauriers-roses, lierres, de passages voûtés (notamment la rue Paradis, la bien-nommée). L'église Saint-André du XVIe siècle a été agrandie aux XVIIe et XVIIIe siècles (à l'intérieur, très bel autel en marbre polychrome). Ne manquez pas d'aller visiter la chapelle des Pénitents Blancs, bâtie en 1507 sur l'emplacement de l'ancien château féodal, et la chapelle des Pénitents Noirs de 1634. D'autres très belles choses sont encore à admirer comme la porte en bois clouté de l'Hôtel de Ville, le campanile du XVIe siècle sur la tour de l'horloge, certaines façades Renaissance place des Consuls. De plusieurs points du village, on découvre une vue magnifique sur le paysage environnant.

◆ 2500 habitants, 144 m d'altitude ◆ **Accès :** à 44 km E de Marseille par A 50 ◆ **Aux alentours :** les route des Vins de Bandol, des Oratoires, des Vieux moulins. ◆ **Foires, festivités :** marché le jeudi matin ; Fête de la Saint-Jean le 24 juin ; Festival de Provence (musique classique) en été ; Fête des vendanges début septembre ; Fête de la Saint-André avec messe en provençal en novembre ; Festival de théâtre en novembre ◆ **Hôtel :** Hostellerie Bérard (tél. 04.94.90.11.43) hôtel de charme, 40 chambres 425-740 F, 2 suites 900-1200 F, très bon restaurant ◆ **S. I.** (tél. 04.94.90.12.56).

CALLIAN
83440 (Var)

L e village primitif était construit dans la plaine, mais, détruit en 1391, il fut rebâti sur le sommet d'une colline escarpée, à l'endroit où il se trouve actuellement. On le voit de loin, ses maisons roses étant dominées par les tours de son vieux château des XIIᵉ–XVIᵉ siècles. La rue principale mène à une jolie place à fontaine où sont installées de jolies terrasses de cafés à l'ombre des platanes ; l'on s'y presse à l'heure de la pétanque ou du pastis pour écouter les derniers potins. Une petite boutique désuète fait office de tabac et de maison de la presse. D'autres ruelles dallées et fleuries partent en colimaçon jusqu'au château (privé) de style Renaissance provençale et jusqu'à la chapelle des Pénitents Blancs construite au XIIᵉ siècle. N'oubliez pas l'église Notre-Dame ! De grandes dimensions elle fut bâtie au XVIIᵉ siècle et elle est surmontée d'un clocher aux tuiles vernies de couleurs vives. Callian est un village gai et vivant où l'on peut séjourner agréablement. Le village a conservé son art de vivre d'autrefois, son charme et la convivialité traditionnelle des villages provençaux. En bas, dans la plaine, de nombreux vestiges romains sont disséminés.

♦ 1449 habitants, 325 m d'altitude ♦ **Accès :** à 40 km N-E de Draguignan par D 562 et D 56 ♦ **Aux alentours :** Fayence ; le lac de Saint-Cassien ; les gorges de la Siagne ♦ **Foires, festivités :** marché le vendredi matin ; brocante le dernier dimanche de chaque mois ; Fête de la Sainte-Maxime en mai ; foire artisanale en juin ; Fête de la Saint-Donat en août ; concerts en été ♦ **Hôtels :** Auberge du Puits Jaubert (tél. 04.94.76.44.48), hôtel de charme, 8 chambres 225-250F, restaurant ; Le Riou Blanc (tél. 04.94.47.70.61), maison d'hôtes de charme, 4 chambres 400-470 F ♦ **Mairie** (tél. 04.94.76.40.15) - **S. I.** (tél. 04.94.47.75.77).

LE CASTELLET
83330 Le Beausset (Var)

Installé sur une butte rocheuse qui domine une plaine plantée de vignobles, de cyprès et d'oliviers, Le Castellet fut autrefois propriété des seigneurs des Baux. Deux portes ouvertes dans les anciens remparts Le Portail, au sud, et Le Portalet, permettent l'accès au village. Vous emprunterez des petites rues pavées et fleuries, bordées de maisons du XVIIe et du XVIIIe siècle, pour accéder à la place du Champ-de-Bataille où se trouvent le château (XIe siècle rebâti au XVe siècle) et l'église du XIIe siècle. De l'esplanade, la vue sur la plaine et le massif de la Sainte-Baume au loin est superbe. Ce beau village, bien restauré, est très touristique en été ; les boutiques d'artisanat et de souvenirs y sont nombreuses. Plusieurs films y ont été tournés, notamment "La Femme du boulanger" de Marcel Pagnol en 1939.

♦ 2091 habitants, 200 m d'altitude ♦ **Accès :** à 45 km S-E de Marseille par A 50 et D 626 ♦ **Aux alentours :** la chapelle romane Notre-Dame-du-Vieux-Beausset (6 km S) ; les villages du Vieux-Beausset, d'Évenos, de Broussan ♦ **Foires, festivités :** Messe de minuit provençale ♦ **Hôtels :** à La Cadière, Hostellerie Bérard (tél. 04.94.90.11.43), hôtel de charme, 40 chambres 425-740 F, 2 suites 900-1200 F, très bon restaurant ; au Beausset, Les Cancades (tél. 04.94.98.76.93), maison d'hôtes de charme, 4 chambres 300-400 F, 1 suite 500-600 F ♦ **Restaurants :** crêperie Le Roy d'Ys (tél. 04.94.32.61.51) ; à Évenos, Le Poivre d'Âne (tél. 04.94.90.37.88) ♦ **Mairie** (tél. 04.94.32.60.10) - **S. I.** (tél. 04.94.90.55.10).

COTIGNAC
83570 Carcès (Var)

L e village est construit au pied d'une haute falaise de tuf percée de grottes, sur laquelle on peut voir les ruines de l'ancien château fort des seigneurs de Castellane. Cotignac est le vrai gros bourg provençal, avec son cours et sa place ombragés de platanes, ses cafés, ses boutiques à la mode d'autrefois, ses vieilles maisons ocre (certaines des XVIIᵉ-XVIIIᵉ siècles) coiffées de tuiles roses et brunes, ses nombreuses fontaines à mascarons. Il y a aussi la jolie place de la mairie (hôtel du XVIIIᵉ siècle) et l'église construite au XVIᵉ siècle qui fut remaniée au XVIIIᵉ siècle. Vous pourrez boire un verre au Café du Cours ou séjourner au charmant hôtel Lou Calen pour savourer tout le charme de Cotignac et la douceur de vivre provençale.

◆ 1794 habitants, 230 m d'altitude ◆ **Accès :** à 24 km N-E de Brignoles par D 562 - Carcès et D 13 ◆ **Aux alentours :** la chapelle romane Notre-Dame-des-Grâces (1 km S-O), l'abbaye du Thoronet du XIIᵉ siècle (15 km S-E), les jolis villages de Fox-Amphoux (11 km N), Saint-Antonin ◆ **Foires, festivités :** marché le mardi matin ; Festival du Rocher (musique et théâtre) en été ; Foire des métiers d'art le 3ᵉ dimanche de juillet ; Fête locale le 1ᵉʳ dimanche de septembre ; Foire de la Saint-Martin en novembre ◆ **Hôtel :** Hostellerie Lou Calen (tél. 04.94.04.60.40), hôtel de charme, 16 chambres 270-590 F, restaurant ◆ **S. I.** (tél. 04.94.04.61.87).

ENTRECASTEAUX
83570 (Var)

En surplomb sur la verdoyante vallée de la Bresque, dominé par son majestueux château, Entrecasteaux fut successivement fief des seigneurs de Castellane puis des comtes de Grignan (au XVIe s.) avant de revenir à l'amiral Bruny d'Entrecasteaux. Le village a gardé tout le charme de son passé : des rues ombragées de platanes, des maisons anciennes, des fontaines, un joli lavoir, une église fortifiée et le magnifique château, forteresse du XIe siècle reconstruite au XIIIe siècle puis agrandie et embellie aux XVIIe et XVIIIe siècles. Superbement restauré par son propriétaire actuel, il présente une haute et belle façade très simple ; on peut visiter le rez-de-chaussée où sont organisées des expositions (salles de garde et magnifique cuisine). Dans le somptueux parc (public) qui s'étend au pied du château, on admirera le bel ordonnancement des jardins créés par Le Nôtre.

♦ 750 habitants, 150 m d'altitude ♦ **Accès :** à 13 km O de Lorgues par D 50 ♦ **Aux alentours :** les chapelles Notre-Dame-de-l'Aube (XIIe s.) et Sainte-Anne (XVIIIe s.), l'abbaye du Thoronet (XIIe s.) ♦ **Foires, festivités :** Foire à la brocante en juillet ; Fête de la Saint-Sauveur début août ; Festival de musique de chambre 2e quinzaine d'août ♦ **Mairie** (tél. 04.94.04.42.86) - **S.I.** (tél. 04.94.04.42.86).

LA GARDE-FREINET
83680 (Var)

Le village est superbement situé en pleine forêt des Maures, à mi-chemin entre la vallée de l'Argens et la côte de Saint-Tropez. La légende raconte que les Sarrasins avaient construit une forteresse-camp retranché à l'emplacement du village ancien et que, de là, ils partaient écumer et piller tous les villages environnants, cela jusqu'à ce que le comte Guillaume le Libérateur les chasse en 973. Aujourd'hui, le bourg presse ses maisons aux beaux murs de pierre ou joliment crépies de rose ou d'ocre autour de l'église. Végétation touffue, escaliers, fontaines, petite place avec son café de village, ici encore que de charme et de plaisir ! Un sentier de randonnée vous conduira – si vous en avez le courage – jusqu'aux ruines de l'ancien château fort ; vous serez récompensé de vos efforts par l'extraordinaire panorama que vous découvrirez sur toute la vallée couverte de chênes-lièges et l'étincelante mer bleue en fond. Les amoureux de la nature pourront faire de nombreuses randonnées dans toute la région.

♦ 1465 habitants, 350 m d'altitude ♦ **Accès :** à 102 km E d'Aix-en-Provence par A 8 sortie Le Luc et D 558 ♦ **A voir :** le musée du Freinet, le musée international de la Colombophilie ♦ **Foires, festivités :** marché le mercredi et le dimanche matin ; Bravade de la Saint-Clément en mai ; fête locale début août ; marché potier et brocante en septembre ; Fête de la châtaigne les 2 derniers dimanche d'octobre ; Foire aux santons en décembre ♦ **Hôtels :** sur la route de Collobrières, La Boulangerie (tél. 04.94.43.23.16), hôtel de charme, 10 chambres 580-820 F, restaurant ; Le Verger (tél. 04.94.43.25.93), hôtel de charme, 9 chambres 550-850 F, restaurant ♦ **Mairie** (tél. 04.94.43.60.01) - **O. T.** (tél. 04.94.43.67.41).

GASSIN
83990 Saint-Tropez (Var)

Construit sur le sommet d'une colline à 201 mètres d'altitude, Gassin est un ravissant village qui a gardé tout son charme et sa tranquillité à quelques kilomètres de la cohue de la côte et de Saint-Tropez. Il avait autrefois un rôle de vigie car, de sa position dominante et fortifiée, il surveillait toute la côte et pouvait donner l'alerte en cas d'invasion des pirates barbaresques. Aujourd'hui, après avoir garé votre voiture en contrebas du village, vous pourrez monter par les ruelles jusqu'à la ravissante place des Barrys. Là, vous contemplerez un paysage grandiose : des forêts de chênes-lièges sur les collines à perte de vue, les vignobles et, en fond, le bleu azur de la Méditerranée ! La délicieuse terrasse de l'auberge Bello-Visto vous accueillera pour boire un verre à l'ombre des micocouliers. Il vous restera à visiter la petite église romane, toute simple. Vous quitterez à regret ce village vraiment magique.

♦ 2017 habitants, 201 m d'altitude ♦ **Accès :** à 7,5 km S-O de Saint-Tropez par D 98A et D 89 ♦ **Aux alentours :** les moulins de Paillas (3,5 km), le golfe de Saint-Tropez ♦ **Foires, festivités :** brocante le samedi ; Fête de la Saint-Laurent le 1er dimanche d'août ♦ **Hôtel :** Hôtel Bello-Visto (tél. 04.94.56.17.30), 9 chambres 250-380 F, restaurant ♦ **Restaurant :** Le Micocoulier (tél. 04.94.56.14.01) ♦ **Mairie** (tél. 04.94.56.62.00) - **S. I.** (tél. 04.94.43.42.10).

GRIMAUD
83310 Cogolin (Var)

Jadis seigneurie des Grimaldi, le village de Grimaud, implanté d'abord sur la côte, s'était replié sur les hauteurs pour se protéger des invasions sarrasines. Aujourd'hui, les ruines de son château féodal dominent les maisons et l'entrelacs des rues. Tout est fleuri, la végétation est superbe : bougainvillées, palmiers, lauriers-roses, cactus, géraniums et plumbagos animent les vieilles pierres des maisons. Dans la rue des Templiers, vous pourrez voir des arcades de basalte et d'originaux encadrements de portes en serpentine. Ne partez pas sans avoir vu l'église romane Saint-Michel qui contient un très beau bénitier en marbre. Grimaud a retrouvé sa vocation maritime en 1966 par la construction très réussie de Port-Grimaud due à l'architecte François Spoerry.

♦ 3350 habitants, 100 m d'altitude ♦ **Accès :** à 10 km O de Saint-Tropez par D 98A, D 61 et D 14 ♦ **Aux alentours :** Port-Grimaud, la Chartreuse de la Verne ♦ **Foires, festivités :** marché le jeudi matin ; Foire de la laine en mai ; Fête de la vigne et du vin fin août ; Fête de la Saint-Hubert début novembre ; "Nuits musicales" au château de juin à août ♦ **Hôtels :** La Boulangerie (tél. 04.94.43.23.16), hôtel de charme, 10 chambres 580-820 F, restaurant ; Le Verger (tél. 04.94.43.25.93), hôtel de charme, 9 chambres 550-850 F ; Le Mazet des Mûres (tél. 04.94.56.44.45), maison d'hôtes de charme, 5 chambres 320-380 F ♦ **Restaurants :** Le Café de France (tél. 04.94.43.20.05) ; Le Coteau Fleuri (tél. 04.94.43.21.97) ; La Spaghetta (tél. 04.94.43.28.59) ♦ **O. T.** (tél. 04.94.43.26.98).

MONS
83440 Fayence (Var)

Dans un site sauvage et magnifique, le village de Mons est perché tout en haut d'un promontoire rocheux d'où l'on découvre un panorama grandiose, qui "coupe le souffle". Le village fut fondé au Moyen Âge par une colonie ligure, mais le site fut occupé dès l'Antiquité puisque les Romains avaient capté à cet endroit les sources de la Siagnole pour alimenter en eau la ville de Fréjus. Décimé par la peste au XIVe siècle, le village fut repeuplé au XVe siècle par des familles également ligures. Mons a gardé un aspect authentique. Les rues sont longées de maisons au bel appareillage de pierres aux portes de bois sculpté ; la plupart d'entre elles sont bien restaurées. La place Saint-Sébastien est ornée d'une belle fontaine du XVIIIe siècle, et de l'esplanade par temps clair on a un très beau point de vue sur les Alpes et les îles de Lérins. Tout à côté, l'ancienne chapelle des Pénitents Blancs (XVIIe siècle) contient un très beau retable du XVIIIe. Il faut voir aussi l'église romane Notre-Dame, remaniée plusieurs fois ; à l'intérieur, on peut admirer un rare ensemble de retables baroques. A partir du village, de très nombreux sentiers de randonnée permettent de parcourir cette très belle région.

♦ 462 habitants, 814 m d'altitude ♦ **Accès :** à 49 km N-E de Draguignan par D 562 et D 563 ♦ **A voir :** le musée Marine et Montagne (modèles réduits de navires, artisanat rural) ♦ **Aux alentours :** la chapelle Notre-Dame (route de Callian) ; les gorges de la Siagne ♦ **Hôtel :** à Fayence (15 km S) Le Moulin de la Camandoule (tél. 04.94.76.00.84) hôtel de charme, 12 chambres 280-690 F, restaurant ♦ **Restaurant :** L'Auberge Provençale (tél. 04.94.76.38.39) ♦ **Mairie** (tél. 04.94.76.38.34) - **S. I.** (tél. 04.94.76.39.74).

MONTFERRAT
83131 (Var)

Il faut emprunter la route qui va de Draguignan à Comps-sur-Artuby et traverser les superbes gorges de Châteaudouble pour découvrir l'adorable village de Montferrat. Cette petite bourgade est constituée de quelques maisons provençales toutes pimpantes qui se partagent de petits jardins de curé en pente douce jusqu'à la rivière et d'une pittoresque place où se trouvent le café et l'épicerie du village. Il y a une vieille boulangerie qui fleure le bon pain, des cascades pour la fraîcheur, et une douceur de vivre que l'on ne trouve qu'ici ! Deux ponts enjambent l'Artuby (c'est le nom de la rivière) et permettent l'accès au terrain de boules ombragé de platanes, lieu de réunion des villageois le soir, à l'heure sacrée de la pétanque. Resté à l'écart des grandes voies et donc des flots touristiques, Montferrat est authentique et paisible, il a gardé le charme discret de la Provence "d'avant" quand jeunes et vieux vivaient et travaillaient au village en parfaite harmonie.

♦ 500 habitants, 480 m d'altitude ♦ **Accès :** à 18 km N de Draguignan par D 955 ♦ **Foires, festivités :** marché le vendredi matin ; Fête du village le 15 août ♦ **Hôtel :** La Calanco (tél. 04.94.70.93.20), maison d'hôtes de charme, 6 chambres 220-400 F, table d'hôtes ♦ **Mairie** (tél. 04.94.70.91.10).

ÎLE DE PORQUEROLLES
83400 Hyères (Var)

Située face à la presqu'île de Giens, Porquerolles est la plus grande des îles de la rade d'Hyères avec 1257 hectares. La végétation est superbe : pins d'Alep, palmiers, chênes verts, myrtes et bruyères y poussent à profusion. Afin de mettre fin à différents projets de spéculation immobilière, l'État s'est porté acquéreur en 1971 des huit dixièmes de sa surface. La faune et la flore de l'île sont protégées. Le port est le point de débarquement de l'île, dans laquelle on circule à bicyclette. Les maisons toutes simples, abondamment fleuries, entourent la place d'Armes bordée d'eucalyptus. Tout au fond, l'église Sainte-Anne, dédiée à la patronne de l'île, a été bâtie au XIXe siècle. Ce qui fait le charme de Porquerolles, c'est aussi la vie "îlienne" : prendre un petit déjeuner à l'Escale, pique-niquer sur la plage de Notre-Dame, jouer aux boules sur la place, prendre un verre à l'Oustaou, dîner au Restaurant de la Plage d'Argent. Comment résister à la magie de cette île qui, malgré les énormes vedettes qui déversent en été leurs flots de visiteurs débraillés, reste un vrai paradis.

♦ 250 habitants ♦ **Accès :** par bateau depuis la Tour Fondue (tél. 04.94.58.21.81) ; durée de la traversée 20 mn ♦ **A voir :** l'exposition d'archéologie sous-marine au fort Sainte-Agathe ; le Conservatoire botanique (tél. 04.94.58.31.16) ♦ **Foires, festivités :** Fête de la Sainte-Anne le 26 juillet ♦ **Hôtel :** Les Glycines (tél. 04.94.58.30.36), hôtel de charme, 12 chambres 450-850 F par personne en demi-pension en haute saison ♦ **Restaurants :** L'Oustaou (tél. 04.94.58.30.13) avec jolies chambres, le Café Porquerollais (tél. 04.94.58.31.12) avec jolies chambres, Restaurant de la Plage d'Argent (tél. 04.94.58.32.48) ♦ **Mairie** (tél. 04.94.58.30.19) - **Port** (tél. 04.94.58.30.72).

RAMATUELLE
83350 (Var)

Lorsque l'on quitte Saint-Tropez et les plages de Pampelonne, on aperçoit un fier village qui se détache au-dessus des vignobles, sur un fond de collines plantées de chênes-lièges et de pins, c'est Ramatuelle. On le rejoint par une petite route en lacet qui grimpe le long des anciens remparts pour arriver au cœur du village sur la très jolie place de l'Ormeau. L'ormeau n'est plus là, il a été remplacé par un bel olivier, symbole de la Provence, mais la petite place est charmante avec ses terrasses de cafés. Tout à côté, l'église présente un portail en serpentine (XVIIᵉ siècle) et une tour vestige des anciens remparts (XIIIᵉ siècle). La balade dans les rues du village est un ravissement, maisons débordantes de géraniums, jasmins et chèvrefeuilles, escaliers en pierre, petits restaurants et nombreux points de vue sur toute la plaine de Pampelonne. Ramatuelle est un merveilleux village qui représente toute la douceur de vivre de la Provence. Le comédien Gérard Philipe y repose dans le petit cimetière.

♦ 1766 habitants, 146 m d'altitude ♦ **Accès :** à 12 km S de Saint-Tropez par D 93 ♦ **Foires, festivités :** marché le jeudi et le dimanche matin ; Fête du vin le 1ᵉʳ weekend de juillet ; Festival de jazz et de musique classique en juillet ; Festival de théâtre la 1ᵉʳᵉ quinzaine d'août ♦ **Hôtels :** La Ferme d'Augustin (tél. 04.94.97.23.83), hôtel de charme, 46 chambres 580-1600 F, restaurant ; La Ferme d'Hermès (tél. 04.94.79.27.80), hôtel de charme, 8 studios 600-850 F ; La Figuière (tél. 04.94.97.18.21), hôtel de charme, 41 chambres 430-950 F, 1 suite et 3 duplex 950-1500 F, restaurant ♦ **Restaurants :** Ferme Ladouceur (tél. 04.94.79.24.95) ; Au Fil à la Pâte (tél. 04.94.79.27.81) ♦ **Mairie** (tél. 04.94.79.20.16) - **S. I.** (tél. 04.94.79.26.04).

SAINT-TROPEZ
83990 (Var)

Saint-Tropez est un merveilleux village ancré dans un golfe de toute beauté où la mer reflète le bleu du ciel et les couleurs rosées des façades des maisons de pêcheurs. Mais hélas ce coin de paradis est invivable en été. Allez-y hors saison, lorsque les vrais Tropéziens reprennent possession de leur village et que la plupart des boutiques sont fermées. Vous découvrirez alors un petit port tranquille et authentique bordé de hautes maisons aux crépis colorés, le petit marché et les étals des pêcheurs derrière Sénéquier, le quartier de la Ponche qui a gardé tout son charme, la jolie place de l'Ormeau et l'église de style baroque italien. Le long des ruelles pavées, les maisons sont ornées de bougainvillées, de figuiers sauvages ou de merveilleux massifs d'hortensias. On comprend alors pourquoi Maupassant, Signac, Matisse, Colette et bien d'autres ont pu tomber amoureux de ce ravissant village incontournable. En fin d'après-midi ne manquez pas les joueurs de boules et le pastis sur la place des Lices.

♦ 6000 habitants ♦ **Accès :** à 37 km S du Muy par D 25 et D 98 ♦ **A voir :** le musée de l'Annonciade ; le musée de la Citadelle ; la chapelle Ste-Anne ♦ **Foires, festivités :** marché le mardi et le samedi matin ; Bravade de Saint-Tropez du 16 au 18 mai ; Bravade des Espagnols en juin ; "Nioulargue" début octobre ♦ **Hôtels :** Le Yaca (tél. 04.94.97.58.50), hôtel de charme, 23 chambres 1250-2300 F ; La Ponche (tél. 04.94.97.02.53), hôtel de charme, 18 chambres 700-2200 F, restaurant ; La Figuière (5 km - tél. 04.94.97.18.21) hôtel de charme, 41 chambres 430-950 F, restaurant ; Le Pré de la Mer (3 km - tél. 04.94.97.12.23) hôtel de charme, 3 chambres 490-660 F, 8 studios 640-875 F ♦ **Restaurants :** La Renaissance (tél. 04.94.97.02.00) ; Chez Fuchs (tél. 04.94.97.01.25) ; Le Café des Arts (tél. 04.94.97.02.25) ; La Maison des Jumeaux (tél. 04.94.97.42.52) ♦ **S. I.** (tél. 04.94.97.45.21).

SEILLANS
83440 (Var)

Situé à quelques kilomètres de Fayence, Seillans – dont l'origine remonte à l'occupation romaine (IIe siècle) – s'est implanté sur les pentes du mont Auzière. C'est un charmant village perché, aux maisons ocre, aux ruelles fleuries et pavées de galets qui montent vers le château et les remparts en partie conservés. Dans la rue des Remparts, on peut voir une tour du XVIIe siècle percée de meurtrières puis, un peu plus loin, l'église à nef romane qui fut reconstruite en 1477. Tout en haut du bourg, le château offre un ensemble de bâtiments de différentes époques : une tour, un donjon et une bâtisse du XVIIe siècle. Mais l'endroit le plus charmant du village est sans doute la petite place ombragée et ornée d'une fontaine, à côté de l'hôtel des Deux Rocs. De là, la vue sur la campagne environnante est superbe ! Seillans est aussi très connu pour sa production de fleurs aromatiques et pour son excellent miel. Le peintre Max Ernst y vécut les dernières années de sa vie, Gounod et Alphonse Karr y séjournèrent.

♦ 1800 habitants, 366 m d'altitude ♦ **Accès :** à 32 km N-E de Draguignan par D 562, D 563 et D 19 ♦ **Aux alentours :** la chapelle de Notre-Dame-de-l'Ormeau (retable du XVIe siècle) ; le village de Bargemon ; le lac de Saint-Cassien ; les gorges du Verdon ♦ **Foires, festivités :** marché le mercredi matin ; Fête des fleurs à la Pentecôte (tous les 2 ans, aura lieu en 1996) ; Fête de Saint-Cyr-Saint-Léger le dernier week-end de juillet ; Fête de Notre-Dame-des-Selves en juillet ; Foire artisanale et Greniers dans la rue en août ; les "Nuits du Valat" (concerts) en juillet-août ; Veillée traditionnelle et messe de minuit à Noël ♦ **Hôtel :** Hôtel des Deux Rocs (tél. 04.94.76.87.32), hôtel de charme, 15 chambres 260-520 F, restaurant ♦ **Restaurant :** Auberge de Mestre Cornille (tél. 04.94.76.87.31) ♦ **Mairie** (tél. 04.94.76.96.04) **- S. I.** (tél. 04.94.76.85.91).

TOURTOUR
83690 Salernes (Var)

Situé à plus de 600 mètres d'altitude, entre les Préalpes du sud et la plaine du Var, Tourtour est entouré de sources et de forêts. Le village a conservé son aspect médiéval avec ses rues coupées d'escaliers ou traversées d'arcades, ses fontaines, ses maisons anciennes. La place des Ormeaux, typique de tout village provençal (les deux ormeaux plantés en 1638 ont été remplacés par des oliviers), est ornée d'une jolie fontaine ; vous pourrez prendre un verre à la charmante terrasse de La Farigoulette ou au café des Ormeaux en vous laissant bercer par le murmure de l'eau ; un peu à l'écart se trouve le château avec ses quatre tours coiffées de toits pointus. A l'extérieur du village et le dominant, l'église Saint-Denis d'époque romane a, hélas, été très rénovée au XIXᵉ siècle. De l'esplanade, on découvre un panorama magnifique sur le golfe de Saint-Raphaël et les montagnes environnantes.

♦ 323 habitants, 635 m d'altitude ♦ **Accès :** à 23 km N-O de Draguignan par D 557 et D 77 ♦ **Aux alentours :** le village de Villecroze ; la route du Haut-Var ♦ **Foires, festivités :** marché les mercredi et samedi matin ; Fête de l'œuf à Pâques ; concerts et théâtre en été ; Fête d'été le 1ᵉʳ dimanche d'août (messe provençale, danses folkloriques, concours de boules "à la longue" et aïoli) ♦ **Hôtel :** Auberge Saint-Pierre (tél. 04.94.70.57.17), hôtel de charme, 17 chambres 500 F, restaurant ♦ **Restaurant :** Les Chênes Verts (tél. 04.94.70.55.06) ♦ **Mairie** (tél. 04.94.70.57.20).

TRIGANCE
83840 (Var)

Bâti au cœur de la Haute-Provence à la limite des gorges du Verdon dans un paysage sauvage de restanques à 800 mètres d'altitude, Trigance présente une forteresse flanquée de tours rondes crénelées qui s'agrippe au rocher et domine des maisons de pierre formant rempart. L'ensemble est d'une grande homogénéité, car le même matériau a été utilisé pour la construction des maisons et du château fort. Le village fut la propriété de l'abbaye de Saint-Victor de Marseille au IXe siècle avant de devenir le fief du comte de Provence au XIe siècle. La flânerie dans les rues du village est vraiment agréable ; vous découvrirez des passages voûtés, des rues en calades entrecoupées d'escaliers de pierre, de vieux puits, des maisons aux toits de tuiles roses, l'église romane Saint-Michel et un joli campanile du XVIIe siècle. Vous monterez ensuite jusqu'à l'imposante forteresse transformée en hôtel de charme d'où la vue de la terrasse est époustouflante. Des représentations théâtrales ont lieu sur l'esplanade du château en été.

♦ 122 habitants, 800 m d'altitude ♦ **Accès :** à 18 km S-O de Castellane par D 952 et D 955 ♦ **Aux alentours :** les gorges du Verdon, le lac de Sainte-Croix, nombreux sentiers de randonnée (GR 9) ♦ **Foires, festivités :** festival de théâtre en juillet-août ; fête patronale de la Saint-Roch le 15 août ♦ **Hôtel :** Château de Trigance (tél. 04.94.76.91.18), hôtel de charme, 8 chambres 550-900 F, 2 suites 850 F, restaurant ♦ **Mairie** (tél. 04.94.76.91.01) - **S. I.** (tél. 04.94.47.58.40).

ANSOUIS
84240 (Vaucluse)

En plein cœur du pays d'Aigues, Ansouis occupait au Moyen Âge une place idéale pour contrôler la route entre Aix-en-Provence et Apt. Aujourd'hui, le village merveilleusement conservé est toujours dominé par son magnifique château, ancienne possession de la famille de Sabran. Avant de l'atteindre, on traverse la grande place et on parcourt les ruelles aux maisons joliment restaurées. Les plus anciennes datent des XVᵉ et XVIIᵉ siècles. L'église paroissiale Saint-Martin est encore plus ancienne, à l'intérieur on peut admirer des bustes reliquaires, des panneaux de bois et un retable du XVIIᵉ siècle. Le château à la fois place forte médiévale et bastide du XVIIᵉ siècle a conservé un donjon et des tourelles de forteresse, ainsi que des remparts dotés de créneaux et de mâchicoulis. Le grand corps de logis de la façade méridionale a été remanié après les guerres de Religion, dans le style des hôtels aixois du XVIIᵉ siècle. La visite permet d'admirer de beaux meubles, des tapisseries, des plafonds à caissons et une cuisine voûtée. Les jardins sont magnifiques, décorés de buis taillés et remarquablement entretenus. De la terrasse la vue sur la Sainte-Victoire est superbe.

♦ 912 habitants, 323 m d'altitude ♦ **Accès :** à 25 km N d'Aix-en-Provence par A 51 sortie Pertuis et D 56 ♦ **A voir :** le musée Extraordinaire de Georges Mazoyer ♦ **Aux alentours :** La Tour-d'Aigues, l'abbaye de Silvacane ♦ **Foires, festivités :** marché le jeudi matin ; concerts en juin et septembre ; Fête votive le week-end après le 14 juillet ; Fête de la Saint-Elzéar début septembre ♦ **Hôtel :** Le Jardin d'Ansouis (tél. 04.90.09.89.27), maison d'hôtes de charme, 2 chambres 240-330 F, restaurant ♦ **S. I.** (tél. 04.90.09.86.98).

LE BARROUX
84330 Caromb (Vaucluse)

L e Barroux est un magnifique village perché, dominé par un imposant et élégant château fort du XIIe siècle. La forteresse appartenait à l'origine aux seigneurs des Baux, puis elle fut reconstruite au XVIe siècle par la famille de Roviglasc qui, s'inspirant de l'architecture italienne, la dota de fenêtres à meneaux, de galeries et de grilles ouvragées. Le village a été soigneusement restauré, les rues repavées, les toits refaits, les maisons ravalées. La belle pierre dorée des murs donne une belle unité à toutes les constructions. De la terrasse du château on a, comme dans tous les villages perchés, une vue superbe sur la plaine, le mont Ventoux et les Dentelles de Montmirail. Vous pourrez aussi acheter du pain cuit comme autrefois au prieuré de la Madeleine tout proche.

◆ 501 habitants, 337 m d'altitude ◆ **Accès** : à 12 km N de Carpentras par D 938 et D 78 ◆ **Aux alentours :** le joli village de Bédoin (12 km S-E), Avignon, Vaison-la-Romaine ◆ **Foires, festivités :** Fête votive le 15 août ◆ **Hôtel :** Les Géraniums (tél. 04.90.62.41.08), hôtel de charme, 22 chambres 210-250 F, restaurant ◆ **Mairie** (tél. 04.90.62.43.11).

LE BEAUCET
84210 (Vaucluse)

Au cœur du Comtat Venaissin, un très beau village, perché à flanc de colline au milieu de cyprès et de grands pins, dominé par les ruines de son château fort qui se confondent avec la pierre dorée du rocher. Le Beaucet est resté merveilleusement préservé et authentique : des remparts et des restes de tours du XIVe, des maisons de pierre aux toits de tuiles roses enfouies dans la verdure et une jolie petite église du XIIe siècle, toute simple, qui montre fièrement son clocher. On dirait un village de crèche, surtout lors du pèlerinage que les villageois font chaque année, depuis le XVe siècle, jusqu'à l'ermitage de Saint-Gens pour obtenir la pluie, le samedi le plus proche du 16 mai. Un adorable village qui, en outre, offre le charme d'une délicieuse auberge où l'on peut se régaler d'une très, très bonne cuisine provençale !

♦ 152 habitants, 300 m d'altitude ♦ **Accès :** à 10 km S-E de Carpentras par D4 et D 39 ♦ **Aux alentours :** l'ermitage de Saint-Gens (XIIe s.), La Roque-sur-Pernes ♦ **Foires, festivités :** pèlerinage de Saint-Gens le samedi le plus proche du 16 mai ; Fête votive les 17 et 18 juillet ; "Festival avec l'accent" en août ♦ **Hôtels :** à Venasque (5 km), Auberge de La Fontaine (tél. 04.90.66.02.96), hôtel de charme, 5 suites 700 F ; La Maison aux Volets Bleus (tél. 04.90.66.03.04), maison d'hôtes de charme, 5 chambres 330-400 F, table d'hôtes ♦ **Restaurant :** Auberge du Beaucet (tél. 04.90.66.10.82) ♦ **Mairie** (tél. 04.90.66.00.23).

BONNIEUX
84480 (Vaucluse)

Le village s'enroule au pied de l'église couronnée de cèdres qui le domine de son clocher pointu. On peut toujours voir les vestiges des anciens remparts qui protégeaient le village des pillards qui sillonnaient la région du XIIᵉ au XIVᵉ siècle. Les maisons et hôtels particuliers des XVIᵉ, XVIIᵉ et XVIIIᵉ siècles témoignent encore de l'ancienne richesse de cette cité qui appartint à la papauté jusqu'à la Révolution. Linteaux sculptés, arches de pierre, portes de bois cloutées, armoiries enchâssées dans la pierre, de nombreux détails suscitent l'admiration. Il faut visiter le musée de la Boulangerie installé dans de belles caves voûtées (joli escalier du XVIIIᵉ siècle), voir l'hôtel de Rouville (XVIIᵉ siècle) où se trouve la mairie, admirer les rares tableaux du XVᵉ siècle dans l'église Neuve puis monter jusqu'à l'église Vieille par un escalier assez raide, taillé dans la pierre. On atteint le tertre et l'église ombragée de cyprès et de cèdres magnifiques ; d'époque romane, elle a été remaniée et agrandie au XVᵉ siècle ; à l'intérieur, un superbe retable en bois doré du XVᵉ siècle.

♦ 1433 habitants, 200-400 m d'altitude ♦ **Accès :** à 12 km S-O d'Apt par D 943 et D 232 ♦ **A voir :** le musée de la Boulangerie ♦ **Aux alentours :** les très beaux villages de Sivergues et de Saignon ; le pont Julien (an 3 av. J.-C.) ; le prieuré de Saint-Symphorien dans le vallon de l'Aiguebrun ; visite de la fabrique de carreaux d'Apt ♦ **Foires, festivités :** marché le vendredi matin ; marché potier à Pâques ; Fête votive en août ♦ **Hôtels :** Hostellerie du Prieuré (tél. 04.90.75.80.78), hôtel de charme, 10 chambres 350-595 F, restaurant ; La Bouquière (tél. 04.90.75.87.17), maison d'hôtes de charme, 4 chambres 325-360 F ♦ **Restaurants :** Le Fournil (tél. 04.90.75.83.62) ; à Buoux, Auberge de la Loube (tél. 04.90.74.19.58) ♦ **Mairie** (tél. 04.90.75.80.06) - **S. I.** (tél. 04.90.75.91.90).

BRANTES
84390 (Vaucluse)

Il faut prendre la peine de découvrir ce minuscule village fortifié, perché sur son rocher au-dessus du Toulourenc. Il paraît bien fragile perdu dans ce paysage immense, ses toits rosés émergeant entre rocs et végétation. Brantes est resté complètement à l'abri des touristes et l'on y trouve des petites rues tranquilles, caladées et bordées de belles maisons anciennes en pierres sèches, des passages voûtés, des escaliers aux vieilles pierres polies, une petite église à clocher carré et, tout en haut, les ruines du château. De là, la vue est à couper le souffle, on découvre toute la plaine du Toulourenc et le Mont Ventoux. Brantes aujourd'hui revit grâce à la présence d'artisans inspirés par la magnificence du paysage.

63 habitants, 546 m d'altitude ♦ **Accès :** à 30 km E de Malaucène par D164 ♦ **Aux alentours :** le col du Comte, le Mont Serein ♦ **Foires, festivités :** fête votive le week-end après le 15 août ♦ **Hôtel :** à Aurel (16 km O), Richarnau (tél. 04.90.64.03.62), maison d'hôtes de charme, 3 chambres 300-350 F, 2 suites 350-450 F, table d'hôtes ♦ **Mairie** (tél. 04.75.28.09.46)

LE CRESTET
84110 (Vaucluse)

Peut-être un des seuls villages encore secret et authentique de
cette belle région de Vaison et des Dentelles de Montmirail !
Le Crestet s'étale sur une crête (comme son nom l'indique) sous
la protection de son château (on ne le visite pas), ancien bien des
évêques de Vaison. Les rues escarpées ont gardé un charme rustique.
Elles sont caladées, entrecoupées d'escaliers et agrémentées d'une
végétation sauvage : figuiers, lierres ou vignes vierges poussent en
liberté. Sur la petite place de l'église, une ravissante fontaine offre
une halte rafraîchissante. Quant à l'église, dédiée à saint Sauveur,
elle fut bâtie au XIᵉ siècle puis remaniée au XVIIIᵉ. Du haut du village,
au pied du château, la vue s'étend sur la vaste plaine plantée de
vignobles, cernée au lointain de montagnes.

♦ 300 habitants, 380 m d'altitude ♦ **Accès :** à 6,5 km S de Vaison-la-Romaine par D 938
et D 238 ♦ **Aux alentours :** Vaison-la-Romaine ♦ **Hôtels :** à Vaison-la-Romaine, Hostellerie
Le Beffroi (tél. 04.90.36.04.71), hôtel de charme, 22 chambres 320-630 F, restaurant ;
L'Évêché (tél. 04.90.36.13.46/04.90.36.38.30), maison d'hôtes de charme, 4 chambres
300-400 F ♦ **Restaurants :** La Fête en Provence (tél. 04.90.36.16.05) ; La Garenne
(tél. 04.90.36.05.01), La Loupiote (tél. 04.90.36.29.50) ♦ **Mairie** (tél. 04.90.36.06.72).

CRILLON-LE-BRAVE
84410 (Vaucluse)

C'est grâce à un compagnon d'Henri IV, Berton de Balbe, que le village a obtenu sa réputation de bravoure et son surnom de "Brave". Crillon est toujours fièrement campé sur son rocher et il étage ses habitations au pied de son château, haute et belle demeure du XVe siècle, et de son église des XII-XIVe siècles. Les maisons très bien restaurées, présentent une agréable harmonie de matières et de couleurs, pierres jaune doré ou crépis ocre clair se mariant aux tuiles rosées des toits à génoises. La balade dans les ruelles du village est charmante, arceaux, portes de bois, beaux encadrements de pierre apportent une touche de raffinement aux plus simples maisons. Autrefois entouré de remparts, Crillon n'en conserve aujourd'hui que des vestiges dont une porte du XVIe siècle. Il faut voir la jolie chapelle Saint-Michel qui date du XIe siècle ; elle est décorée de rares fresques du XIVe siècle, hélas très fânées par le temps. Et puis, si vous ne vous résignez pas à quitter ce lieu attachant, vous pourrez prolonger le plaisir en séjournant au château, transformé en merveilleux hôtel de charme. Du haut du village et des jardins du château, on a une vue splendide sur les toits, la vallée et le Mont Ventoux au loin.

♦ 265 habitants, 395 m d'altitude ♦ **Accès :** à 13 km N de Carpentras par D 974 et D 138 ♦ **Aux alentours :** les villages de Caromb (4 km S-O) et de Bédoin (4 km E) ♦ **Hôtels :** Hostellerie de Crillon-le-Brave (tél. 04.90.65.61.61), hôtel de charme, 16 chambres 750-1450 F et 8 suites 1250-2500 F, délicieux restaurant ; Clos Saint-Vincent (tél. 04.90.65.93.36), maison d'hôtes de charme, 6 chambres 370-460 F, 1 suite 750 F, table d'hôtes ♦ **Mairie** (tél. 04.90.65.60.61).

GORDES
84220 (Vaucluse)

Magnifique village perché couronné par un château et une église massive, Gordes étage ses maisons jusqu'au sommet d'une falaise escarpée. Site défensif, Gordes avait dès le XIe siècle son seigneur et son château. Témoin de cette époque, en contrebas de l'église (XVIIIe s.), une bâtisse du XIIIe siècle présente une salle à voûtes d'arêtes et à piliers-colonnes. Quant au château médiéval, il a été renforcé au XIVe siècle puis rebâti au XVIe siècle par Bertrand de Simiane. Aujourd'hui on peut l'admirer dans toute sa splendeur grâce à la restauration parfaite réalisée par le peintre Victor Vasarely. La balade le long des ruelles en calade, coupées d'escaliers et bordées de maisons anciennes bien rénovées, est très pittoresque. Des rues en surplomb offrent des points de vue magnifiques sur toute la vallée. Très touristique en été, Gordes est un merveilleux village qui garde tout son charme hors saison. Vous pourrez aussi faire de ravissantes promenades dans la région, visiter les jolis villages de Goult, Murs, Joucas... mais surtout ne manquez pas le marché à la brocante de L'Isle-sur-la-Sorgue le samedi et le dimanche.

♦ 2031 habitants, 373 m d'altitude ♦ **Accès** : à 17 km N-E de Cavaillon par D 2 ♦ **A voir** : le musée Vasarely (au château) ; le musée du Vitrail (au village des Bouillons) ♦ **Aux alentours :** le village des Bories ; l'abbaye de Sénanque (XIIe siècle) ♦ **Foires, festivités :** marché le mardi matin ; marché aux fleurs en avril ; Festival de musique et théâtre en juillet-août ♦ **Hôtels :** La Ferme de la Huppe (tél. 04.90.72.12.25), hôtel de charme, 8 chambres 375-625 F, restaurant ; Les Romarins (tél. 04.90.72.12.13), hôtel de charme, 10 chambres 400-680 F ; aux Beaumettes, Domaine Le Moulin Blanc (tél. 04.90.72.34.50), hôtel de charme, 18 chambres 450-960 F, restaurant ♦ **Restaurants :** La Renaissance (tél. 04.90.72.02.02) ; Le Comptoir du Victuaillier (tél. 04.90.72.01.31) ; le Mas de Tourteron (tél. 04.90.72.00.16) ♦ **S. I.** (tél. 04.90.72.02.75).

GOULT
84220 (Vaucluse)

Ancienne possession de la famille d'Agoult à laquelle il doit son nom, Goult est un ravissant village qui a conservé deux portes vestiges des remparts du XIVe siècle qui le protégeaient autrefois. Au XVIIIe siècle, le village était prospère, des artisans faïenciers en faisaient la renommée. Aujourd'hui Goult présente toujours une belle homogénéité architecturale ; ses maisons des XVIe et XVIIIe siècles, bien rénovées ont d'épais murs de pierre blonde, des fenêtres encadrées de pierre, des pièces voûtées et des toits de tuiles provençales. Certaines demeures, les plus anciennes, ont gardé des détails intéressants, portes en arceau, linteaux sculptés. Le village s'enorgueillit aussi d'une bien jolie église romane à portail ouvragé, d'une placette agrémentée d'un charmant Café de la Poste à l'ombre des micocouliers et d'un château (privé) très restauré qui le domine paisiblement.

1287 habitants, 278 m d'altitude ◆ **Accès :** à 18 km E de Cavaillon ◆ **Foires, festivités :** marché le lundi après-midi ; Festival de quatuor à cordes en été : pèlerinage à Notre-Dame de Lumière le 8 septembre ; fête votive le 3e dimanche de septembre ◆ **Hôtel :** aux Beaumettes (5 km) Domaine Le Moulin Blanc (tél. 04.90.72.34.50), hôtel de charme, 17 chambres 450-950 F, 1 suite 880-1200F, restaurant ◆ **Restaurants :** Auberge de la Bartavelle (tél. 04.90.72.33.72) : Café de la Poste (tél. 04.90.72.23.23) ; Le Tonneau (tél. 04.90.72.22.35) ◆ **Mairie** (tél. 04.90.72.20.16).

LACOSTE
84480 (Vaucluse)

Lacoste occupe un site escarpé occupé par l'homme dès l'époque néolithique. Rivale protestante de Bonnieux la catholique, la petite cité connut des moments dramatiques lors des répressions contre les Vaudois au XVIᵉ siècle. Au XVIIIᵉ siècle, le château revint en héritage à François Gaspard de Sade, grand-père du "Divin marquis" qui s'y retira en 1771. La magnifique demeure fut pillée lors de la Révolution et servit de carrière aux habitants du village. Son propriétaire actuel relève courageusement le château de ses ruines et organise des visites. Les maisons, les vestiges des anciens remparts, le pavage des ruelles et les ruines du château sont faits de la même pierre calcaire blonde et vous serez saisi par la beauté minérale du village. De nombreux artistes ont été séduits par l'aspect sauvage de Lacoste, l'écrivain André Breton, le peintre Jacques Hérold y séjournèrent.

♦ 360 habitants, 330 m d'altitude ♦ **Accès :** à 15 km S-O d'Apt par N 100 et D 108.
♦ **Aux alentours :** l'ancienne abbaye Saint-Hilaire, chapelle XIIᵉ-XIIIᵉ siècles (2 km O par D 109) ♦ **Foires, festivités :** marché le mardi matin ♦ **Hôtel :** Bonne Terre (tél. 04.90.75.85.53), maison d'hôtes de charme, 5 chambres 420-500 F ♦ **Restaurant :** Le Simiane (tél. 04.90.75.83.31) ♦ **Mairie** (tél. 04.90.75.82.04).

LOURMARIN
84160 Cadenet (Vaucluse)

Lourmarin est situé au pied de la combe de l'Aiguebrun, dans un très bel environnement de vignes et d'oliviers. Le village protestant fut massacré au XVIᵉ siècle par Maynier d'Oppède. Aujourd'hui, Lourmarin dispose paisiblement ses maisons des XVIIᵉ et XVIIIᵉ siècles un peu à l'écart de la délicate église romane et du magnifique château construit par la famille d'Agoult au XVᵉ siècle qui devint le refuge des gitans au XIXᵉ siècle. En 1921, un industriel lyonnais, Robert Laurent-Vuibert, le racheta et le restaura complètement avant d'en faire don à l'académie d'Aix. Il est constitué de deux parties : le château vieux du XVᵉ siècle avec sa tour crénelée, et le château neuf Renaissance avec ses fenêtres à meneaux et ses galeries à l'italienne. A l'intérieur, très beaux meubles et tableaux. N'oubliez pas de flâner dans les pittoresques rues du village, d'admirer les jolies fontaines et le vieux beffroi. Dans le petit cimetière de Lourmarin reposent Albert Camus et Henri Bosco.

♦ 1112 habitants, 150 m d'altitude ♦ **Accès :** à 19 km S d'Apt par D 943 ♦ **A voir :** le musée Philippe de Girard ; le musée des Compagnons du devoir ♦ **Aux alentours :** l'abbaye de Silvacane (cloître du XIIIᵉ siècle) ; le village de Cucuron ♦ **Foires, festivités :** marché le vendredi matin ; "Rencontres Méditerranéennes" (littérature et théâtre) en août ; Festival de musique au château de juillet à septembre ; Foire artisanale le 3ᵉ dimanche de juillet ♦ **Hôtels :** Domaine de la Lombarde (tél. 04.90.08.40.60), maison d'hôtes de charme, 4 chambres 340-360 F ; Villa Saint Louis (tél. 04.90.68.39.18), maison d'hôtes de charme, 5 chambres 300-400 F ♦ **Restaurants :** La Fenière (tél. 04.90.68.11.79) ; L'Agneau Gourmand (tél. 04.90.68.21.04) ; La Louche à Beurre (tél. 04.90.68.00.33) ; L'Oustalet de Georges (tél. 04.90.68.07.33) ♦ **S. I.** (tél. 04.90.68.10.77).

MÉNERBES
84560 (Vaucluse)

Le village s'allonge sur un éperon rocheux, un peu comme un magnifique navire échoué entre la Citadelle et le Castellet. Lors des guerres de religion, au XVIe siècle, la cité fut investie par surprise par les calvinistes qui, de ce promontoire, résistèrent aux troupes catholiques pendant plus de quinze mois. La Citadelle (XIIe-XVIe siècles) comporte encore aujourd'hui une partie de ses défenses (tours et mâchicoulis). Le village offre un entrelacs de petites rues bordées de belles demeures anciennes, dont l'hôtel de Tingry (XVIe-XVIIe siècles). Vous admirerez la place de l'Hôtel de Ville avec son beffroi à campanile du XVIIe siècle, la chapelle Saint-Blaise (XVIIIe siècle) puis, plus loin, l'église du XIVe siècle richement décorée. En contrebas, du cimetière abandonné, très belle vue sur la vallée du Coulon et les villages de Gordes et Roussillon. Ménerbes est un village magnifique ; juste un regret : la construction du groupe scolaire qui gâche un peu la vue d'ensemble.

♦ 1030 habitants, 230 m d'altitude ♦ **Accès :** à 16 km E de Cavaillon par D 2, N 100 et D 103 ♦ **Aux alentours :** l'abbaye de Saint-Hilaire (3 km O par D 109) ♦ **Foires, festivités :** Fête votive de la Saint-Louis en août ; Foire aux chevaux le 2e dimanche de juin ♦ **Hôtels :** Mas du Magnolia (tél. 04.90.72.48.00), maison d'hôtes de charme, 1 chambre 600 F, 1 suite 700 F ; à Oppède (5 km) Mas des Capelans (tél. 04.90.76.99.04), hôtel de charme, 6 chambres 400-900 F, 2 suites 600-1000 F, restaurant ♦ **Mairie** (tél. 04.90.72.22.05) - **S. I.** (tél. 04.90.75.91.90).

OPPÈDE-LE-VIEUX
84580 (Vaucluse)

Bâti sur un roc à pic couronné de pins, le fier village d'Oppède présente un étagement de maisons et d'hôtels Renaissance dominés par les ruines d'un château féodal construit par les comtes de Toulouse. Déserté au début du siècle par ses habitants qui s'installèrent dans la plaine plus facile d'accès, le village retrouva vie et beauté, dans les années cinquante-soixante, sous l'impulsion d'artistes et d'écrivains tombés amoureux du vieux bourg abandonné. Aujourd'hui bien vivant mais heureusement préservé de toute rénovation abusive, Oppède offre à nos regards émerveillés son décor d'arches sculptées, de passages voûtés, d'escaliers envahis de lierre. Autour de la belle place carrée, les maisons nobles s'alignent harmonieusement. Puis, tout en haut, on atteint le vieux château et l'église (XIIIᵉ remaniée aux XVIᵉ et XIXᵉ siècles). De là, on peut admirer toute la vallée du Calavon.

♦ 1015 habitants, 350 m d'altitude ♦ **Accès :** à 11 km E de Cavaillon par D 2, D 29 et D 178 ♦ **Aux alentours :** le Parc naturel régional du Luberon ; Apt ♦ **Foires, festivités :** marché le samedi ; fête de la Saint-Laurent le 10 août ♦ **Hôtels :** Mas des Capelans (tél. 04.90.76.99.04), hôtel de charme, 6 chambres 500-900 F, 2 suites 600-1000 F, restaurant ; aux Beaumettes (4,5 km N-E), Domaine Le Moulin Blanc (tél. 04.90.72.34.50), hôtel de charme, 18 chambres 450-960 F, restaurant ♦ **Restaurant :** L'Oppidum (tél. 04.90.76.84.15) ♦ **Mairie** (tél. 04.90.76.90.06).

ROUSSILLON
84220 Gordes (Vaucluse)

Ce village est célèbre dans le monde entier, grâce à ses dix-huit nuances d'ocre rouge de son vallon des Fées, grâce au relief tourmenté des falaises de ses anciennes carrières que l'érosion et le mistral continuent de raviner. Samuel Beckett vécut là-bas en réfugié pendant deux années durant la Seconde Guerre mondiale. Cet épisode de sa vie est confirmé par un passage de "En attendant Godot" : "Nous avons fait les vendanges, tiens, tiens, chez un nommé Bonnelly, à Roussillon... Là-bas, tout est rouge !" Sous le beffroi de la tour de l'Horloge, un passage voûté permet d'entrer dans la partie ancienne du village : la promenade est vraiment belle. Presque toutes les maisons sont restaurées et leurs façades présentent toute la palette des tons d'ocre. La mairie et la maison qui lui fait face, très belles, sont du XVIIIᵉ siècle. Les terrasses des cafés permettent de s'attarder sur la place de ce village magique, où l'on peut également visiter une église romane restaurée au XVIᵉ siècle.

♦ 1313 habitants, 343 m d'altitude ♦ **Accès :** à 10 km N-O d'Apt par N 100, D 201, D 4 et D 104 ♦ **Aux alentours :** les villages de Gargas (7 km E) et de Saint-Saturnin-lès-Apt (12 km N-E) ♦ **Foires, festivités :** marché le jeudi matin ; grand feu, bal masqué et marché artisanal pour la Saint-Jean le 24 juin ; bal et dîner champêtre pour la Saint-Michel le 29 septembre ♦ **Hôtels :** Le Mas de Garrigon (tél. 04.90.05.63.22), hôtel de charme, 8 chambres 590-860 F, restaurant ; aux Talons (5 km) Mas de Lumière (tél. 04.90.05.63.44), maison d'hôtes de charme, 3 chambres 450-600 F ♦ **Restaurants :** Le Bistrot de Roussillon (tél. 04.90.05.74.45) ; La Treille (tél. 04.90.05.64.47) ♦ **S. I.** (tél. 04.90.05.60.25).

SÉGURET
84110 Vaison-la-Romaine (Vaucluse)

Des maisons étagées au pied d'une butte calcaire aux crêtes décou-pées, la tour de l'ancien château médiéval émergeant des pins en haut de la colline, voici le joli village de Séguret. Un circuit fléché vous invite à la visite qui commence par un passage voûté, la porte Reynier (XIIe s.), pour se poursuivre par des rues au pavage de pierre qui montent jusqu'à la ravissante fontaine des Mascarons (XVe s.), le lavoir et le beffroi (XIVe s.). Enfin, l'église Saint-Denis du Xe siècle comporte une belle nef romane. De la place, le panorama s'étend sur la plaine du Comtat et sur les Dentelles de Montmirail. De jolies boutiques d'artisans (potiers, santonniers) égaient la pro-menade, et, si vous êtes courageux, vous pourrez emprunter le sentier escarpé qui monte jusqu'aux ruines de l'ancien château. Ensuite, vous pourrez peut-être déjeuner sur la terrasse du charmant "Mesclun" dans la pittoresque rue des Poternes.

♦ 803 habitants, 250 m d'altitude ♦ **Accès :** à 10 km S de Vaison-la-Romaine par D 977 et D 88 ♦ **Aux alentours :** les villages de Sablet, Gigondas, Beaumes-de-Venise ♦ **Foires, festivités :** Foire des artisans, Fête des potiers et Festival provençal en août ; expositions de crèches et de santons en décembre ; Messe de minuit avec crèche vivante à Noël ♦ **Hôtels :** à Gigondas (7 km S), Les Florets (tél. 04.90.65.85.01), hôtel de charme, 13 chambres 350-410 F, restaurant ; à Vaison-la-Romaine (9 km N-E), Hostellerie Le Beffroi (tél. 04.90.36.04.71) hôtel de charme, 21 chambres 300-595 F, restaurant ♦ **Restaurant :** Le Mesclun (tél. 04.90.46.93.43) ♦ **Mairie** (tél. 04.90.46.91.06) - **S. I.** (tél. 04.90.36.02.11).

VENASQUE
84210 Pernes-les-Fontaines (Vaucluse)

Venasque est accroché à un rocher abrupt en surplomb sur les vallées de Carpentras et de la Nesque. Le site fut occupé dès les temps anciens, de nombreux vestiges celtes et romains y ont été retrouvés. De son passé, le village conserve des ruines de remparts et trois tours dentelées dont les pierres ont servi en partie à la construction des maisons du village. Ces maisons en belle pierre dorée, du XIVᵉ au XVIIᵉ siècle, bordent de ravissantes petites rues en pente qui conduisent à la jolie place avec son ancien hospice (XVIIᵉ), transformé en hostellerie de charme, et sa fontaine du XVIIIᵉ siècle. La mairie se situe dans l'ancienne chapelle des Pénitents Blancs. Mais il y a aussi un trésor ! L'exceptionnel baptistère du VIᵉ siècle remanié au XIᵉ siècle qui se compose d'une salle carrée entourée de quatre demi-cercles. Les absides sont en ogives, chaque arcature reposant sur des colonnes ornées de chapiteaux sculptés de feuilles d'acanthe, de motifs entrelacés ou de cannelages. C'est très simple et très beau. Le baptistère est relié à l'église Notre-Dame, édifice du XIᵉ siècle plusieurs fois remanié du XVᵉ au XVIIIᵉ siècle. A l'intérieur retable en bois sculpté et magnifique Crucifixion de l'école d'Avignon (de 1498). Ce très beau village médiéval est resté bien authentique.

♦ 656 habitants, 310 m d'altitude ♦ **Accès :** à 11 km S-E de Carpentras par D 4 ♦ **Aux alentours :** la chapelle Notre-Dame-de-Vie (XVIIᵉ s.), Pernes-les-Fontaines ; La Roque-sur-Pernes ♦ **Foires, festivités :** Fête votive le 15 août ♦ **Hôtels :** Auberge de la Fontaine (tél. 04.90.66.02.96), hôtel de charme, 5 suites 700 F, restaurant ; La Maison aux Volets Bleus (tél. 04.90.66.03.04), maison d'hôtes de charme, 5 chambres 330-400 F ♦ **Restaurant :** Bistrot de la Fontaine (tél. 04.90.66.02.96) ♦ **S. I.** (tél. 04.90.66.11.66).

Terre d'émigration jusqu'au début du siècle, la région Rhône-Alpes est maintenant un pôle d'attraction pour une population venue des quatre coins de la France, attirée par le dynamisme et l'attrait du cadre de vie de ses départements. Les villages et l'habitat ancien ont été fortement affectés par ces transformations, mais il serait exagéré de dire que le village d'autrefois, défiguré, est en voie de disparition. Il est temps d'en sauver et d'en admirer les vestiges intacts qui subsistent, dans leur charme authentique.

Les villages sont un étonnant patrimoine et un conservatoire où chacun trouve un plaisir toujours renouvelé. Le fervent du passé y déchiffre les traits de l'archéologie du paysage et le touriste s'enchante de la subtile harmonie avec laquelle la demeure des hommes s'intègre au milieu environnant. Ces valeurs sont, heureusement, de plus en plus perçues et la préservation de l'architecture rurale devient la préoccupation des administrateurs et des habitants.

PÉROUGES
01800 Meximieux (Ain)

Déployée sur une colline, encerclée de remparts, Pérouges offre une vision magnifique. La cité aurait été fondée, avant l'occupation romaine, par une colonie venue de Perugia, en Italie. Au début du Moyen Âge, la ville subit les assauts des souverains du Dauphiné et des princes de Savoie. Puis, en 1601, elle devient française, connaît la paix et démantèle sa forteresse. Pérouges est riche et active ; de nombreux tisserands y prospèrent. Au début du XIXe siècle, la ville, isolée, est en plein déclin. Les habitants détruisent une partie des maisons anciennes. Le massacre est heureusement arrêté en 1911 grâce à la création du Comité du Vieux Pérouges : des artistes, des notables et l'administration des Beaux-Arts participent à l'effort de sauvetage et de reconstruction. Aujourd'hui, ses vieilles maisons, la plupart du XVe et du XVIe siècle, bordent des rues étroites, inégalement pavées. Elles forment un ensemble unique et exceptionnel. Il faut voir la place de la Halle, entourée de superbes maisons, notamment l'Hostellerie de Pérouges du XIIIe siècle, la rue des Princes (c'était la rue commerçante de la ville), la rue des Rondes et la porte d'En-Haut avec sa lourde porte cloutée. Pittoresque cité, Pérouges ne pourra que vous séduire. Sachez encore que le célèbre grammairien Vaugelas naquit dans la ville en 1585.

◆ 856 habitants, 90 m d'altitude ◆ **Accès :** à 34 km N-E de Lyon par N 84 et D 4, ou A 42, D 65B et D 4 ◆ **A voir :** le musée du Vieux Pérouges (histoire locale) ◆ **Aux alentours :** l'église de Saint-Maurice-de-Gourdans (14 km S), le château de Richemont, le château de Genoud ◆ **Foires, festivités :** Foire à la brocante le 1er mai ◆ **Hôtel :** Ostellerie du Vieux Pérouges (tél. 04.74.61.00.88), hôtel de charme, 28 chambres 390-900 F, restaurant ◆ **Mairie** (tél. 04.74.61.01.58) - **S. I.** (tél. 04.74.61.01.14).

ALBA-LA-ROMAINE
07400 (Ardèche)

"Alba Augusta Helviorum", capitale des Helviens, était une belle cité gallo-romaine qui connut ses plus riches heures sous Auguste. On peut encore voir au pied de l'actuel village, sur la rive gauche de l'Escoutay, de nombreux vestiges : les thermes, le forum, le théâtre, etc. Puis, entre le Vᵉ et le VIᵉ siècle, la ville disparaît peu à peu, pour renaître au Xᵉ siècle sous l'impulsion des seigneurs d'Aps. C'est alors un nouveau village fortifié qui se construit. Aujourd'hui, depuis la mise au jour en 1964 des premiers éléments gallo-romains, Alba-la-Romaine connaît un regain d'activité. Constituée de deux hameaux, Alba et La Roche distants de 500 mètres, la petite agglomération s'étend au pied d'un piton volcanique, ce qui explique la couleur noire des murs des maisons. Il faut arpenter à pied les petites rues pavées de basalte, qui ont gardé tout le charme pittoresque de l'époque médiévale : passages voûtés, petites places, maisons souvent agrémentées d'escaliers extérieurs, de terrasses ou de jolies portes, tout contribue au plaisir de la promenade. Pour finir, on peut aller voir les expositions de peinture organisées au château (XIIᵉ-XVIᵉ siècles) qui domine le village et la rivière.

♦ 1006 habitants, 200 m d'altitude ♦ **Accès :** à 17 km O de Montélimar par N 102 ♦ **A voir :** la chapelle de la Roche (XVIIᵉ s.) ♦ **Foires, festivités :** marché le dimanche matin ; Fête de printemps en mai ; Festival de théâtre et Fête de la musique en été ♦ **Hôtel :** Le Jeu du Mail (tél. 04.75.52.41.59), maison d'hôtes de charme, 4 chambres 230-300 F, 1 suite 530 F ♦ **Mairie** (tél. 04.75.52.43.52).

ANTRAIGUES–SUR–VOLANE
07530 (Ardèche)

L'éruption de deux volcans est à l'origine du rocher de basalte qui sert de piédestal à Antraigues, et donne au village sa position dominante (470 mètres d'altitude). C'est au détour d'une petite route sinueuse qu'il vous apparaîtra dans toute sa splendeur. Nous sommes ici en pleine Cévenne ardéchoise. Les eaux de la Volane (que l'on peut descendre l'hiver en kayak), de la Bise et du Mas se rencontrent là, un peu plus bas. Les restes du château nous rappellent l'importance passée du village, ancien fief des comtes d'Antraigues, dont un descendant, Emmanuel de Launay, défraya la chronique politique de la Révolution et de l'Empire. Tout comme le château, les murs des maisons sont en granit. Les tuiles canal et les ruelles escarpées donnent à l'endroit un petit air méridionnal. Enfin, la jolie place avec sa fontaine et surtout les activités variées font d'Antraigues un lieu plein de vie : restaurants, marché aux puces, foire à la brocante, marché aux châtaignes, mais aussi de nombreuses possibilités sportives.

♦ 514 habitants, 470 m d'altitude ♦ **Accès :** à 14 km N d'Aubenas par D 104 et D 578 ♦ **Aux alentours :** la vallée de la Volane ; les villages de Mézilhac (15 km N) et de Burzet (17 km O) ; la cascade du Ray-Pic (D 215) ; Saint-Julien-d'Aizac ; le château de Craux ; l'église de Saint-Andéol-de-Vals ♦ **Foires, festivités :** marché aux châtaignes le mercredi d'octobre à décembre ; marché aux puces le lundi de Pâques et le 15 août ; Foire artisanale le 2e dimanche d'août ♦ **Hôtel :** à Asperjoc (5 km S) Domaine de Combelle (tél. 04.75.37.62.77), maison d'hôtes de charme, 4 chambres 320-460 F ♦ **Restaurants :** La Remise (tél. 04.75.38.70.74) ; La Brasucade (tél. 04.75.38.72.92); Lo Podello (tél. 04.75.38.71.48) ♦ **Mairie** (tél. 04.75.38.70.10) - **S. I.** (tél. 04.75.88.23.06).

BALAZUC
07120 Ruoms (Ardèche)

Depuis les bords de l'Ardèche, Balazuc apparaît accroché à la roche calcaire de la falaise. Il faut rejoindre la rive opposée pour avoir le recul suffisant et découvrir ce superbe village dans son ensemble. Balazuc fut occupé aux VIIIᵉ et IXᵉ siècles par les Maures, mais son architecture actuelle se compose d'éléments allant du XIIIᵉ au XVIIIᵉ siècle. Autrefois protégées par des fortifications, les maisons se sont groupées autour du château féodal plusieurs fois remanié, mais conservant néanmoins une portion de tour du Xᵉ siècle. À côté, une église romane dresse son clocher à arcades surmonté d'un clocheton. Pour la rejoindre, il faudra suivre des petites rues tortueuses et escarpées, bordées par endroits d'anciennes échoppes d'artisans. Merveilleux cheminement où se succèdent arcs-boutants, passages voûtés, portions d'escaliers... Après le pont, au pied du village, on peut aller jusqu'au hameau du Vieil-Audon, actuellement reconstruit et restauré par une association.

◆ 218 habitants, 170 m d'altitude ◆ **Accès :** à 14 km S d'Aubenas par D 104 et D 294 ◆ **Aux alentours :** les gorges de la Ligne ; les gorges de La Beaume ; le village féodal de Rochecolombe ◆ **Foires, festivités :** Fête du village le 14 juillet et le 3ᵉ week-end de juillet ◆ **Hôtel :** à Beaulieu (30 km S), Hôtel de la Santoline (tél. 04.75.39.01.91), hôtel de charme, 6 chambres 290-370 F, restaurant ◆ **Mairie** (tél. 04.75.37.75.08).

LABEAUME
07120 (Ardèche)

Le village est magnifiquement situé au pied des gorges de la Beaume et ses maisons se confondent de loin avec la falaise et les rochers qui l'entourent. Ici, la rivière torrentueuse offre de larges berges propices aux baignades en été. La vaste place ombragée de platanes est le lieu favori des touristes ; la flânerie dans Labeaume est charmante : on découvre des ruelles empierrées, de vieilles maisons pittoresques, des arcades, des passages voûtés, de belles portes à linteaux ; l'église a un curieux portail-clocher agrémenté de colonnes. On atteint le haut du village par une rue en calade assez raide et, peu à peu, les constructions laissent place à la végétation et la rue se transforme en chemin de terre. D'en haut, la vue sur les toits des maisons ramassées au bord de la rivière aux eaux transparentes est très jolie. Les deux rives sont reliées par un magnifique et robuste pont de pierre, sans parapet. Le village a conservé l'attrait simple et paisible des villages d'autrefois. On peut seulement regretter la présence de pavillons modernes le long de la route menant au village.

♦ 346 habitants, 119 m d'altitude ♦ **Accès :** à 30 km S d'Aubenas par D 579 et D 245 ♦ **Aux alentours :** les gorges de la Beaume, les gorges de l'Ardèche ♦ **Foires, festivités :** marché le dimanche matin ♦ **Hôtels :** à Beaulieu (20 km S) Hôtel de la Santoline (tél. 04.75.39.01.91) hôtel de charme, 6 chambres 290-370 F, restaurant ; Scarlett's (tél. 04.75.39.07.26), maison d'hôtes de charme, 3 chambres 400 F, table d'hôtes ♦ **Restaurant :** Le Petit Moulin (tél. 04.75.93.97.55) ♦ **Mairie** (tél. 04.75.39.64.23).

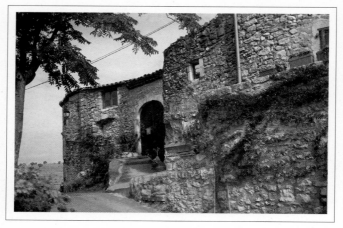

LAGORCE
07150 (Ardèche)

D ans cette région de l'Ardèche le paysage est sauvage et éclatant. La blancheur de la pierre calcaire partout présente (murs des maisons, murets des enclos, banquettes de soutènement des terrasses cultivables), se marie au vert olive de la végétation et au bleu lumineux du ciel. Lagorce est un village haut perché qui ressemble aux villages de Provence : ruelles pentues coupées d'arceaux et d'escaliers, maisons de pierres jointives, beaux encadrements de fenêtres, portes cintrées, toits de tuiles canal rosées, murs couverts de vigne vierge, géraniums sur le pas des portes et figuiers sauvages poussant un peu partout. Certaines maisons sont reliées entre elles au niveau du premier étage par des passages couverts. Ces "couradous", comme on les appelle ici, étaient utilisés autrefois pendant le décoconnage des cocons de soie, lorsque cette industrie était florissante dans la région. Aujourd'hui, on les utilise toujours, mais pour se protéger du soleil ou faire sécher les fromages de chèvre ! Sur la place, le beau beffroi du XIIIᵉ siècle est orné d'un cadran solaire. Le village est heureux et animé (juste ce qu'il faut) et, avant de repartir, on peut faire provision de vins de pays ou de délicieux fromages de chèvre.

♦ 112 habitants, 130 m d'altitude ♦ **Accès :** à 5 km N de Vallon-Pont-d'Arc par D 1 ♦ **Aux alentours :** les gorges de l'Ibie, les gorges de l'Ardèche, le village médiéval de Rochecolombe (9 km N), l'église romane de Sauveplantade (12 km N) ♦ **Foires, festivités :** nombreux concerts et expositions en été ♦ **Hôtel :** à Barjac (20 km S) Le Mas du Terme (tél. 04.66.24.56.31), hôtel de charme, 14 chambres 330-450 F, 6 suites 600-800 F, restaurant ♦ **Mairie** (tél. 04.75.88.00.25).

MIRABEL
07170 (Ardèche)

Nous sommes ici dans le Coiron, plateau basaltique de l'Ardèche parsemé de villages isolés. Mirabel se trouve au sud du plateau et domine un paysage de plaines, de petits plateaux, de failles rocheuses avec, en arrière-plan, les crêtes du Tanargue. Cette position stratégique lui donna autrefois un rôle de place forte contrôlant la route entre Rhône et Cévennes. Son château fut démoli lors des guerres de Religion, il n'en reste qu'un donjon carré aux pierres de basalte et des vestiges de fondations. De là-haut, la vue est saisissante : un panorama à 180° sur tous les alentours ! Le village lui, est tout petit, superbement austère et d'une grande unité de construction. Pour accéder à la rue de la Tour, on passe sous le porche d'une grosse maison rose, mais la plupart des constructions sont en basalte volcanique, une sévère pierre gris-noir, rehaussées parfois de calcaire blanc. Quelques habitations en ruine, des ruelles pentues et dallées, entrecoupées de passages voûtés, donnent à l'ensemble un cachet d'une émouvante simplicité.

♦ 336 habitants ♦ **Accès :** à 14 km E d'Aubenas par N 104 et D 259 ♦ **Aux alentours :** la promenade du Bomier ♦ **Hôtel :** à Alba-la-Romaine (20 km S-E) Le Jeu du Mail (tél. 04.75.52.41.59), maison d'hôtes de charme, 4 chambres 230-300 F, 1 suite 530 F ♦ **Mairie** (tél. 04.75.36.72.02).

SAINT-MONTAN
07220 (Ardèche)

Dans les splendides gorges arides et pierreuses de la Sainte–Baume, à un détour de la route en lacet, Saint-Montan nous apparaît, perché sur un piton rocheux au bord d'un ravin. La vision est magnifique : sauvage et médiéval petit village, écrasé par les ruines impressionnantes de son château, resté à l'abri du temps et des déprédations de la vie moderne ! C'est un ermite, Montanus, qui serait venu au Ve siècle chercher la solitude et le recueillement dans ce val perdu. Le château, construit entre le XIe et le XIIIe siècle, et le village étaient entourés d'une triple enceinte ; la forteresse sera détruite au cours des guerres de Religion par l'amiral de Coligny, mais le bourg sera heureusement préservé. Aujourd'hui, nous pouvons admirer les maisons anciennes aux murs de pierres dorées et aux toits de tuiles roses qui s'étagent le long de ruelles pavées, entrecoupées de passages voûtés et d'escaliers. Le village est bien vivant, un petit café, des fleurs un peu partout. Enfin, vous admirerez les deux belles églises romanes de San Samonta et de Saint-André-de-Mitroys très bien restaurées. Tout ce beau patrimoine fait de Saint-Montan l'ensemble médiéval le plus intéressant du Bas-Vivarais.

◆ 150 habitants, 60 à 400 m d'altitude ◆ **Accès :** à 8 km N de Bourg-Saint-Andéol par N 86 et D 262 ◆ **Aux alentours :** les gorges de la Sainte-Baume, le défilé des Lieux ; le pittoresque village de Saint-Thomé ◆ **Hôtel :** à Alba-la-Romaine (19 km N), Le Jeu du Mail (tél. 04.75.52.41.59), maison d'hôtes de charme, 4 chambres 230-300 F, 1 suite 530 F ◆ **Mairie** (tél. 04.75.52.62.09).

SAINT-THOMÉ
07220 (Ardèche)

Saint-Thomé est perché sur une butte et, de là-haut, il contemple de loin l'agitation du monde. Il est resté isolé, à l'abri du tourisme, dans ce pays tranquille de l'Ardèche. L'histoire du village se perd dans la nuit des temps, une inscription sur l'église indique que le site était déjà habité en 487. La rue principale monte et fait le tour du bourg jusqu'à la place où se trouvent l'église Saint-Thomas, reconstruite au XIIe siècle sur des fondations du VIe siècle, et la chapelle Saint-Sébastien du XIIe siècle. Un peu en contrebas, le château présente des toits de tuiles canal et des tourelles tronquées. De là, part un joyeux désordre de ruelles en terre ou pavées de galets, bordées de maisons des XVIIe et XVIIIe siècles, au bel appareillage de pierres ou aux murs crépis de tons clairs. Elles sont souvent agrémentées de petits jardins potagers ou fleuris. Quelques habitations en ruine, envahies par la végétation, figuiers, fleurs sauvages, attendent qu'un amoureux des vieilles pierres viennent les relever. Saint-Thomé a conservé sa beauté et le charme nostalgique des villages oubliés.

♦ 171 habitants, 245 m d'altitude ♦ **Accès :** à 6 km N-O de Vivier ♦ **Hôtel :** à Alba-la-Romaine (8 km N) Le Jeu du Mail (tél. 04.75.52.41.59), maison d'hôtes de charme, 4 chambres 230-300 F, 1 suite 530 F ♦ **Mairie** (tél. 04.75.52.74.89).

VOGÜÉ
07200 (Ardèche)

L'Ardèche s'étire sur son lit de graviers, irrigue Vogüé, puis s'engouffre plus loin dans les célèbres gorges qui font la joie des amateurs de canoë-kayak. Les pieds dans l'eau, la petite cité médiévale s'adosse à une falaise calcaire aux reflets dorés. Dans les premiers temps, un donjon dominait les toits du village. Aujourd'hui, c'est un château du XVIe siècle que l'on trouve à sa place. Avec ses quatre tours rondes et ses alignements de fenêtres à meneaux, il est à mi-chemin entre la forteresse et la demeure d'agrément. Les maisons du village datent souvent du Moyen Âge et lui sont antérieures. Des arcades et des escaliers extérieurs habillent les ruelles. La pierre se retrouve de toutes parts et fait de Vogüé un ensemble très homogène aux douces tonalités méridionales.

♦ 650 habitants, 124 m d'altitude ♦ **Accès :** à 11 km S d'Aubenas par D 579 ♦ **A voir :** le musée d'histoire du Vivarais (au château, œuvre du graveur Jean Chieze) ♦ **Aux alentours :** le village féodal de Rochecolombe (5,5 km S) ; le village de Sauveplantade (4 km S-E) ♦ **Foires, festivités :** marché le lundi matin ; nombreux concerts en été ♦ **Hôtels :** Hôtel des Voyageurs (tél. 04.75.37.71.13) ; à Alba-la-Romaine (21 km O), Le Jeu du Mail (tél. 04.75.52.41.59), maison d'hôtes de charme, 4 chambres 230-300 F, 1 suite 530 F ♦ **Restaurants :** Pizzeria du Pont-Neuf (tél. 04.75.37.75.44) ; Crêperie La Voguette (tél. 04.75.37.76.84) ♦ **Mairie** (tél. 04.75.37.72.48) - **S. I.** (en été : tél. 04.75.37.01.17).

LA GARDE-ADHÉMAR
26700 Pierrelatte (Drôme)

Ce village perché domine un magnifique paysage cerné au loin par les monts du Vivarais. Souvent très anciennes, ses maisons offrent une belle unité de construction : pierres du pays, toits de tuiles romaines à génoises. Elles s'alignent le long de charmantes ruelles pavées, surmontées de passages voûtés, d'arcades, parfois entrecoupées de quelques marches. De nombreux détails d'architecture attirent le regard, dates gravées dans la pierre, encadrements de portes. La rue principale emprunte le tracé des anciens remparts, dont il ne reste que la porte Nord, et grimpe jusqu'aux vestiges d'un château Renaissance bâti par Antoine Escalin, baron de La Garde. En bordure du village, à la limite de la falaise, se dresse une exceptionnelle église romane à clocher octogonal. En contrebas on peut flâner dans le ravissant jardin aromatique où 175 variétés régionales sont répertoriées. Non loin, la chapelle des Pénitents (XVIIIᵉ siècle) faisait, jadis, partie intégrante du château. A l'intérieur, une fresque représente deux pénitents agenouillés. Village resté authentique et préservé, La Garde-Adhémar offre au visiteur de merveilleux instants de calme et de bonheur.

♦ 1113 habitants, 165 m d'altitude ♦ **Accès :** à 23 km S de Montélimar par N 7, D 541 et D 572 ♦ **A voir :** l'exposition sur le patrimoine local et le montage multivision sur le Tricastin à la chapelle des Pénitents ♦ **Aux alentours :** la chapelle du Val-des-Nymphes (2 km), Suze-la-Rousse (16 km S) ♦ **Foires, festivités :** marché le mercredi matin ; Fête du miel fin juin ; Festival de jazz fin juin ; Messe de minuit provençale à Noël ♦ **Hôtel :** à Solérieux (11 km S-E), La Ferme Saint-Michel (tél. 04.75.98.10.66), hôtel de charme, 15 chambres 300-350 F, restaurant ♦ **Restaurants :** Le Tisonnier (tél. 04.75.04.44.03) ; L'Escalin (tél. 04.75.04.41.32) ♦ **S. I.** (tél. 04.75.04.40.10).

GRIGNAN
26230 (Drôme)

Grignan est un ravissant village de la Drôme provençale, avec de jolies maisons en cascade, des ruelles escarpées et surtout un superbe château des XVIᵉ et XVIIᵉ siècles, l'un des plus beaux exemples de la Renaissance française dans le Sud-Est. Le château et le village sont d'autant plus célèbres qu'ils furent le lieu de séjour privilégié de madame de Sévigné, lorsqu'elle venait voir sa fille, la comtesse de Grignan. L'intérieur du château, superbement meublé, mérite absolument d'être visité. Ensuite, vous pourrez admirer de la terrasse une vue splendide : au loin le Mont Ventoux, les dentelles de Montmirail et les Alpilles au sud-ouest. Le village est charmant et animé, de nombreuses boutiques proposent du miel, de la lavande, tous les produits de la région. Mais ne partez pas sans admirer l'ancienne porte de ville (XIIᵉ siècle) transformée en beffroi au XVIIᵉ siècle, et l'église du XVIᵉ siècle dans laquelle se trouve le tombeau de madame de Sévigné.

◆ 1147 habitants, 175 m d'altitude ◆ **Accès :** à 33 km S-E de Montélimar par N 7, D 133 et D 541 ◆ **A voir :** le musée Faure Cabrol, au château (mobilier du XVIIᵉ au XIXᵉ siècle, tapisseries d'Aubusson) ; le Centre d'art contemporain (collection de photographies) ◆ **Aux alentours :** les villages de Taulignan, Valaurie, Salles-sous-Bois, Richerenches et Rousset-les-Vignes ◆ **Foires, festivités :** marché le mardi ; Festival de musique de chambre, de février à mai ; Fêtes nocturnes au château de juillet à septembre ◆ **Hôtel :** Manoir de La Roseraie (tél. 04.75.46.58.15), hôtel de charme, 15 chambres 630-1050 F, restaurant ◆ **Restaurant :** L'Eau à la Bouche (tél. 04.75.46.57.37) ◆ **S. I.** (tél. 04.75.46.56.75).

MIRMANDE
26270 (Drôme)

Village médiéval d'une unité parfaite, Mirmande coiffe une colline dominant un très beau paysage de vergers. Lorsqu'on s'approche du bourg, le regard s'arrête sur d'imposants remparts construits au Vᵉ siècle. Mirmande subit pillages et incendies durant les guerres de Religion puis prospéra au XVIIᵉ siècle avec le développement de la fabrication de drap de chanvre et de tissus de soie. L'avènement des techniques modernes entraîna l'abandon des industries artisanales et le village déclina doucement jusqu'en 1930. C'est alors que le peintre André Lhote le découvrit et en tomba amoureux. Il fit classer le village comme site pittoresque et l'église comme monument historique par les Beaux-Arts. Mais, avec la guerre, nouvel oubli jusqu'en 1960. Depuis, le village a heureusement retrouvé vie et beauté. Les maisons, admirablement rénovées, offrent de belles façades de pierre, de vieilles portes, des fenêtres Renaissance. On peut se promener le long des remparts et des ruelles dallées de pierre, entrevoir des jardinets plantés d'iris et de plantes aromatiques. Des échappées entre les maisons laissent apparaître le magnifique paysage. Enfin, tout en haut du village, l'église romane et son petit cimetière laissent une impression de paix et de sérénité. On ne peut être que séduit par ce ravissant village, et, si l'on veut prolonger la halte, un hôtel de charme "La Capitelle" permet d'apprécier la tranquillité et la douceur de vivre de Mirmande.

♦ 420 habitants, 148 m d'altitude ♦ **Accès :** à 35 km S de Valence par A 7 sortie Loriol, N 7 et D 204 ♦ **Hôtels :** La Capitelle (tél. 04.75.63.02.72), hôtel de charme, 10 chambres 290-460 F, restaurant ; à Cliouscat (2km), La Treille Muscate (tél. 04.75.63.13.10), hôtel de charme, 12 chambres 280-500 F, restaurant ♦ **Mairie** (tél. 04.75.63.03.90).

MONTBRUN-LES-BAINS
26570 (Drôme)

Le vieux village médiéval de Montbrun domine une petite plaine semée de lavandes, ceinte au loin de montagnes. Tassées les unes contre les autres, les vieilles maisons de pierre ont gagné en hauteur la place qu'elles n'avaient pas au sol. Les rues convergent vers l'église du XIIᵉ siècle qui est intégrée aux anciens remparts ; à l'intérieur, on admire un très beau retable de Bernus et de remarquables tableaux. Plus haut encore, quatre tours rondes sont les seuls vestiges du château construit au XVIᵉ siècle par Charles Dupuy-Montbrun. Puissamment fortifié, il alliait une élégance Renaissance à l'efficacité militaire. Ce ne sont pas les guerres de Religion qui l'abattirent, mais la Révolution de 1789. La partie haute du village est plus pittoresque ; vous rejoindrez la place de l'Horloge, en terrasses, avec sa tour (XIVᵉ siècle) surmontée d'un campanile ; c'était un ouvrage défensif, l'une des quatre portes de l'ancien bourg. Par sa situation haut perchée, Montbrun offre de multiples points de vue sur la plaine et le Mont Ventoux. Ce beau village dynamique a remis en exploitation ses thermes alimentés par deux sources d'eaux sulfureuses.

♦ 486 habitants, 610 m d'altitude ♦ **Accès :** à 55 km N-E de Carpentras par D 938, D 13 et D 72 ♦ **Aux alentours :** les villages d'Aurel et Séderon (16 km N-E) ; Reilhanette, Sault et le château d'Aulan ♦ **Foires, festivités :** marché le samedi matin ; Foire à la lavande en octobre ♦ **Hôtel :** à Aurel (7 km S), Richarnau (tél. 04.90.64.03.62), maison d'hôtes de charme, 5 chambres et suites 300-450 F, table d'hôtes ♦ **Restaurant :** Restaurant du Château (tél. 04.75.28.88.00), très bon restaurant ♦ **Mairie** (tél. 04.75.28.80.42) - **O. T.** (tél. 04.75.28.82.49).

LE POËT-LAVAL
26160 La Bégude-de-Mazenc (Drôme)

"Pogetum Vallis", nom latin de Poët-Laval, signifie "le mont dans la vallée". Une ravissante vallée où le blé alterne avec la lavande, le long de la petite rivière du Jabron. Le village domine fièrement ce paysage provençal ; il fut édifié au XIIᵉ siècle, autour du château et de la chapelle Saint-Jean, et ceint de murailles directement bâties sur le rocher. Le village abrita une très importante commanderie de Saint-Jean-de-Jérusalem. La plupart des maisons datent de la fin du XVᵉ siècle quand, grâce à la puissance grandissante des chevaliers de l'Ordre, Poët-Laval fut reconstruit et prospéra. Les demeures ont souvent de nombreux étages pour gagner de la surface en hauteur. Elles se serrent le long des ruelles ; leurs façades sont ornées de médaillons et de linteaux ouvragés. La rue couverte de la "Chalanque" est très pittoresque. De l'église ancienne, il ne reste que le clocher et l'abside romane. Au XIXᵉ siècle, le village fut peu à peu déserté et pillé. Aujourd'hui, il revit grâce à l'Association des amis du Vieux Poët-Laval. Les maisons ont été rénovées, et les anciennes échoppes accueillent à nouveau tisserands et potiers.

◆ 696 habitants, 300 m d'altitude ◆ **Accès :** à 23 km E de Montélimar par D 540 ◆ **A voir :** le musée du Protestantisme dauphinois (documents, mobiliers) ◆ **Aux alentours :** Dieulefit (église Saint-Pierre, vieux quartier de la Viale) ; Châteauneuf-de-Mazenc (beffroi) ; Comps (église romane) ; Aleyrac (prieuré du XIIᵉ siècle) ; La Bégude-de-Mazenc (village médiéval) ◆ **Foires, festivités :** Foire à la brocante le 1ᵉʳ lundi après le 15 août ; marché provençal à la Bégude-de-Mazenc (8 km O) le mardi ◆ **Hôtel :** Les Hospitaliers (tél. 04.75.46.22.32) 22 chambres 420-1150 F, 2 suites 1010-1200 F, restaurant gastronomique ◆ **Restaurant :** La Ferme Saint-Hubert (tél. 04.75.46.80.63) ◆ **Mairie** (tél. 04.75.46.44.12).

SAINT-RESTITUT
26130 (Drôme)

Saint-Restitut est un beau village médiéval installé en promontoire sur le Rhône, au cœur de la Drôme provençale. Ses hautes maisons, abritées sous des toits de tuiles roses, entourent la magnifique église du XIIe siècle de style roman-provençal, dédiée à Saint-Restitut, premier évêque du Tricastin. Elle présente, côté sud, un superbe portail à fronton triangulaire encadré de colonnes à chapiteaux. Tout à côté, à l'ouest, la Tour funéraire du XIe siècle est surmontée d'un clocher à arcades. Saint-Restitut était autrefois ceint de remparts ; il n'en reste que les vestiges, les Barris, et la "Porto dis Auro" ou Porte des Vents. A l'intérieur du tracé de l'ancienne enceinte médiévale, on admire une belle demeure Renaissance en pierres de taille, ornée de fenêtres à meneaux et de décorations sculptées, et des maisons plus simples mais tout aussi jolies, aux portes anciennes. Il y a des placettes fleuries, une fontaine et même une vieille ruelle moyenâgeuse à rigole centrale avec des pavés de guingois. Le tout a beaucoup de charme, le village est resté vraiment homogène, restauré simplement et avec goût.

♦ 150 habitants, 242 m d'altitude ♦ **Accès** : à 9 km N de Bollène par D 160 ♦ **Aux alentours :** la chapelle du Saint-Sépulcre (XVIe s.), le village médiéval de Barry (3 km S), les caves cathédrales du Cellier des Dauphins (visite guidée) et beau panorama du belvédère, Saint-Paul-Trois-Châteaux, Suze-la-Rousse ♦ **Foires, festivités :** Foire artisanale le 1er mai ; Fête votive le 3e week-end d'août ♦ **Hôtel :** à Solérieux (5 km) La Ferme Saint-Michel (tél. 04.75.98.10.66), hôtel de charme, 15 chambres 300-350 F, restaurant ♦ **Restaurants :** Restaurant des 36 Soupières (tél. 04.75.04.71.88), Auberge du Tricastin (tél. 04.75.04.92.95), Les Buisses (tél. 04.75.04.96.50) ♦ **Mairie** (tél. 04.75.04.71.71).

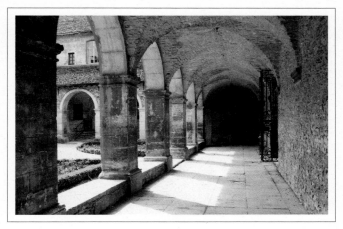

CRÉMIEU
38460 (Isère)

En position stratégique au bord de la plaine du Lyonnais, Crémieu fut au XIIIᵉ siècle une place militaire protégée par son château fort, puis devint une riche cité de commerçants du XIVᵉ au XVIᵉ siècle grâce aux franchises accordées par le dauphin Jean II et à sa situation sur la route de passage vers l'Italie. Plus tard, des couvents s'y installeront. Le bourg aujourd'hui a perdu un peu de son caractère, mais la promenade reste très agréable. Il faut visiter l'Hôtel de Ville installé dans l'ancien couvent des Augustins (XVIᵉ siècle), le cloître des Augustins (XVIIᵉ siècle) pavé de pierres tombales et l'ancienne chapelle qui est maintenant l'église de Crémieu. Les imposantes halles ont été construites au XIVᵉ siècle, elles témoignent de l'important rôle de la ville à cette époque. Elles ont conservé une magnifique charpente et de vieilles auges en pierre. Dans le vieux Crémieu on peut voir les anciennes portes fortifiées (XIVᵉ et XVIᵉ siècles) et de belles maisons Renaissance aux fenêtres à meneaux et aux toits de lauzes. Par une rue pentue, on gagne le château Delphinal d'où l'on peut admirer l'ensemble des toits du village.

♦ 2552 habitants, 212 m d'altitude ♦ **Accès :** à 39 km E de Lyon par A 43 et D 75 ♦ **Aux alentours :** le circuit de l'île Crémieu (55 km) ♦ **Foires, festivités :** marché le mercredi matin ; Foire aux antiquités à l'Ascension et le 14 juillet ; Foire aux dindes le samedi le plus proche du 15 décembre ♦ **Hôtel :** à Pérouges (25 km N), Ostellerie du Vieux Pérouges (tél. 04.74.61.00.88), hôtel de charme, 28 chambres 380-900 F, restaurant ♦ **Restaurants :** Auberge de la Chaite (tél. 04.74.90.76.63) ; à 2 km S-O route de Génas, Chez Roby (tél. 04.74.90.73.90) ♦ **S. I.** (tél. 04.74.90.45.13).

SAINT-ANTOINE-L'ABBAYE
38160 (Isère)

C'est au creux de verdoyantes collines, dans un pays producteur de noix et de fromages (le célèbre saint-marcellin) que se blottit Saint-Antoine. Étonnante vision que ce petit village assoupi au pied de l'immense abbaye qui le protège ! Commençons la visite par l'abbaye dont l'histoire remonte au XIe siècle, lorsque Jocelyn de Châteauneuf rapporte de Terre Sainte les reliques de saint Antoine l'anachorète. Un premier monastère sera élevé, puis l'abbaye actuelle sera construite du XIIIe au XVe siècle. On pénètre sur l'esplanade par une porte du XVIIe siècle. L'abbaye est composée d'une église gothique à portails flamboyants, d'un hôpital et de jardins. L'intérieur est exceptionnel et richement décoré : tapisseries d'Aubusson, autel-mausolée en marbre, bronze et argent et rare Christ en ivoire du XVIe siècle. Mais cette merveille de l'art religieux ne doit pas faire oublier le village, car Saint-Antoine est un petit bijou : demeures de notables des XVe-XVIIe siècles, construites en belle pierre de la région, maisons d'artisans, plus simples, en moellons ou à colombages, placettes pittoresques, fontaines, le tout relié par un entrelacs de ruelles pavées qui descendent jusqu'à la rivière. Le village se restaure patiemment et reprend vie grâce aux boutiques d'artisans et d'antiquaires qui se sont installées (notamment dans l'ancien hôpital).

♦ 899 habitants, 380 m d'altitude ♦ **Accès :** 24 km N-E de Romans par D 123 ♦ **A voir :** le musée Jean Vinay (peintures) ♦ **Aux alentours :** l'église romane de Marnans, le Palais Idéal du facteur Cheval à Hauterives ♦ **Foires, festivités :** procession de Saint-Antoine à l'Ascension ♦ **Hôtel :** à Saint-Lattier (15 km S) Le Lièvre Amoureux (tél. 04.76.64.50.67), hôtel de charme, 14 chambres 320-450 F, restaurant ♦ **Restaurant :** Auberge de l'Abbaye (tél. 04.76.36.42.83) ♦ **Mairie** (tél. 04.76.36.42.08).

OINGT
69620 (Rhône)

Au cœur du pays des "pierres dorées", le village d'Oingt est perché sur un rocher entouré des vignes du Beaujolais. Pour pénétrer dans le village, il faut emprunter la porte Nord, dite porte de Nizy, et l'on découvre alors l'ensemble harmonieux des maisons construites avec la même roche calcaire ocre-jaune. Elles sont bâties sur voûtes ; les pièces d'habitations, au-dessus des caves, sont desservies par un escalier extérieur. Il faut absolument voir dans la rue Causeret la "Maison commune" du XVe siècle. On peut ensuite monter jusqu'à l'ancienne chapelle du château, devenue église paroissiale en 1660. A gauche, un sentier caillouteux la contourne et mène à l'emplacement des bâtiments effondrés de l'ancien château. De là, le point de vue sur la vallée d'Azergues est superbe. Autre promontoire, la tour du XVe siècle ; on peut grimper à son sommet par un escalier à vis et découvrir au loin, par temps clair, la chaîne des Alpes. Le village garde toujours très présent le souvenir de Marguerite d'Oingt, premier écrivain lyonnais de langue franco-provençale au XIVe siècle. Au pied du bourg, le château de Prony contient des souvenirs du botaniste et explorateur Claude Riche.

♦ 446 habitants, 520 m d'altitude ♦ **Accès :** à 35 km N-O de Lyon par N 6, D 485 et D 1 ♦ **Aux alentours :** les villages de Chessy, Chatillon-d'Azergues et Ternand ♦ **Foires, festivités :** marché le mardi matin au Bois-d'Oingt (4 km) ; Festival d'orgue de Barbarie le 1er week-end de septembre ♦ **Hôtel :** à Jarnioux (7 km N-E), Château de Bois-Franc (tél. 04.74.68.20.91), maison d'hôtes de charme, 2 suites 400-900 F ♦ **Restaurants :** Le Donjon (tél. 04.74.71.20.24) ; Restaurant de la Tour (tél. 04.74.71.20.13) ; La Vieille Auberge (tél. 04.74.71.21.14) ♦ **Mairie** (tél. 04.74.71.21.24).

ALBIEZ-LE-VIEUX
73300 (Savoie)

La Moyenne-Maurienne fut très anciennement occupée par les hommes ; près de l'église d'Albiez-le-Vieux se dresse la "Pierre de Ville", bloc erratique en forme de monolithe, transporté par les anciens glaciers, creusé d'une centaine de cupules. Les origines d'Albiez semblent remonter au domaine d'un Gallo-Romain, Albius : Albiciacum est cité dès 739 dans une dotation de Charlemagne à l'abbaye piémontaise de la Novalaise. Au fil des siècles, l'exploitation des forêts, des carrières d'ardoise et de gypse, l'agriculture, le tissage du chanvre, la coutellerie, le façonnage de sabots et d'ustensiles en bois de plane sont venus s'ajouter à l'élevage du bétail. Très touchée par la crise de l'économie traditionnelle, Albiez trouve maintenant un second souffle dans le tourisme d'été et le ski. Les maisons paysannes, avec leur grenier souvent abrité sous un hangar, sont de solides bâtisses, aux façades soulignées par une galerie de bois. Une longue cheminée de pierre émerge du toit à deux pans, couvert jadis de chaume, puis d'ardoises.

♦ 275 habitants, 1522 m d'altitude ♦ **Accès :** à 20 km S de Saint-Jean-de-Maurienne par D 926 et D 80 ♦ **Aux alentours :** la route de la Toussuire ; le village de Fontcouverte
♦ **Hôtels :** à Saint-Jean-de-Maurienne, Hôtel Saint-Georges (tél. 04.79.64.01.06) ; à Fontcouverte-la-Toussuire (13 km N-O), Les Airelles (tél. 04.79.56.75.88)
♦ **Restaurant :** L'Escale (tél. 04.79.64.20.00) ♦ **S. I.** (tél. 04.79.59.30.48).

ARÊCHES
73270 (Savoie)

Petite cellule montagnarde, le Beaufortain est un monde demeuré longtemps clos. Arêches complète les ressources de l'élevage et de la production du gruyère de Beaufort par le tourisme d'été et le ski. La large vallée, surmontée au midi par la masse du Grand-Mont (2687 mètres) montre les traits typiques du paysage beaufortain, avec des versants verdoyants, fort peu de champs, d'épaisses forêts et, au-dessus, les alpages. Le village groupe un petit troupeau de maisons autour de son église mais c'est, tout autour, un extraordinaire pullulement de constructions. Dans le bas, la demeure permanente au toit d'ancelles ou de tavaillons, puis, pour chaque propriétaire, plusieurs maisons de remues ; au-dessus, dans les prés de fauche, les granges où le bétail consomme le foin pendant l'hiver, et les chalets d'alpage, échelonnés jusqu'à 2070 mètres. Arêches, paroisse détachée de Beaufort en 1803, a bâti en 1829 une église néo-classique de style "sarde".

♦ 800 habitants, 1080 m d'altitude, station de sports d'hiver ♦ **Accès :** à 70 km S-E d'Annecy par N 508, N 212, D 925 et D 218 ♦ **A voir :** la Coopérative laitière du Beaufortain (tél. 04.79.38.33.62) ♦ **Aux alentours :** la vallée du Doron ; le barrage de Saint-Guérin ; le col du Pré (sentier botanique) ♦ **Foires, festivités :** marché le dimanche matin ; fête folklorique en août ♦ **Hôtel :** Auberge du Poncellamont (tél. 04.79.38.10.23) ♦ **S. I.** (tél. 04.79.38.15.33) - **E.S.F** (tél. 04.79.38.10.99).

AUSSOIS
73500 (Savoie)

Le plateau ensoleillé d'Aussois est un site privilégié, occupé dès les temps préhistoriques. La vie agricole et pastorale a échappé au déclin général qui l'a frappée en Maurienne, et la prospérité matérielle, unie à la foi, est visible dans les croix, les deux chapelles rurales et la splendide église baroque de 1648, au riche mobilier et à la rare "poutre de gloire" de bois sculpté, doré et peint. L'habitat traditionnel d'Aussois est parfaitement adapté au climat. Dans l'ancien village, autour de la place où une façade montre un cadran solaire, le long des ruelles animées par les fontaines et le lavoir, se serrent les maisons jointives. Pas d'ouvertures au couchant, ni de balcons, mais des fenêtres profondément enfoncées dans les murs. Aussois, porte de la Vanoise, est une station de ski en plein essor et un centre de tourisme historique avec le formidable complexe des forts de l'Esseillon (1820-1830).

♦ 531 habitants, 1500 m d'altitude, station de sports d'hiver ♦ **Accès :** à 7 km N-E de Modane par D 215 ♦ **A voir :** le musée "La Vie agro-pastorale des Aussoyens autrefois" ♦ **Aux alentours :** le Parc national de la Vanoise (tél. 04.79.62.30.54) ; le monolithe de Sardière (2 km N-E) ; le fort de Saint-Gobain (musée de la Traversée des Alpes) ; les grands cols alpins ♦ **Foires, festivités :** marché le mardi matin ; Semaine culturelle et Semaine du cerf-volant en juillet ; Fête traditionnelle du village le 15 août ♦ **Hôtel :** Le Soleil (tél. 04.79.20.32.42) ♦ **S. I. - E.S.F** (tél. 04.79.20.30.80).

BEAUFORT-SUR-DORON
73270 (Savoie)

Beaufort se trouve à la confluence du Dorinet, descendu du val d'Hauteluce, du Doron de Roselend et de l'Argentine. Cette contrée, dénommée au Moyen Âge "vallée de Luce", était peut-être le vaste domaine d'un Gallo-Romain, démembré après les invasions. Le Beaufortain féodal va être tiraillé entre les dynasties qui l'entourent : sires de Faucigny, comtes de Genève et de Savoie et le puissant archevêché de Tarentaise. Beaufort, centre administratif et commercial, fait figure de petite capitale. Il garde les vestiges de quatre tours et les ruines des châteaux de La Salle et de Randens, l'actuelle mairie. L'église baroque, avec son clocher de 48 mètres, conserve une chaire de 1722. Le bourg ancien, avec ses ruelles aux maisons serrées, s'élève sur la rive gauche du Doron qu'enjambe un pont de pierre en dos d'âne. Le village a donné son nom à un savoureux fromage : le beaufort. Goûtez aussi le délicieux reblochon et la tomme de Savoie.

♦ 2009 habitants, 750 m d'altitude ♦ **Accès :** à 64 km N-E de Chambéry par N 90 - Albertville et D 925 ♦ **A voir :** la Coopérative laitière du Beaufortain (tél. 04.79.38.33.62) ♦ **Aux alentours :** le barrage de Roselend ; le Cormet-de-Roselend (col permettant de rejoindre à ski Bourg-Saint-Maurice) ♦ **Foires, festivités :** marché le mercredi matin ; Fête nautique sur le lac de Roselend le 15 août ; la "Grovire" (course populaire de ski de fond à travers les villages) début mars ; Fête de Beaufort le 14 juillet ♦ **Hôtel :** à Arêches (6 km S), Auberge du Poncellamont (tél. 04.79.38.10.23) ♦ **Restaurant :** Refuge du Plan de la Laie (C.A.F. tél. 04.79.89.07.78) ouvert en été seulement ♦ **S. I.** (tél. 04.79.38.37.57).

BESSANS
73480 (Savoie)

Au cœur de la Haute-Maurienne, Bessans est une vaste commune qui s'étage de 1670 à 3751 mètres. Adossé au massif de la Vanoise, le village reçut en 1319, de l'abbaye piémontaise de Saint-Michel-de-la-Cluse dont il dépendait, des franchises communales donnant aux habitants une large autonomie pour la gestion de leurs biens. Bessans fut toujours très attaché à son identité locale et à ses traditions. Le costume de ses femmes, que l'on recommence à porter aux jours de fête, était l'un des plus beaux de la Maurienne. Les habitants s'occupent de leurs alpages et, de plus en plus, du tourisme d'été et du ski de fond. Bessans s'enorgueillit d'une ancienne tradition de culture locale. Au XVIᵉ siècle on y jouait le "Mystère de la Passion", puis on y représenta des Noëls. A l'âge baroque, la dynastie des Clappier sculpta de magnifiques retables. La commune conserve des croix, des oratoires et douze chapelles rurales. Le joyau en est, à côté de l'église paroissiale, celle de Saint-Antoine, aux murs extérieurs peints et dont l'intérieur renferme quarante-deux panneaux de la fin du XVᵉ siècle, représentant la vie du Christ. En hiver, le village est un centre de ski de fond.

♦ 246 habitants, 1700 m d'altitude ♦ **Accès :** à 136 km S-E de Chambéry par N 6 et D 902 ♦ **A voir :** la chapelle Saint-Antoine (fresques et sculptures des XVIᵉ et XVIIᵉ siècles) ♦ **Aux alentours :** le col de la Madeleine ; le Parc national de la Vanoise (tél. 04.79.62.30.54) ♦ **Hôtel :** à Bonneval-sur-Arc (6 km) La Marmotte (tél. 04.79.05.94.82) ♦ **S. I.** (tél. 04.79.05.96.52).

BONNEVAL-SUR-ARC
73480 (Savoie)

Jusqu'à l'arrivée des touristes, après l'ouverture de la route de l'Iseran et la création du parc de la Vanoise, Bonneval était au bout du monde, dans le bassin des sources de l'Arc, entouré de hauts sommets glacés. Les habitants vivaient de leurs troupeaux et d'une agriculture d'acharnement. L'habitat - dont le hameau de l'Écot, véritable conservatoire de la maison de la Haute-Maurienne, montre un exemple parfait un peu plus haut - était adapté aux conditions naturelles particulièrement rigoureuses. Le principe en est la recherche de la chaleur, par la cohabitation avec le bétail. A demi enterrée, la maison, qui ne comprend en général qu'une seule pièce (et rarement une ou deux chambres à l'étage, à côté de la grange où le matelas de foin forme un matelas isotherme) est une écurie-habitation. Entièrement bâtie en pierre, elle est écrasée par un toit de lourdes lauzes de schiste, aux deux pans à faible pente, calorifugé entre la charpente et les dalles par une couche de mousse. Un jour rare pénètre par les étroites fenêtres à ras de terre. En hiver, on voit émerger le toit pointu de l'église au-dessus des toits enneigés. L'été, la vie est plus douce et plus riante et les lauzes des toitures s'harmonisent admirablement avec les tons gris-beige des murs de pierre et le vert des prés.

♦ 220 habitants, 1800 m d'altitude ♦ **Accès :** à 150 km S-E de Chambéry par N 6 et D 902 ♦ **Aux alentours :** le Parc national de la Vanoise (tél. 04.79.62.30.54) ; le cirque naturel des Evettes ; le col de l'Iseran ♦ **Foires, festivités :** marché le dimanche matin ; "Bonneval chante Mozart" mi-juillet ; Fête des sports de montagne début août ♦ **Hôtel :** La Marmotte (tél. 04.79.05.94.82) ♦ **Restaurant :** Le Pré Catin (tél. 04.79.05.95.07) ♦ **S. I.** (tél. 04.79.05.95.95).

BOUDIN
73270 Arêches (Savoie)

Boudin est l'un des villages les plus caractéristiques du Beaufortain.
Ce massif, demeuré longtemps à l'écart des grandes voies de
communication, a gardé des aspects traditionnels, que modifient
rapidement les transformations des sites par les nouvelles stations
de sports d'hiver. Tout le massif, très anciennement et fortement
humanisé, est une prairie d'alpage d'une richesse exceptionnelle.
Le lait de la race tarine sert à la production du beaufort, le plus
célèbre des gruyères savoyards. On arrive à Boudin, l'un des vingt
écarts de la commune de Beaufort, par la route qui, en amont
d'Arêches, empile ses lacets en direction du col du Pré (1703 mètres)
et du lac de Roselend. Le village est fait de cinq ou six rangées de
maisons, étagées en espalier, sur un bel adret, entre 1230 et 1380
mètres d'altitude. Au pied de la pente, la classique chapelle du XVIIe
siècle, avec son clocher à deux bulbes et sa flèche aiguë. La dispersion
de l'habitat est accentuée par la prolifération des greniers, des "maisons
de remue" utilisées lors des déplacements du troupeau, et des granges
où l'on amasse le foin pour l'hiver.

♦ 1300 m d'altitude ♦ **Accès :** à 26 km N-E d'Albertville par D 925 et D 918 ♦ **A voir :**
la Coopérative laitière du Beaufortain (tél. 04.79.38.33.62) ♦ **Aux alentours :** la vallée
du Doron ♦ **Hôtel :** à Arêches (2km O), Auberge du Poncellamont (tél. 04.79.38.10.23).

CONFLANS
73200 Albertville (Savoie)

Au confluent de l'Arly et de l'Isère, perchée sur un éperon défensif, Conflans fut dès l'Antiquité la plaque tournante des communications savoyardes vers l'Italie. A son apogée, aux XVIIe et XVIIIe siècles, la cité est un important centre commercial et administratif. Puis, délaissée après la Révolution pour son faubourg de l'Hôpital dans la plaine fluviale, Conflans devient une ville-musée et l'un des lieux historiques les plus visités de la Savoie : places et ruelles, fontaines fleuries, portes médiévales de Savoie et Tarine, tour sarrasine du XIIe siècle, château Rouge et Maison Rouge du XIVe siècle aux belles façades de brique à l'italienne, château Manuel de Locatel d'époque Renaissance, Maison Perrier du XVIIe siècle et l'église Saint-Grat, avec sa chaire et son retable sculptés, chef-d'œuvre du baroque alpin. La liste est longue de toutes ces merveilles architecturales ! L'ensemble est bien rénové, un magnifique retour dans le passé.

◆ 500 habitants, 345 m d'altitude ◆ **Accès :** à 49 km N-E de Chambéry par N 6 et N 90
◆ **A voir :** le musée du Vieux Conflans (ethnographie régionale, statuaire religieuse des XVIe-XVIIIe siècles) ◆ **Hôtels :** Hôtel Million (tél. 04.79.32.25.15), 28 chambres 400-550 F environ, restaurant gastronomique ; à Grésy-sur-Isère (19 km S-O), La Tour de Pacoret (tél. 04.79.37.91.59), hôtel de charme, 10 chambres 280-450 F, restaurant
◆ **Restaurants :** Million (tél. 04.79.32.25.15) ; Le Ligismond (tél. 04.79.32.53.50) ; Chez Uginet (tél. 04.79.32.00.50) ; Le Bouchon des Adoubes (tél. 04.79.32.00.50)
◆ **S. I.** (tél. 04.79.32.04.22/04.79.37.49.50).

HAUTELUCE
73620 (Savoie)

Dans la vallée du Dorinet, Hauteluce, à 1150 mètres d'altitude, est l'une des plus anciennes paroisses du Beaufortain, signalée dès le XIIᵉ siècle. Hauteluce a vécu, pendant des siècles, de ses forêts, de l'élevage des laitières tarines et des mulets. Entre les deux guerres, c'est la période de la houille blanche, et, après 1965, commence l'ère du ski, autour de la station des Saisies. Le signal de la vallée est le clocher d'Hauteluce, haut de 55 mètres, au carillon de cinq cloches, l'un des plus beaux de la région. L'habitat paysan évoque celui des Préalpes, en moins opulent, avec sa base de maçonnerie, son toit d'ancelles, ses balcons, et son grenier à l'écart. Dans le soubassement, les étables et les caves à fromage, à l'étage de bois, le logis : cuisine, séjour (le "pèle") et les chambres, le tout surmonté de la vaste grange à foin. Le séjour dans ce petit village est agréable aussi bien l'été que l'hiver, les pistes enneigées du col des Saisies étant toutes proches.

♦ 705 habitants, 1150 m d'altitude ♦ **Accès :** à 74 km N-E de Chambéry par N 6, N 90, D 925 et D 218 ♦ **A voir :** l'Écomusée d'Hauteluce ♦ **Aux alentours :** la route du Signal de Bisanne (11 km O) ; le château de Beaufort ; la Coopérative laitière du Beaufortain (tél. 04.79.38.33.62) ♦ **Hôtels :** à Arêches (16,5 km S), Auberge du Poncellamont (tél. 04.79.38.10.23) ; à Flumet-Val-d'Arly (19 km N-O), Le Parc des Cèdres (tél. 04.79.31.72.37) ♦ **Mairie** (tél. 04.79.38.80.31).

ABONDANCE
74360 (Haute-Savoie)

Dans toute la vallée de la Dranse, l'organisation sociale et économique fut l'œuvre de l'abbaye d'Abondance, l'une des plus anciennes et vénérables de la Savoie. Filiale de Saint-Maurice d'Agaune, en Bas-Valais, le sanctuaire de la dynastie de Savoie, Abondance apparaît, en 1108, comme un prieuré qui devient rapidement abbaye indépendante de l'ordre des chanoines réguliers de Saint-Augustin. Le village, blotti au pied de l'abbaye, offre aux visiteurs de nombreuses activités : ski de piste, ski de fond et des excursions en été. La haute vallée de la Dranse d'Abondance est, sans contredit, le conservatoire des plus belles demeures paysannes des Alpes françaises.

♦ 1353 habitants, 930 m d'altitude, station de sports d'hiver ♦ **Accès :** à 33 km S-E de Thonon-les-Bains par D 902 et D 22 ♦ **A voir :** l'abbaye (XIIe-XIVe siècles) ; le cloître du XIVe siècle ; le musée d'Art religieux ♦ **Aux alentours :** des fermes traditionnelles (tél. 04.50.73.50.01) ; le vallon du Malève ; les plagnes de Charmy (5,5 km S-E) ; Abondance (6 km S-O) ♦ **Foires, festivités :** marché le dimanche matin ; Fête du village fin juillet-début août ; Fête des chardons bleus le 15 août ; Foire agricole en octobre ♦ **Hôtels :** Le Vieux Moulin (tél. 04.50.73.52.52) ; Le Chabi (tél. 04.50.73.50.14) ♦ **Mairie** (tél. 04.50.73.00.16) - **O. T.** (tél. 04.50.73.02.90).

ALBY-SUR-CHÉRAN
74540 (Haute-Savoie)

Alby est l'un des plus anciens bourgs de la province du Genevois. Le village s'étage le long des rives en pente raide du Chéran, enjambé par un pont déjà signalé au Moyen Âge. Marché rural, réputé pour ses artisans cordonniers, Alby, doté de franchises en 1297, était entouré de remparts, percés des portes du Pont, de Chambéry et de Rumilly. Dans l'enceinte et aux environs, on ne dénombrait pas moins de sept châteaux, dont subsiste, au-dessus de la vallée, la belle maison forte de Montpont, édifiée au Moyen Âge et embellie au XVIIIᵉ siècle. Le vieux bourg, en dépit de nombreux incendies, a gardé son cachet très "vieille Savoie", avec sa petite place en pente où coule une fontaine et ses maisons fleuries, à arcades, au sol de menus pavés ronds. Dans cet ensemble, la récente église de Notre-Dame-de-Plainpalais, ornée en 1978 de magnifiques vitraux de Manessier, met une touche de modernisme du meilleur aloi.

♦ 1014 habitants ♦ **Accès** : à 12 km S-O d'Annecy par N 201 ♦ **A voir** : le musée de la Cordonnerie ♦ **Hôtel** : à Annecy, L'Abbaye (tél. 04.50.23.61.08) 15 chambres 400-650 F, 3 suites 800-1250 F environ, restaurant ♦ **Mairie** (tél. 04.50.68.10.10).

ARGENTIÈRE
74400 Chamonix–Mont-Blanc (Haute-Savoie)

Serré autour de son église, l'ancien village est dominé par le glacier encaissé, qui descendait jadis au cœur de la vallée de l'Arve. Le hameau d'Argentière, appelé aussi La Dîmerie-dessus-les-Tines, obtint en 1726 son autonomie paroissiale, finalement accordée par la collégiale de Sallanches, à cause de "la difficulté et impraticabilité des chemins occupés par les neiges et glaces dont la hauteur passe quelquefois dix pieds, outre les lavanches (avalanches) et éboulements auxquels ils sont exposés tous les jours". Les habitants bâtirent de leurs mains, fournissant matériaux et corvées, une église qui est l'un des plus beaux sanctuaires du pays du Mont-Blanc. Sa flèche élancée, posée sur un bulbe aux écailles de fer-blanc mordoré, s'élève sur une tour aux pans ciselés, ceinturée d'un balcon de bois finement ajouré. L'intérieur éclate des ors d'un retable baroque, apporté d'Italie au XVIIIe siècle, du décor de l'autel latéral de Notre-Dame-du-Rosaire et d'un grand panneau de l'Adoration des Mages. Le village est un important centre d'alpinisme et de sports d'hiver.

♦ 1200 habitants, 1250 m d'altitude, station de sports d'hiver ♦ **Accès :** à 8 km N-E de Chamonix par N 205 ♦ **Aux alentours :** à Chamonix, le musée Alpin (histoire de l'alpinisme), la mer de Glace, la vallée Blanche ♦ **Foires, festivités** : marché le dimanche en juillet-août ; brocante fin juillet et début août ; Fête des guides le 14 août à Chamonix ♦ **Hôtels :** à Chamonix, La Savoyarde (tél. 04.50.53.00.77), hôtel de charme, 14 chambres 400-580 F ; Hôtel du Jeu de Paume (tél. 04.50.54.03.76), hôtel de charme, 22 chambres et suites 790-1290 F, restaurant ; Chalet Hôtel Beausoleil (tél. 04.50.54.00.78), hôtel de charme, 15 chambres 295-565 F, restaurant ♦ **S. I.** (tél. 04.50.54.02.14) - **E.S.F** (tél. 04.50.54.00.12).

CHÂTEL
74390 (Haute-Savoie)

Dans la vallée de la Dranse d'Abondance, Châtel offre l'un des paysages les plus séduisants des Préalpes savoyardes : falaises escarpées, verts alpages, eaux bondissantes et sombres forêts, mais avec une variété et une originalité qui n'appartiennent qu'au Chablais. Châtel est surplombé par les 2438 mètres de la Pointe de Grange et, sur la rive droite de la Dranse, le Mont-Chauffé culmine à plus de 2000 mètres. Bien que le nom de la commune semble évoquer la présence d'un château, l'existence d'un tel édifice n'est attestée ni par des ruines, ni par des documents anciens. Châtel est, tout d'abord, une partie de la paroisse de La Chapelle-d'Abondance, avec, en 1422, une chapelle. En 1723, les hameaux sont érigés en paroisses autonomes. Châtel s'éveille au tourisme avec l'ouverture d'un premier hôtel, vers 1880. Le grand succès est venu après la dernière guerre, avec les sports d'hiver. Châtel est d'un charme tout helvétique qui justifie parfaitement son slogan : "La plus suisse des stations françaises".

♦ 1258 habitants, 1200-2100 m d'altitude, station de sports d'hiver ♦ **Accès :** à 39 km S-E de Thonon-les-Bains par D 902 et D 22 ♦ **Aux alentours :** la vallée d'Abondance ; le lac de Vonnes ♦ **Foires, festivités :** marché le mercredi matin ; Fête de la Saint-Laurent le 1er dimanche d'août ; "La Belle Dimanche"fête des alpages à Plaine-Dranse le 3e dimanche d'août ; Foire d'automne le 12 septembre ♦ **Hôtels :** Fleur de Neige (tél. 04.50.73.20.10) ; Macchi (tél. 04.50.73.24.12) ♦ **S. I.** (tél. 04.50.73.22.44).

LE CHINAILLON
74450 Le Grand-Bornand (Haute-Savoie)

Le territoire du Grand-Bornand s'étend sur les deux vallées du Bouchet et du Chinaillon. Le village du Chinaillon, entouré de tous côtés par les constructions touristiques d'une station de ski, demeure le témoin d'une civilisation alpestre traditionnelle en voie de rapide transformation. Le Chinaillon frappe par l'harmonieuse intégration de son habitat au site. Dans un verdoyant paysage préalpin, il étage ses maisons sur la rive droite du torrent descendant du col de la Colombière. Les vieilles demeures de bois brun entourent la chapelle, au classique clocheton à petit bulbe, que les communiers du lieu fondèrent, le 8 novembre 1677, sous le vocable de Notre-Dame-des-Neiges, Sainte-Barbe, Saint-Just et Saint-François-de-Sales. Parmi les superbes demeures du massif des Bornes, celles du Grand-Bornand, dont le Chinaillon conserve des exemples intacts, se signalent par leur originalité et leur parfaite adaptation au climat.

♦ 344 habitants, 1200 m d'altitude, station de sports d'hiver ♦ **Accès :** à 18 km S de Bonneville par D 12 et D 4 ♦ **Aux alentours :** le col de la Colombière ; la chartreuse du Reposoir (12 km N-E par D 4 : couvent du XIIe siècle restauré au XVIIe siècle) ; le village de Romme ; le Grand-Bornand et La Clusaz ♦ **Hôtels :** Le Cortina (tél. 04.50.27.00.22) ; La Bournerie (tél. 04.50.27.00.28) ♦ **Restaurant :** L'Alpage (tél. 04.50.27.00.49) ouvert en hiver seulement ♦ **Mairie** (tél. 04.50.02.20.19).

SAMOËNS
74340 (Haute-Savoie)

L es habitants de Samoëns ont adopté, dès le XVIe siècle, des armoiries qui combinent au pourpre et à l'or du Faucigny, un vert sapin surmontant sept sommets : les sept montagnes qui entourent le bourg. La vocation touristique a été facilitée par la rapidité des accès vers une station qui, à 714 mètres d'altitude, dessert un très vaste domaine skiable. La petite cité a gardé son cachet traditionnel et la vie locale anime la place. On y admire la collégiale du XVIe siècle, au clocher carré massif, au porche armorié et au baptistère gothique flamboyant. Tout à côté, le presbytère, dont la façade s'orne d'un savant cadran solaire, les halles de la Grenette et, transformée en mairie, l'ancienne maison forte des seigneurs de Gex. Samoëns s'enorgueillit de son vieux tilleul qui ombrageait déjà la place à la fin du Moyen Âge.

♦ 1956 habitants, 714 m d'altitude, station de sports d'hiver ♦ **Accès :** à 57 km E de Genève par A 40 sortie Cluses, D 902 et D 907 ♦ **A voir :** La Jaysinia (magnifique jardin alpin) ♦ **Aux alentours :** le village de Sixt-Fer-à-Cheval ♦ **Foires, festivités :** marché le mercredi matin ♦ **Hôtel :** La Renardière (tél. 04.50.34.45.62) ♦ **Restaurant :** à 1 km E par la route d'été du col de Joux, La Licorne (tél. 04.50.34.98.80) ♦ **S. I.** (tél. 04.50.34.40.28) - **E.S.F** (tél. 04.50.34.43.12).

TALLOIRES
74290 Veyrier-du-Lac (Haute-Savoie)

Tout concourt à faire de Talloires un de ces lieux qui suscitent l'enchantement. L'écrin des montagnes enferme, entre les Préalpes des Bornes et des Bauges, la nappe du lac dont les ondes, les plus pures d'Europe, baignent le rivage de la baie. Au-dessus du village, le massif de la Tournette. Rien d'étonnant que Talloires soit une des terres savoyardes les plus anciennement chargées d'histoire. On y a découvert des objets de l'âge du fer et des monnaies celtiques. Il ne reste rien de l'abbatiale romaine, sauf quelques chapiteaux, décorant le petit oratoire du Toron, sur le bord de la route qui mène du village au lac. Les bâtiments conventuels, maintenant un hôtel de luxe, ont subsisté. Ils conservent un cloître du XVIe siècle et une galerie, offrant une des plus belles vues sur la baie. A côté, le logis du Prieur et dans le bourg, près de l'église de 1780, de solides maisons bourgeoises.

◆ 931 habitants, 447 m d'altitude ◆ **Accès :** à 13 km S-E d'Annecy par D 909 ◆ **Aux alentours :** le château de Duingt, le Roc de Chère (conservatoire botanique) ◆ **Hôtels :** Auberge du Père Bise (tél. 04.50.60.72.01), 30 chambres 900-2300 F, restaurant gastronomique ; Hôtel Beau Site (tél. 04.50.60.71.04), hôtel de charme, 29 chambres et suites 410-950 F, restaurant ; Les Prés du Lac (tél. 04.50.60.76.11) 16 chambres 770-1090 F ◆ **Mairie** (tél. 04.50.60.70.42) - **S. I.** (tél. 04.50.60.70.64).

TANINGES
74440 (Haute-Savoie)

L'occupation humaine commence dès le néolithique, au pied du versant ensoleillé de l'Endroit. C'est là qu'on a trouvé, en 1938, les vestiges d'une chapelle remontant probablement au VIIe ou VIIIe siècle. Taninges est, au Moyen Âge, un bourg prospère, et plusieurs familles nobles y construisent leur demeure. Les rues des Arcades et du Saint-Esprit ont gardé leur visage ancien, avec des maisons des XVe et XVIe siècles bien restaurées ; on peut admirer la chapelle de Sainte-Anne (XVIIe siècle) transformée en maison d'habitation, et la fontaine baroque du XVIIIe siècle. A l'écart de la bourgade, il faut visiter la chartreuse de Mélan, nécropole de la maison de Faucigny (1285), avec son sanctuaire gothique et son cloître de 1528. Taninges est caractérisé par l'attachement aux traditions de ses habitants, les Jacquemarts ; le Jacquemart est aussi le sonneur du prestigieux carillon de vingt et une cloches, orgueil de la cité. Depuis le vieux pont sur le Foron, on peut admirer les maisons anciennes à auvent bordant la rivière.

♦ 2806 habitants, 640 m d'altitude, station de sports d'hiver ♦ **Accès :** à 63 km N-E d'Annecy par A 41, A 40 et D 902 ♦ **Aux alentours :** la chapelle et le lac de Flérier, les alpages du Praz-de-Lys et de Loex (restés sauvages) avec vue magnifique sur le Mont-Blanc ♦ **Foires, festivités :** marché le jeudi ; Carnaval Jacquemart en février ; Traversée de la Ramaz (ski de fond) en mars ; Foire à la jeep en juin ; Fête de la Saint-Jean et baptême Jacquemart fin juin ; Montée pédestre au Praz-de-Lys le 1er dimanche d'août ♦ **Hôtel :** à Bonneville (19 km S-O) Sapeur Hôtel (tél. 04.50.97.20.68), restaurant gastronomique ♦ **Restaurant :** La Crémaillère (tél. 04.50.34.21.98) ♦ **S. I.** (tél. 04.50.34.25.05).

THÔNES
74230 (Haute-Savoie)

Au confluent du Fier et du Nom, Thônes est la capitale du massif des Bornes. Sous la Révolution, son attachement à la foi catholique lui valut l'appellation de "Vendée savoyarde" et elle fut, autour du proche plateau des Glières, un des hauts lieux de la Résistance. Thônes, qui relevait au XIIe siècle de l'abbaye de Talloires, devint l'un des bourgs francs du comté de Genevois et fut érigé, en 1681, en marquisat. Marché traditionnel aux fromages et au bétail, Thônes, actuellement centre touristique et industriel, a belle allure, avec sa place entourée d'arcades et d'anciennes demeures, et sa fontaine. L'édifice le plus prestigieux est l'église Saint-Maurice, construite en 1687 et dotée en 1818, d'un haut clocher à balustrade et à bulbe. Le joyau de la décoration intérieure est un retable baroque qui compte parmi les plus remarquables de toute la Savoie.

♦ 4461 habitants, 626 m d'altitude ♦ **Accès :** à 20 km E d'Annecy par D 909 ♦ **A voir :** le musée du Pays de Thônes ♦ **Aux alentours :** le lac d'Annecy ♦ **Foires, festivités :** marché le samedi matin ; Fête savoyarde folklorique le 2e dimanche de juillet ♦ **Hôtel :** à Manigod (6 km S-E), Hôtel de la Croix Fry (tél. 04.50.44.90.16), hôtel de charme, 12 chambres et suites 500-1500 F ♦ **Mairie** (tél. 04.50.02.91.72) - **S. I.** (tél. 04.50.02.00.26).

YVOIRE
74140 Douvaine (Haute-Savoie)

Yvoire est la perle touristique du Léman. Ce gros village fortifié est construit sur le "bec d'Yvoire", promontoire à la limite du Grand et du Petit Lac. Ce lieu fut très anciennement humanisé. En 1306, le comte Amédée V "le Grand" acquiert Yvoire. C'est ce souverain qui est le créateur du "bourg muré". Pendant plusieurs années, on travaille à agrandir le château et à entourer le village d'une enceinte. L'église (1308), remaniée à plusieurs reprises, fut dotée, en 1856, de son clocher à bulbe, de style préalpin. L'enceinte extérieure, aux fossés comblés, garde deux tours carrées, percées de portes en ogive, celles de Rovorée, à l'est, et de Nernier, au couchant. Dominant le lac de ses quarante mètres de hauteur, s'élève la puissante masse du château, réduit à l'ancien donjon quadrangulaire. Yvoire était essentiellement, avant de se vouer au tourisme, un port de bateliers et de pêcheurs. Le village a gardé de cette activité un habitat de maisons jointives, à balcons de bois et à escalier extérieur, en pierre. Les façades des ruelles qui descendent vers la petite jetée du port sont couvertes de glycines et de géraniums, exubérance végétale favorisée par la douceur du microclimat lémanique.

♦ 437 habitants, 374 m d'altitude ♦ **Accès :** à 26 km N-E de Genève par N 5, D 20 et D 25 ♦ **A voir :** le Jardin des Cinq Sens (au château, tél. 04.50.72.88.80) ; le Vivarium ; le musée du Vieil Yvoire ♦ **Aux alentours :** la plage de sable d'Excenevex ; le château de Ripaille à Thonon ♦ **Foires, festivités :** marché le vendredi après-midi ; Traversée à la nage du lac Léman le dernier dimanche de juillet ♦ **Hôtel :** Le Pré de la Cure (tél. 04.50.72.83.58), très bon restaurant ♦ **Restaurants :** Les Flots Bleus (tél. 04.50.72.80.08), A la Vieille Porte (tél. 04.50.72.80.14), Le Port (tél. 04.50.72.90.71) ♦ **Mairie** (tél. 04.50.72.80.36) - **S. I.** (tél. 04.50.72.80.21) - Capitainerie (tél. 04.50.72.83.28).

INDEX

LES GUIDES
DE
CHARME RIVAGES

Disponible également
en version anglaise,
allemande et hollandaise.

Disponible également
en version anglaise,
allemande et hollandaise.

Disponible également
en version anglaise
et en version allemande.

Disponible également
en version anglaise
et en version allemande.

Disponible également
en version anglaise
et en version allemande.

Disponible également
en version anglaise
et en version allemande.

Disponible également
en édition allemande.

Achevé d'imprimer à Vérone (Italie)
Litho Service
Dépôt légal: janvier 1996